Un soir d'anniversaire

LAUREN NICHOLS

Un soir d'anniversaire

*éditions*Harlequin

Titre original : ACCIDENTAL HERO

Traduction française de CATHERINE BERTHET

HARLEQUIN®
est une marque déposée par le Groupe Harlequin
PRÉLUD'®
est une marque déposée par Harlequin S.A.

Photos de couverture
Couple : © YURI ARCURS / ROYALTY FREE / FOTOLIA
Ponton : © ROYALTY FREE / JUPITER IMAGES

Réalisation graphique : © VIVIANE ROCH

© 1998, Edie Hanes. © 2009, Harlequin S.A.
83-85, boulevard Vincent-Auriol 75646 PARIS CEDEX 13.
Service Lectrices — Tél. : 01 45 82 47 47
www.harlequin.fr
ISBN 978-2-2808-0939-9 — ISSN 1950-277X

Chapitre 1

Maggie Bristol entendit le ronflement d'un moteur approcher du bureau du shérif de Comfort, dans le Montana. Son cœur fit un bond, et elle remit rapidement le dossier qu'elle était en train de consulter dans le classeur métallique où elle l'avait pris. Puis elle retourna en hâte s'asseoir à son bureau. Si le shérif revenait et la surprenait dès son premier jour de travail en train de fourrer son nez dans le casier judiciaire de Ross Dalton, elle n'occuperait pas longtemps ce poste de secrétaire.

Le bruit du moteur devint plus distinct, et un pick-up noir et poussiéreux apparut dans Prairie Street, vira à gauche dans un crissement de pneus pour se garer, et s'immobilisa enfin à un mètre cinquante de la large fenêtre du bureau en soulevant un grand nuage de poussière. Un large volume entre les mains, Maggie se pencha pour jeter un coup d'œil dans la rue.

Le hors-la-loi en question s'apprêtait à entrer.

« Pourvu qu'il soit devenu affreux, songea-t-elle, le

cœur battant déjà la chamade à l'idée de le revoir. Pourvu qu'il soit chauve, gras, mou, et tatoué. » Elle grimaça en entendant une petite voix intérieure se méprenant totalement sur les motifs de cette prière lui souffler : « Cela fait treize ans maintenant, Maggie. Il serait temps d'oublier tes blessures d'amour-propre, non ? » Mais elle ne se laissa pas atteindre par cet argument.

Ross ne faisait surgir que des problèmes dans son sillage. Comme pour en donner une preuve supplémentaire, des va-et-vient agités et furieux se firent entendre, dans le bureau personnel du shérif où Trent Campion attendait l'arrivée de celui-ci. Le fils du plus riche éleveur de chevaux de l'Etat était entré comme un ouragan quinze minutes auparavant, pour demander la tête de Ross sur un plateau.

Un rayon de soleil fit étinceler le pare-chocs chromé du Dodge Ram, lorsque Ross sauta du pick-up et claqua la portière…

Et Maggie put alors constater que ses prières n'avaient pas été exaucées.

La dernière fois qu'elle avait vu Ross, c'est-à-dire onze ans plus tôt, elle avait dix-sept ans. Et exception faite de sa carrure plus robuste et des traits plus marqués qui étaient le signe de la maturité, il n'avait pas beaucoup changé. A trente et un ans, le mauvais garçon de Comfort avait toujours ses cheveux d'un blond foncé, et il portait toujours un Stetson marron.

Elle l'enveloppa d'un regard, remarqua le jean serré, les épaules larges, la chemise à carreaux beige qui mettait en valeur sa silhouette mince et musclée. Avec son mètre quatre-vingt-cinq, et son allure de beau gosse impétueux, Ross Dalton était l'image même du séducteur. Le soir de son quinzième anniversaire, elle avait bien failli tomber amoureuse de lui. Peu de temps après, son amour naissant s'était transformé en haine. Et le comportement irresponsable de Ross au cours des années suivantes lui avait donné de bonnes raisons de continuer dans cette voie.

Trente secondes après le Dodge Ram, la Jeep blanche du shérif apparut dans la rue et s'arrêta à côté du pick-up dans un crissement de freins. Cy Farrell descendit de voiture, le visage rouge de colère, et l'air agité. Toutefois, ses paroles ne parvinrent pas à traverser l'épaisse vitre décorée du bureau de police.

Maggie redressa les épaules, et affecta une parfaite indifférence pour ce qui se passait à l'extérieur. Puis Farrell poussa son suspect devant lui, et Ross Dalton s'engouffra dans le bureau comme une tornade, avec le sourire narquois du pêcheur pressé d'aller gagner sa place en enfer.

— Alors, de quel crime abominable m'accuse-t-on, cette fois ? Quelqu'un a bouché les toilettes de la station-service avec un film en plastique ? Ou bien accroché un des chats de Bessie Holsopple dans un arbre ?

A ce moment, Trent Campion sortit en trombe du bureau du shérif, et le regard de Ross se durcit instantanément.

— C'est bon, j'ai compris, marmonna-t-il. Je sais pourquoi je suis là.

— Il faut le mettre en taule ! hurla Trent. Pour agression et menaces terroristes.

Farrell désigna d'un hochement de tête le petit bureau encombré dont Trent venait juste d'émerger.

— Entrez et asseyez-vous. Tous les deux.

Quand il se tourna vers Maggie, celle-ci vit que de la sueur perlait sur sa lèvre supérieure.

— Si on me demande au téléphone, je ne suis là pour personne, sauf pour le réparateur du système de climatisation.

Il fit mine de suivre Ross dans le bureau, mais s'immobilisa sur le seuil.

— Et si quelqu'un vient, faites-moi signe, pour que j'aie le temps de fermer la porte. Il doit faire quarante-cinq degrés là-dedans.

Maggie était sûre qu'il faisait moins de trente, mais en raison de sa corpulence, Farrell était plus sensible qu'elle à la chaleur.

— Comptez sur moi.

Ross se retourna en entendant sa voix, et haussa les sourcils, comme s'il s'était attendu à voir quelqu'un d'autre assis derrière le bureau. Maggie sentit ses joues s'enflammer, tandis qu'il laissait son regard glisser sur ses cheveux noirs, son visage placide, son uniforme brun.

— Oh, bonjour, dit-il doucement.

Elle répondit d'un bref signe de tête. Il avait au moins la courtoisie de montrer qu'il se souvenait d'elle.

Les sourcils froncés, Farrell le poussa à l'intérieur du bureau, mais Maggie eut le temps de l'entendre demander :

— Elle n'est pas mal, la nouvelle, Cy. Qui est-ce ?
Qui est-ce ?

Irritée, Maggie regarda Farrell s'affaler dans son vieux fauteuil pivotant, tandis que son « prisonnier » prenait place face à Campion.

Ross ne se souvenait donc pas d'elle ? Pas du tout ?

Les accusations enflammées de Trent dans le bureau voisin finirent par prendre le pas sur l'irritation et la déception de Maggie. Ramenant le manuel vers elle, elle se renfonça dans son siège et se remit à lire.

Mais les lettres se brouillèrent sous ses yeux. Tout ce qu'elle parvenait à voir, c'était le feu de camp et la fête qui avaient eu lieu dans la crique des Dalton, le soir de ses quinze ans. Elle entendait encore les accords entraînants de la musique country, et les rires rauques des étudiants de dernière année, qui venaient d'obtenir leur diplôme, et se baignaient dans la rivière où coulait une source chaude pour fêter ça. Ce soir-là, la bière avait coulé à flots, le chant des crickets était entêtant… et Maggie s'était sentie fondre entre les bras de Ross Dalton, qui avait alors dix-huit ans.

Des frissons parcoururent les membres de Maggie alors qu'elle revivait la magie de cette soirée. Elle avait naïvement essayé de se persuader que la fête était donnée en l'honneur de son anniversaire, que ce n'était pas une fête dans laquelle Mary Ellen Parker et elle s'étaient introduites clandestinement, et en essayant de ne pas se faire remarquer. Se retrouver avec Ross, c'était la réalisation d'un rêve secret pour elle, qui était encore en première année et avait idolâtré Ross pendant toute une année scolaire.

C'était probablement pour cela qu'elle ne lui avait pas opposé beaucoup de résistance quand il l'avait attirée sur l'une des couvertures et l'avait embrassée sensuellement, en plongeant la langue dans sa bouche. Maggie était fille de pasteur, et elle n'avait jamais rien fait d'aussi sensuel dans sa vie… et pourtant, elle s'était offerte sans réserve à ce baiser.

La réserve était apparue un peu plus tard, quand elle s'était aperçue que son chemisier était ouvert… et que l'un des copains de Ross, debout à côté d'eux, les observait.

Horrifiée et humiliée, elle s'était dégagée, était allée retrouver Mary Ellen, et avait filé avec elle. Elle avait prétendu devant Mary Ellen que Ross avait un faible pour elle, sans quoi il ne l'aurait jamais caressée comme il l'avait fait, mais par la suite il ne lui avait jamais plus donné signe de vie. Elle avait été mortifiée et accablée par son indifférence.

Dans l'autre pièce, Farrell laissa s'exprimer sa colère, ramenant brusquement Maggie à l'instant présent.

— D'accord, maintenant que j'ai entendu la version de Trent, quelle est la tienne ?

La voix de Ross était basse et posée, plus grave que dans son souvenir.

— Il n'y a pas grand-chose à dire. Il était en train de battre son cheval, et je lui ai ôté sa cravache des mains.

— Je n'étais pas en train de battre ce cheval, cria

Trent. Mais même si cela avait été le cas, cet animal m'appartient, et j'ai le droit de faire ce que je veux.

— Ce n'est pas une question de droit, riposta Ross. C'est une question de bien et de mal.

Le shérif laissa échapper un petit rire de mépris.

— La remarque est intéressante, venant d'un voleur de bétail.

Le regard de Maggie glissa une nouvelle fois dans le bureau. Elle savait à quoi Farrell faisait allusion, tout était noté dans le casier de Ross. Et ce qui n'était pas dans son dossier avait été colporté par les journaux et les ragots.

Le profil viril de Ross se durcit, et Maggie perçut sa tension sous l'attitude désinvolte. Elle attendit qu'il se défende, elle souhaita même ardemment qu'il le fasse. Mais il s'en abstint, et se contenta de rebondir sur les accusations de Trent.

— Je l'ai poussé, il est tombé, et je lui ai dit que si jamais je le revoyais battre un animal, je lui enfoncerais sa cravache si profondément dans la gorge qu'il faudrait l'intervention d'un proctologue pour la lui retirer.

Trent bondit sur ses pieds, furieux, et le shérif leva la main en signe d'apaisement.

— Ecoutez, pour cette fois, nous allons nous en tenir à un simple avertissement. Personne n'a été blessé, et…

— A part le cheval, dit Ross d'un ton sec.

— Je vous ai dit ce que je voulais, Cy. Faites-le! ordonna Campion. Vous allez vous représenter aux élections cette année, et mon père ne sera pas content de savoir que vous négligez vos devoirs envers cette ville.

— Il n'a pas tort, Cy, fit remarquer Ross. Il ne faudrait

pas que Ben Campion vous prive de son soutien l'année des élections. Il serait plus prudent de m'enfermer.

Farrell jaillit de son siège, et saisit les clés de la cellule. Maggie reporta vivement les yeux sur son manuel.

— D'accord, mon gars, marmonna le shérif. Tu l'as bien cherché. Allons-y.

— Je n'ai pas le droit de passer un coup de fil?

Farrell poussa Ross vers le hall du bureau et le fit passer devant Maggie, pour gagner la cellule qui se trouvait de l'autre côté de la pièce.

— Tu veux un avocat?

— Non, juste de quoi manger. Quelque chose à emporter, du café de ma tante Ruby, ce sera très bien.

De plus en plus rouge de colère, Farrell ouvrit la porte et fit passer Ross à l'intérieur d'un étroit couloir ouvrant sur trois cellules.

— Ferme-la et entre là-dedans.

Maggie entendit un cliquetis de clés, puis la porte d'une cellule qui claquait. Farrell ressortit, essoufflé, et claqua derrière lui la lourde porte métallique qui rebondit contre le chambranle et resta entrouverte. Il sortit son mouchoir et essuya son cou épais.

La scène qui venait de se dérouler sous ses yeux fit éprouver un vague malaise à Maggie. Ross n'était pas un ange, mais elle était effarée de voir que Farrell avait cédé et obéi à Campion, en enfermant Ross sous un prétexte aussi futile. Non qu'elle soit opposée à voir Ross faire un petit séjour derrière les barreaux. Il ne manquait pas de raisons de faire pénitence.

Farrell s'adressa à Trent :

— C'est bon, il est enfermé. Mais il sera ressorti avant que vous ayez eu le temps de dire ouf, et il ne sera pas content d'avoir perdu du temps. Il y a du travail en ce moment à Brokenstraw. Ils vont marquer les bêtes.

— Il aurait dû y penser avant de venir me chercher querelle.

L'air satisfait, Trent s'apprêta à sortir. Mais parvenu sur le seuil, il changea d'avis, et revint d'un air dégagé vers le bureau de Maggie. Sa voix se fit alors doucereuse et persuasive.

— Il est bientôt midi. C'est le moment de faire une pause. Ça vous dirait de venir déjeuner avec moi?

Maggie eut du mal à trouver un sourire. Déjeuner avec un type trop riche, gâté et égocentrique, et qui plus est, maltraitait ses chevaux? Non, merci. Après sa dernière relation, elle avait décidé d'être très sélective et de choisir soigneusement les hommes dont elle acceptait les invitations. Et même en supposant qu'elle ait aimé les hommes qui ne cultivaient que l'apparence et n'avaient rien dans la tête, Trent Campion ne lui plaisait vraiment pas, avec ses cheveux noirs parfaitement coiffés et ses allures de star.

En fait, rien chez lui ne la séduisait. Même pas sa richesse, qu'il étalait complaisamment. Trent portait un jean et une chemise à carreaux, comme presque tous les hommes de Comfort. Mais ses vêtements étaient chers, coupés sur mesure, et n'avaient jamais été souillés par la sueur d'une honnête journée de travail.

Toutefois, elle dissimula son dégoût. Dans cette ville, se mettre à dos les Campion, c'était comme mordre la main qui vous nourrissait. Leurs contributions aux œuvres de charité et leurs investissements dans des sociétés locales les avaient élevés au rang de saints aux yeux de la communauté.

— Je vous remercie, mais j'ai emporté de quoi déjeuner. Je comptais manger sur place aujourd'hui, car j'ai beaucoup de travail.

— D'accord. Une autre fois, peut-être ?

Ses yeux verts s'attardèrent sur les prunelles sombres de Maggie, et il ajouta :

— Il y a un rodéo le prochain week-end. Vous irez ? Je compte y participer.

— Désolée, je ne sais pas si je pourrai. Je séjourne chez mon oncle et ma tante, et ils auront sans doute prévu quelque chose pour moi.

— Si ce n'est pas le cas… pensez au rodéo.

Il se tourna, sans cesser de sourire, et lança par-dessus son épaule :

— Passez une bonne journée.

— Vous aussi, s'obligea-t-elle à répondre.

Debout à la droite de son bureau, figé dans une posture rigide, Cy Farrell le regarda sortir. Derrière ses petites lunettes cerclées d'acier, ses yeux paraissaient d'un gris glacé. Il était clair que Campion l'avait poussé à faire quelque chose qui ne lui plaisait pas, et qu'il en éprouvait de la rancœur.

Cy remonta son pantalon d'uniforme sur sa taille un peu enrobée.

— Maggie, il faut que j'aille voir quelqu'un à l'imprimerie. Vous pensez pouvoir vous en sortir seule ici, un moment?

Eh bien… oui. Elle avait été adjointe dans le Colorado, jusqu'à son retour à Comfort, la semaine précédente. Farrell savait qu'elle était compétente. D'autre part, il l'avait déjà laissée seule quand il était parti à la recherche de Ross.

— Bien sûr, dit-elle, en cachant une pointe d'agacement. Y a-t-il autre chose que vous voudriez que je fasse, à part étudier les procédures et répondre au téléphone?

Il lui tendit le lourd anneau auquel étaient accrochées les clés.

— Pas le premier jour. Joe devrait revenir de Bozeman bientôt, et Mike rentrera vers 3 heures.

Oubliant presque aussitôt ses deux adjoints, il lança un regard maussade à la porte qui menait aux cellules.

— Et laissez celui-là mijoter. S'il se met à brailler, allez vérifier qu'il n'a pas essayé de se pendre dans sa cellule, puis refermez la porte.

Le tapage commença à l'instant même où Farrell eut fait démarrer sa Jeep et quitté le parking.

Déterminée à garder une attitude professionnelle, et ignorant tous les clichés sur les femmes qui s'étaient senties méprisées par un homme à un moment de leur vie, car cela ne s'appliquait absolument pas à elle, Maggie s'approcha de la porte restée légèrement entrouverte. Réprimant une étrange émotion, elle agrippa la poignée et fit un pas dans le couloir.

Ross était nonchalamment allongé sur sa couchette, le dos appuyé au mur de ciment, le chapeau rabattu sur les yeux, les jambes croisées. Ses prunelles, d'un bleu aussi pur que le ciel du Montana, apparurent sous le Stetson et la fixèrent. Les yeux de Ross étaient encore plus bleus que dans son souvenir, et ils ressortaient magnifiquement dans son visage mince et brun.

— Il y a un problème, monsieur Dalton ? Vous avez décidé que vous vouliez un avocat, finalement ?

Il esquissa un sourire extrêmement enjôleur.

— Non, j'envisage une solution plus efficace. Mais de fait, oui, j'ai un problème. Je dépéris, enfermé ici. Vous ne voulez pas partager votre repas avec moi ?

Maggie lui lança un regard glacial. La porte n'était entrouverte que d'un centimètre, mais apparemment cela avait suffi pour qu'il entende les paroles qu'elle avait échangées avec Trent.

— Au fait, ça me fait plaisir que vous ayez refusé l'invitation de l'héritier. Vous valez beaucoup mieux que lui.

— Je fais ce que je veux, et ça ne vous regarde pas. Pour le déjeuner, je peux téléphoner à votre tante Ruby et commander quelque chose pour vous.

Ross étrécit les yeux, l'air intrigué.

— Vous savez que ma tante s'appelle Ruby ? On se connaît ?

Il l'avait pratiquement déshabillée, mais il ne se rappelait pas qui elle était ? C'était très flatteur pour elle. Maggie s'efforça de garder son calme.

— Je vous ai entendu demander au shérif si vous pouviez commander quelque chose chez votre tante, monsieur Dalton. Vous voulez bien me dire ce qui vous ferait plaisir?

Il eut un petit rire qui l'irrita encore plus.

— Wouaw, vous êtes coriace. En général, il me faut beaucoup plus longtemps pour provoquer une réaction aussi agressive chez une femme. J'aimerais bien deux cheese-burgers, un milk-shake au chocolat, et une part de tarte aux pommes.

Il se laissa glisser davantage sur la couchette, croisa les bras sur sa poitrine et ferma les yeux.

— Je payerai à la livraison. En fait... j'aimerais bien vous offrir quelque chose à vous aussi, si vous arrêtiez de faire votre bêcheuse.

Maggie le dévisagea longuement. Comment un homme qui avait eu de si graves ennuis trois ans auparavant pouvait-il encore se comporter comme si le monde tournait autour de lui? Comment pouvait-on vivre une épreuve pareille, et en sortir inchangé?

— Vous vous moquez de tout, n'est-ce pas?

— Bien sûr. Je me fiche complètement d'avoir faim, et je commence à me fiche drôlement de vous voir là, avec votre longue tresse brune et vos jolis yeux noirs.

— Levez-vous.

Ross souleva une paupière.

— Pardon?

— Levez-vous et ôtez votre ceinture.

Une lueur malicieuse passa dans ses yeux. Il ôta son chapeau, fit glisser ses doigts dans sa chevelure, et se dirigea vers les barreaux derrière lesquels elle se tenait.

— Vous voulez ma ceinture?

— Les prisonniers n'ont pas le droit de porter de ceinture, et je pense que vous le savez.

— C'est écrit dans le manuel ?

— Votre ceinture.

— Vous craignez que je n'attente à mes jours, shérif adjoint ?

— Je ne suis pas encore adjoint. Je ne suis qu'employée de bureau pour le moment, et j'ignore ce dont vous êtes capable.

Ross sourit lentement, et défit la boucle de métal de sa ceinture de cuir, avant de faire glisser celle-ci dans les passants de son jean.

— Imaginez que mon pantalon tombe, mademoiselle qui n'êtes pas encore adjoint ?

Maggie passa une main entre les barreaux, saisit vivement le ceinturon de cuir, et retourna dans le bureau de la réception.

— Eh bien, vous n'aurez qu'à le porter autour des chevilles. Je vais passer votre commande au café, aux frais du comté.

Elle ne savait pas très bien comment Farrell procédait, mais tous les prisonniers avaient le droit de manger, si exaspérants soient-ils.

Cette fois, quand elle rabattit la porte derrière elle, elle veilla à ce que celle-ci demeure bien fermée.

Le shérif était revenu, et bien installé dans son bureau, lorsque Ruby Cayhill entra comme une tornade avec le plat et le milk-shake commandés. Une ride d'anxiété creusait son front, déjà marqué par l'âge.

— Où est-il? s'exclama-t-elle, en rabattant la porte derrière elle d'un mouvement de ses hanches osseuses.

Elle gagna le bureau de la réception en deux rapides enjambées. Tante Ruby, comme elle exigeait que tout le monde l'appelle, était l'image même de l'indignation. Celle-ci était entièrement dirigée contre son petit-neveu.

Son regard bleu s'adoucit un peu quand il se posa sur Maggie.

— J'ai entendu que tu étais revenue en ville, Maggie. Comment va ton oncle Moe? C'est terrible, cet accident.

— Il va mieux à présent, merci. Mais il est très limité dans ses mouvements. Je vais aider tante Lila et mon cousin Scott pendant quelque temps.

Maggie marqua une pause, avant d'ajouter :

— Je suppose que vous venez voir Ross?

— Je suppose, confirma tante Ruby d'un ton crispé.

— Allons le réveiller, dans ce cas. J'ouvrirai la cellule pour que vous puissiez lui passer son repas, mais il faudra que vous restiez dans le couloir pour parler avec lui. Je vous amènerai une chaise.

— Tu veux dire que le petit chéri s'est endormi?

Ruby se dirigea d'un pas énergique vers la cellule. Ses baskets rouges couinaient sur le carrelage, et son cardigan de même couleur flottait comme un drapeau autour de son corps maigre, vêtu d'un uniforme blanc de serveuse. Un filet plaquait ses boucles grises sur sa tête.

Pendant les minutes qui suivirent, Maggie demeura assise derrière son bureau, amusée d'entendre Ross se faire sévèrement sonner les cloches. Elle tourna la tête lorsque le murmure de sa voix rauque parvint jusqu'à elle. Quelques minutes plus tard, Ruby traversa le hall au pas de charge et entra dans le bureau de Farrell. Sa voix stridente ricocha contre les murs de la pièce exiguë.

— Cela ne te suffit pas de harceler ma famille, depuis des années ? Il faut que tu mettes mon neveu en taule parce qu'il a pris la défense d'un pauvre animal ?

— Tante Ruby…

— Je t'interdis de m'appeler tante Ruby quand j'essaye de te faire entendre raison ! Tu vas laisser sortir ce garçon sur-le-champ, sans quoi je dirai à tous mes clients de donner leur voix à quelqu'un d'autre le jour de l'élection. Et s'il le faut, je me présenterai moi-même contre toi au poste de shérif !

— Je suis désolé, répondit Cy avec une évidente sincérité. Mais je suis pieds et poings liés. Il y a eu un dépôt de plainte, et…

— Eh bien, il va y en avoir un autre dès que j'aurai mis la main sur mon téléphone, monsieur, et ça ne va pas te plaire.

Pivotant brusquement sur ses talons, Ruby sortit du bureau, fit un bref signe de tête à Maggie, ouvrit largement la porte et s'éloigna d'un air furieux.

Le rire bas qui s'échappait de la cellule ne parvint à la conscience de Maggie que lorsque Ruby eut atteint le milieu de la chaussée. Elle s'empressa d'aller fermer la porte avant que Farrell ne l'entende aussi.

Ross se leva, souriant. Il passa les bras autour des barreaux de la cellule et la considéra avec un amusement évident.

— Je vous avais prévenue.

Maggie s'immobilisa sur le seuil.

— A quel sujet?

— Je vous ai dit que j'envisageais quelque chose de plus efficace que de prendre un avocat, mademoiselle l'employée de bureau. Et maintenant, pourriez-vous me rendre ma ceinture, s'il vous plaît? Je pense pouvoir sortir dans moins d'une heure.

Il ne se trompait pas. Un quart d'heure plus tard, alors que Maggie venait juste d'avoir au téléphone le réparateur de la climatisation qui avait promis de passer le lendemain matin, l'imposante silhouette de Ben Campion s'encadra sur le seuil. Son fils le suivait, l'air renfrogné.

— Mademoiselle, dit l'homme, en soulevant galamment son Stetson blanc. Pourrais-je dire un mot au shérif, je vous prie?

Campion avait la soixantaine, des cheveux grisonnants et un visage aux traits harmonieux, brunis par le soleil. Il était vêtu simplement, mais la chaîne qu'il portait au cou et sa montre Rolex étaient là pour rappeler, sans trop de subtilité, qu'il était riche.

Cy sortit en hâte de son bureau, avec un sourire servile que Maggie trouva écœurant. Lorsque les tapes sur l'épaule et les poignées de main d'usage eurent été échangées, le front de Campion se plissa, et il prit un air soucieux.

— Je crois qu'il y a eu un léger malentendu.

Ben regarda Trent, avec un sourire qui n'avait rien de chaleureux.

— Mon fils a finalement décidé qu'il avait été un peu trop impulsif ce matin, quand il vous a demandé d'enfermer Ross Dalton. Il aimerait mieux retirer sa plainte à présent, n'est-ce pas, mon garçon?

Trent hocha la tête d'un air maussade, mais ne dit pas un mot. Le visage de Farrell s'éclaira.

— Absolument, Ben. Cela ne pose aucun problème. En fait, tu peux demander à Trent, je lui ai dit tout à l'heure que ce serait une bonne idée de laisser tomber cette plainte.

Campion fixa sur Farrell un regard noir et acéré.

— Eh bien, je regrette que tu n'aies pas été un peu plus ferme, Cy. Cela m'aurait évité de venir jusqu'ici. Un shérif doit savoir maîtriser la situation, tu vois ce que je veux dire? Surtout quand il espère être réélu cet automne.

Le visage de Farrell s'empourpra sous l'effet de la colère. Campion allait un peu trop loin.

— Bien sûr, Ben, dit néanmoins le shérif. Je suis désolé que tu aies dû te déranger.

Il se détourna, et ajouta rapidement :

— Je vais voir si notre prisonnier est décidé à sortir d'ici.

— J'apprécierais qu'il le fasse sans traîner, Cy.

Quelques secondes plus tard, Ross apparut dans le

hall de la réception. L'ombre d'un sourire flottait encore sur ses lèvres.

— Salut, Ben. Content de vous voir. Qu'est-ce qui vous amène en ville ?

Campion se rembrunit. Il s'approcha posément de Ross, et baissa le ton pour déclarer :

— Je tolère les menaces de votre tante parce que c'est une vieille femme. Mais ne vous avisez plus de vous mettre en travers de mon chemin, ou de causer des ennuis à ma famille. Si vous le faites, vous le regretterez.

Ben sourit largement à Maggie avant de sortir. Trent et Farrell le suivirent.

Ross s'approcha nonchalamment de son bureau.

— Je suppose qu'il laisse son fils faire ce qu'il veut, tant qu'il ne fait pas de mal aux chevaux. Ben a réellement un faible pour son Appaloosa.

Maggie acquiesça d'un hochement de tête. Comme Ross restait planté devant son bureau, elle lui lança un regard interrogateur. Elle n'aurait su dire pourquoi, mais elle éprouvait un peu moins d'animosité envers lui qu'auparavant. Sans doute parce que les autres hommes auxquels elle avait eu affaire aujourd'hui étaient bien pires que lui.

— Vous vouliez autre chose ?

— Ma ceinture. A moins que vous ne préfériez la garder jusqu'à samedi soir ?

Maggie cligna les paupières, interloquée.

— Samedi soir ?

— Je pourrais passer vous chercher vers 8 heures,

pour aller à Dusty's Roadhouse… pour danser un peu et s'amuser?

Même pas en rêve. Elle avait déjà fait ce genre de parcours avec cet homme… même s'il n'en gardait pas le moindre souvenir. Il ne viendrait plus jamais la chercher!

Sans le lâcher des yeux, Maggie plongea la main dans un profond tiroir de son bureau, et en sortit une grande enveloppe de papier kraft.

— Désolée, je n'aime pas danser. Voilà votre ceinture. Tâchez de ne plus vous attirer d'ennuis.

Ross prit la ceinture en riant doucement, puis reposa l'enveloppe sur le bureau.

— D'accord. A condition que vous fassiez quelque chose pour moi.

— Quoi donc?

— Lâchez vos cheveux sur vos épaules.

— Mes cheveux sont sur mes épaules, monsieur Dalton. Maintenant, vous n'avez pas envie d'aller ailleurs?

Maggie vit son regard bleu glisser sur sa veste d'uniforme et s'arrêter sur le badge indiquant son nom. Un curieux frisson, qu'elle n'avait plus éprouvé depuis très longtemps, lui parcourut les membres.

— A dire vrai, si. Mais comme la femme avec qui j'aimerais y aller n'a pas l'air de vouloir tomber dans mes bras, je suppose que je vais simplement rentrer à Brokenstraw et essayer de ramener au bercail quelques bêtes égarées.

Il toucha le bord de son chapeau en souriant, et se dirigea vers la porte.

— Au revoir, mademoiselle Maggie. Tout cela était très intéressant.

Oui, songea Maggie en le regardant remonter dans son pick-up et démarrer. C'était certainement très intéressant.

Chapitre 2

Maggie arrêta sa petite Ford bleue dans l'allée de gravier à côté de la maison, coupa le contact et sortit. Elle déboutonna sa veste d'uniforme, tout en se dirigeant vers la large véranda blanche où son oncle était assis, vêtu d'une chemise de travail et d'un confortable pantalon de pyjama.

Moe Jackson était un homme plutôt massif qui avait à peine dépassé la soixantaine. Il avait des yeux noisette, dans un visage buriné, et depuis qu'il avait eu cet accident qui l'obligeait à l'inactivité, il portait sur sa famille un regard morne qui voulait clairement dire : « Je ne suis plus bon à rien, je n'ai plus qu'à mourir. » Ses cheveux cependant étaient toujours aussi noirs qu'au jour de sa naissance. C'était une caractéristique familiale dont la mère de Maggie avait aussi hérité. Quand elle était morte quatre ans auparavant, Amanda Bristol avait toujours sa chevelure couleur de jais.

— Bonsoir, oncle Moe, lança Maggie.

— Bonsoir. Ton père a appelé.

— Super. Je le rappellerai dans quelques minutes. Ça a l'air d'aller, toi. Tu as bonne mine.

Elle gravit les marches du perron, embrassa son oncle sur la joue, et se laissa tomber dans la balancelle.

— L'air frais et le soleil te font du bien.

Moe désigna d'un geste sa cage thoracique bandée, et sa jambe dans le plâtre, qui reposait sur un pouf en osier couvert de coussins.

— Ce qui me ferait du bien, c'est d'être débarrassé de tout ça. J'ai l'impression d'être une vieille femme inutile, assise là pendant que les autres font le travail à ma place.

— Je sais, dit gentiment Maggie. Mais quand on se fait rouler dessus par un tracteur, on ne peut pas s'attendre à en sortir indemne. C'est un miracle que tu n'aies pas été plus gravement blessé.

— Oui, oui, bougonna-t-il.

Il tendit la main pour prendre le verre de limonade posé à côté de lui sur une petite table en rotin. Le geste lui arracha une grimace de douleur.

— Comment s'est passée ta journée ?

— Oh, je me suis autant amusée que toi, je pense. La climatisation était en panne, et tous les visiteurs venaient pour se plaindre. Ce qui est logique, quand on y pense. Les gens ne viennent pas voir le shérif s'ils n'ont pas de problème.

Maggie marqua une pause, examinant longuement la clé de voiture qu'elle tenait à la main.

— J'ai fait quelque chose aujourd'hui que je n'aurais

sans doute pas dû faire. J'ai outrepassé mes droits, en quelque sorte.

Moe haussa un sourcil noir et broussailleux, trouvant enfin un intérêt à autre chose qu'à sa propre souffrance.

— Oh, vraiment? Et qu'as-tu fait?

— J'ai sorti le dossier de Ross Dalton, et je l'ai lu.

Le seul nom de Ross suffit à accroître l'irritation de Moe.

— Un vrai démon, celui-là! Il s'acharne à tout détruire. Ce gars est devenu fou à la mort de sa mère, et du vieux Ross.

Maggie songea à l'accident d'avion qui avait coûté la vie aux parents de Ross. Ceux-ci faisaient partie de la même paroisse que son père.

— Cela a dû être dur pour lui, de perdre ses parents si jeune.

— Son frère Jess s'en est très bien sorti. Il a pourtant perdu ses parents, lui aussi.

Moe avala une autre gorgée de limonade.

— Pourquoi as-tu consulté son dossier?

Maggie revit en pensée le visage viril de Ross, et malgré elle, elle éprouva un frisson.

— Oh, simple curiosité, je suppose. Farrell l'a amené au poste aujourd'hui, et j'ai eu l'idée de jeter un coup d'œil à son casier, pour savoir ce qu'il avait fait derniè-rement. A vrai dire, il n'y avait pas grand-chose dans le dossier, à part... cette affaire de vol de bétail.

— Cette affaire de vol de bétail? répéta Moe, indigné. Il s'agissait de mes bêtes, Maggie. Et si le tribunal n'avait pas obligé ces sales voleurs à me les restituer, je serais encore en train d'essayer de couvrir mes pertes.

Maggie se rapprocha légèrement de son oncle, en proie à un soudain malaise à l'idée qu'elle allait défendre Ross. Non qu'elle se souciât de lui le moins du monde, mais parce que celui-ci ne méritait pas d'être assimilé à ces « sales voleurs ».

— A en croire le rapport, il n'a pas participé activement au vol. Il est dit clairement dans le dossier que lorsqu'il a compris l'intention de ces hommes, il a refusé de prendre part à leur action. Le tribunal lui a accordé l'immunité, à cause de son témoignage, grâce auquel justement on a pu envoyer les voleurs en prison.

— Cela ne fait aucune différence, rétorqua Moe avec mépris. Il a été assez faible pour se laisser entraîner par ces types-là. Le jeu, la boisson, l'argent qu'on doit à des gens comme ça. Non seulement il a mis en danger le ranch de sa famille, mais il a bien failli faire tuer sa belle-sœur ! Tout ça, à cause de sa passion pour les cartes !

Maggie savait que les choses ne s'étaient pas passées exactement comme ça. En fait, Ross avait eu une conduite plutôt héroïque, le soir où les faits s'étaient déroulés. Mais quand elle exprima cette pensée, Moe se rembrunit de nouveau.

— Maggie, si jamais Ross Dalton a commis un acte héroïque, alors c'était purement par accident ! Dis-toi bien cela.

Il se renfrogna encore davantage et demanda :

— Alors… qu'est-ce qu'il a fait, cette fois ?

— Rien de terrible. Il s'est un peu accroché avec

Trent Campion, dans la journée. Trent et son père sont repassés un peu plus tard au bureau du shérif, pour retirer leur plainte.

Le ton de son oncle changea tout à coup, et se fit beaucoup plus patient.

— Voilà un gars intéressant pour toi, Maggie. Le jeune Campion est un bon parti.

Trent ? Elle ne pouvait imaginer que Trent soit un bon parti pour quiconque, et encore moins pour elle.

— Il a de l'argent, une bonne éducation, reprit son oncle, et il n'est pas mal physiquement. En plus de cela, son père le prépare pour les élections législatives.

— J'ignorais que Trent faisait de la politique.

— Il n'en fait pas encore vraiment. Mais il se rend souvent dans la capitale, pour soutenir des groupes conservateurs, et tout ça. Les Campion ont des relations très haut placées.

Moe fronça les sourcils et croisa le regard de sa nièce.

— Cela ne te ferait pas de mal de t'intéresser un peu à Trent, au lieu de perdre ton temps à lire le dossier de Ross Dalton.

Maggie était sur le point de déclarer qu'elle ne s'intéresserait jamais à Trent, même si son père le préparait aux élections présidentielles. Mais à cet instant sa tante apparut dans la véranda. Elle portait un jean et un T-shirt bleu clair qui mettaient en valeur sa silhouette mince et souple.

Lila Jackson esquissa un petit sourire indulgent.

— Bonté divine, Moe, tu as encore l'air d'être dans un de tes mauvais jours!

Avec sa stature frêle et ses boucles grises et mousseuses, elle était loin de paraître ses cinquante-huit ans.

— Et je dois dire, monsieur le Grincheux, que je n'échangerais pas un seul Ross contre dix Trent Campion. Ce n'est pas Trent qui s'est précipité ici le lendemain de ton accident pour t'offrir son aide, n'est-ce pas?

— C'était un peu tard pour venir faire amende honorable, marmonna Moe.

— Ross t'a vraiment offert son aide, oncle Moe?

— Oui, mais je l'ai renvoyé. Je n'ai pas besoin de gens comme lui.

Lila soupira bruyamment et sourit à Maggie.

— Le dîner est prêt, ma chérie. J'espère que tu aimes le hachis Parmentier?

— J'adore ça! s'exclama joyeusement Maggie. Je vais mettre la table. Scott reste pour dîner?

Le fils de Moe et de Lila était marié et vivait en ville, mais il travaillait toujours au ranch Lazy J avec son père.

— Pas ce soir. Ils sont invités chez les parents de Marly.

— Il a de la chance, grommela Moe. Le hachis Parmentier, ce n'est pas un plat pour un éleveur de bestiaux.

— Tu as absolument raison, mon chéri, dit Lila avec un clin d'œil à Maggie. C'est pourquoi j'ai juste prévu une gaufre pour toi.

Le samedi matin, Maggie sella le cheval alezan de son oncle, et partit tout de suite après le petit déjeuner. Le jour précédent, Scott et Lila avaient emmené tous les veaux et leurs mères dans le pâturage ouest, afin de faciliter le marquage la semaine suivante. Aujourd'hui, Maggie avait pour mission de repérer les têtes de bétail qui avaient pu être oubliées.

Tout en scrutant le paysage, elle songea à cette première semaine. Le temps avait passé sans qu'elle s'en aperçoive. Elle s'était jetée à cœur perdu dans le travail, serrant les dents quand on lui demandait de préparer du café pour les hommes, et rongeant son frein quand Farrell et ses deux adjoints partaient en mission sans elle. Ses soirées étaient consacrées au ranch, et elle accomplissait les petites tâches que Scott et Lila n'avaient pas eu le temps de faire pendant la journée.

Mais les soirs où elle ne s'endormait pas aussitôt après avoir posé la tête sur l'oreiller, les pensées de Maggie avaient tendance à s'égarer du côté de Ross Dalton. Ce qu'elle trouvait bigrement agaçant.

C'était peut-être parce que le ranch des Dalton, le Brokenstraw, était voisin du Lazy J. Ou bien c'était parce qu'elle avait passé trop de soirées à penser à lui quand elle était adolescente. Les vieilles habitudes avaient la vie dure. Quoi qu'il en soit, elle éprouvait pour cet homme une attirance physique qui la mettait mal à l'aise. Bien sûr cela n'irait pas plus loin, et de toute façon, le fait de voir Ross n'anéantirait pas ses espoirs de voir Farrell lui accorder le titre d'adjoint.

Sa liaison avec Tod, qui avait duré deux ans, venait de prendre fin. Celui-ci avait finalement admis qu'il ne pourrait pas aller plus loin avec elle, c'est-à-dire se marier et avoir des enfants.

En s'intéressant au mauvais garçon de Comfort, rebelle jusqu'ici à tout engagement, elle se préparait une nouvelle déconvenue, et un nouveau chagrin d'amour. Or, elle savait par expérience que Ross Dalton pouvait lui briser le cœur en un clin d'œil, et se révéler aussi dévastateur qu'un vent Chinook sur les Rocheuses. Il l'avait déjà prouvé.

Repoussant ces pensées maussades, Maggie arpenta le pâturage, s'attardant près des bouquets d'arbres et des petites buttes boisées, cherchant les Herefords à la robe brun rouge. Le ciel était d'un bleu limpide. Aucun nuage ne s'annonçait. Les corbeaux poussaient des cris perçants, et de fines volutes de brouillard s'attardaient encore dans les creux de la prairie. L'air était pur, chargé du parfum de la sauge et des fleurs sauvages.

Soudain, son attention fut attirée par un meuglement provenant des taillis, un peu plus loin devant elle. Puis elle aperçut un morceau de tissu bleu, entre les feuilles de peupliers. Pressant les flancs de sa monture, Maggie la fit bondir en avant. Elle était sûre que Scott était resté dans la grange. Personne n'aurait dû se trouver…

Elle éprouva un choc, suivi d'une violente colère, et piqua son cheval des talons pour le mettre au galop.

Alerté par le bruit des sabots, Ross se retourna et vit une femme mince, aux longs cheveux noirs et soyeux, s'élancer vers lui à travers la prairie. Il esquissa un sourire et immobilisa sa monture, empêchant le cheval brun de pousser trois bouvillons vers la clôture de barbelés qui marquait la limite de la propriété de Brokenstraw.

Ross sentit son sang s'échauffer en la reconnaissant. Que diable venait-elle faire ici? Quoi qu'il en soit, il n'était pas mécontent de la voir. Il n'avait pas cessé de penser à sa jolie geôlière pendant toute la semaine.

— Non mais, qu'est-ce que vous croyez? cria-t-elle, en tirant sur les rênes.

Le puissant alezan se cabra, puis effectua quelques ruades, avant que Maggie ne parvienne à le calmer et à le contrôler de nouveau.

Ebloui, Ross contempla les yeux bruns, le teint animé, la masse de cheveux noirs retombant sur les épaules de la jeune femme. Puis son regard glissa sur sa gorge, sur sa chemise jaune pâle au col largement ouvert, et enfin sur le jean qu'elle portait à l'intérieur de ses bottes de cuir.

— Mon Dieu, mon Dieu…, murmura-t-il.

— Ramenez ces bêtes sur nos terres, si vous ne voulez pas que je vous emmène chez le shérif!

Il y avait tant d'agressivité dans sa voix, que le sourire de Ross s'effaça. Il lui fallut une demi-seconde pour comprendre, et ce fut lui alors qui devint agressif.

— Vous croyez que je vous ai volé ces trois bêtes?

— Ce n'est pas vrai?

— Eh bien, ce doit être la vérité, puisque c'est un membre du bureau du shérif qui le dit.

Il laissa de nouveau son regard courir sur le corps de la jeune femme, s'attardant sur ses seins, ses hanches, et ses longues jambes musclées.

— Vous me surveillez ?

Sans attendre la réponse de Maggie, il ajouta avec un petit sourire narquois :

— Le shérif a dû décider que vous étiez meilleure pour la filature que pour le travail de bureau, mademoiselle Maggie. C'est bien la première fois que Farrell et moi tombons d'accord sur quelque chose.

— Ramenez ces animaux dans le ranch auquel ils appartiennent.

— C'est bien mon intention, répliqua Ross d'une voix froide et métallique. Mais avant de sortir vos menottes et de me lire mes droits, vous feriez mieux de vérifier la marque que portent ces bêtes.

Maggie lança un regard furieux de côté, et regarda le flanc des animaux. Lorsqu'elle vit la marque de Brokenstraw, une vive couleur envahit ses joues.

— Je… je suis désolée. Ces bêtes vous appartiennent.

— En effet. Et dès que j'aurai terminé mon travail ici, je me rendrai en ville afin de déposer plainte pour harcèlement. Ça me fera plaisir d'être le plaignant, pour une fois.

— Personne ne vous harcèle, monsieur Dalton, riposta vivement Maggie. Je fais simplement mon travail, tout comme vous.

Elle mit pied à terre et attacha son cheval à une branche, puis alla examiner la brèche dans la clôture, qui avait permis aux bêtes égarées de Ross de passer sur les terres du Lazy J.

— Comptez-vous réparer cette clôture ?

Ross la dévisagea froidement.

— Eh bien, je n'ai pas encore décidé. Cela fait un moment que je me demande… vaut-il mieux la réparer tout de suite, ou bien faire plusieurs kilomètres chaque jour pour ramener sur mes terres les bêtes égarées ?

— Vous n'êtes pas drôle, monsieur Dalton.

— Vraiment ? Pourtant, la plupart des femmes me trouvent amusant.

— C'est ce que j'ai entendu dire.

Maggie retourna vers son cheval, ouvrit les sacoches fixées à la selle et en sortit une paire de gants très épais.

— Que faites-vous ?

— Je vais vous aider.

— Pourquoi ?

— C'est évident, non ? Pour être sûre que le travail est bien fait. Je n'ai pas envie que le bétail de Brokenstraw vienne brouter l'herbe des Jackson.

Ross marmonna quelques jurons, et descendit de son cheval.

— Et qu'est-ce que ça peut vous faire, à vous ?

— Je suis la nièce de Moe Jackson.

Ross se rembrunit, essayant de digérer la nouvelle, et tout ce qu'elle impliquait. Moe avait dû remplir la tête de la jeune femme avec toutes sortes d'histoires peu flatteuses, mais malheureusement exactes. Depuis le vol de bétail dont il avait été victime, Moe n'avait pas une très haute opinion de lui.

— Je suppose que ça explique pourquoi vous me détestez, dit-il. Et aussi pourquoi vous êtes si bonne cavalière. J'imagine que vous avez grandi au milieu des chevaux.

La colère de Maggie monta d'un cran.

— J'ai grandi ici. Dans ce ranch. Je suis Maggie Bristol.

— Je devrais connaître votre nom ? Pourquoi ? Nous sommes allés à l'école ensemble ?

Maggie enfila vivement ses gants. Ross remarqua un chapeau de cow-boy noir accroché dans son dos, et qu'il n'avait pas vu jusqu'à présent.

— C'est possible. Je ne m'en souviens pas. Vous comptez passer la journée à bavarder, ou bien vous voulez réparer cette clôture ?

Ross serra les dents. Bristol. Bristol… Il saisit le sac d'outils et le rouleau de fil barbelé accrochés à sa selle, et alla les déposer près de la clôture. Il fut décontenancé en voyant Maggie prendre l'initiative de traîner le vieux pieu pourri à l'écart, puis suggérer avec naturel d'utiliser l'arbre le plus proche pour le remplacer provisoirement.

— Très bien, dit-il, avec une pointe de respect.

Il accrocha le nouveau fil à l'ancien, puis fit signe à Maggie de le maintenir contre le tronc d'arbre pendant qu'il le fixait à l'aide de quelques pointes. Pendant qu'il travaillait, une pensée fugitive l'effleura. Elle avait la taille idéale pour une femme. S'il la serrait contre lui, sa tête viendrait juste se caler sous son menton. Il chassa cette pensée et enfonça un nouveau crampon dans le bois.

Au bout de quelques minutes, il rompit le silence et demanda :

— Comment vous êtes-vous laissé embrigader dans ce job de bureau, chez le shérif ? Il me semble que vous seriez plus à votre place dans un ranch.

Elle répondit d'un air distant :

— J'ai déposé une candidature. Quand mon oncle a été blessé, j'ai envoyé un CV au shérif. J'ai été adjoint pendant deux ans dans le Colorado, mais ici je me sens chez moi.

— Vous étiez adjoint, mais vous avez fait une demande pour avoir un emploi de bureau ?

— Non. J'ai fait une demande pour un poste d'adjoint, et Farrell m'a promis de me donner la place de Mike Halston lorsque celui-ci partira à la faculté de droit, à la fin de l'été. Ensuite, il m'a dit que sa secrétaire allait partir et que si je voulais, je pouvais la remplacer en attendant que le poste d'adjoint se libère.

Ross tira sur le fil barbelé pour le tendre, et le fixa à l'aide de quelques derniers crampons.

— Une femme adjoint chez Cy Farrell ? Je ne veux pas jouer les rabat-joie, mais notre très estimé shérif a probablement oublié sa promesse deux secondes après l'avoir faite.

Maggie ne se laissa pas démonter.

— Je ne crois pas. Quelques hommes dans cette ville semblent avoir de sérieux problèmes de mémoire, mais je pense que le shérif tiendra parole. Nous avons terminé ?

Ross tira sur le fil métallique de sa main gantée, afin d'en vérifier la solidité.

— Je crois. Ce n'est pas génial, mais ça fera l'affaire, en attendant que je puisse revenir et planter un vrai piquet.

— Bien.

Maggie ôta ses gants, regagna sa monture d'un pas vif et fourra les gants dans sa sacoche. Puis elle agrippa les rênes et remonta en selle. Elle considéra Ross pendant quelques instants, tandis que son cheval musculeux piaffait avec impatience. Il crut alors voir passer quelque chose dans ses yeux, une expression qui ressemblait à… de la déception ? Du chagrin ?

Puis, sans un mot, elle fit tourner sa monture et s'éloigna. Ross garda comme gravée dans son esprit l'image de ses yeux sombres, de ses longs cheveux noirs cascadant dans son dos, de sa bouche pulpeuse aux contours parfaits…

Il avait fait déjà la moitié du chemin qui le ramenait vers le ranch, quand il finit par se rappeler. Maggie Bristol était la fille du révérend Tom Bristol.

Ce qui n'expliquait pas pourquoi elle manifestait une telle hostilité à son égard, même en tenant compte des démêlés qu'il avait eus avec Moe. Les Bristol avaient déménagé plusieurs années auparavant, quand le révérend avait été nommé dans une autre paroisse. Ross n'était plus allé à l'office régulièrement depuis la mort de ses parents, il était donc peu vraisemblable qu'il ait connu Maggie à l'église.

Mais maintenant qu'il y pensait… il y avait chez elle quelque chose de vaguement familier…

Le souvenir lui revint brusquement en tête, comme un orage inattendu. L'eau de la crique, la musique, les rires stridents. Et la voix de Vince Harper pouffant de rire près du feu de camp.

— Pas mal joué, Ross. C'était avec la fille du pasteur que tu t'amusais. Mon vieux, tu vas filer tout droit en enfer, c'est sûr.

Ross grimaça en revoyant toute la scène. Des lèvres parfumées… une voix douce… un corps chaud et passionné. Du moins, elle lui avait paru passionnée, jusqu'à ce qu'il se laisse entraîner un peu trop loin. Alors, elle s'était ressaisie et avait filé comme une petite souris effrayée. Pas étonnant qu'elle ait l'air aussi fâché. Aucune femme n'avait envie d'être insignifiante au point d'être complètement oubliée par un homme avec qui elle avait flirté.

Or, il l'avait bel et bien oubliée !

A l'instant où elle s'était esquivée, avec sa copine aussi timide qu'elle, il s'était tourné vers une fille plus âgée qui savait exactement ce qu'il voulait… et Maggie Bristol n'avait plus été pour lui qu'un vague souvenir.

Ross garda son attention fixée sur la clôture, tandis que sa monture traversait l'herbe haute de la prairie, semée d'ancolies bleues. Ses pensées finirent par s'égayer un peu, et il sourit. La petite fille du pasteur s'était joliment transformée.

La femme qu'il avait vue traverser la prairie sur un cheval lancé au galop n'avait pas grand-chose en commun avec la jeune fille discrète, aux cheveux sagement coupés au carré, et à la chemisette blanche boutonnée jusqu'au cou. C'était aujourd'hui une créature superbe, aux cheveux de jais, avec un corps de cavalière et une allure bagarreuse qui lui embrasaient les sens.

Tout à coup, il se sentit stimulé par le challenge que cette femme représentait. Il piqua légèrement les flancs de son cheval pour lui faire accélérer l'allure. Lors de cette nuit lointaine près de la source, elle s'était raidie quand il avait voulu l'embrasser et prendre possession de sa bouche. Mais il était prêt à parier tout ce qu'il avait que Maggie Bristol savait embrasser comme une femme, à présent.

Il ne lui restait plus qu'à trouver un moyen de vérifier.

« Ce n'est pas un objectif très noble », lui souffla une petite voix intérieure.

— Tant pis, marmonna-t-il, saisi par une vague d'amertume familière.

La noblesse, ce n'était pas son truc, désormais. Après le procès, il avait fait son possible pour faire oublier ses bêtises de jeunesse. Mais quoi qu'il fasse, la ville de Comfort l'avait catalogué : il n'était qu'un vaurien irresponsable. Tout acte de gentillesse de sa part était considéré comme suspect.

Aussi maintenant se contentait-il d'être le personnage qu'ils voulaient qu'il soit. Inutile de créer la confusion dans l'esprit des gens du coin.

*
* *

Le lundi après-midi, Ross gara sa camionnette devant le bureau du shérif, jeta un coup d'œil au rétroviseur pour vérifier qu'il était bien rasé, puis se dirigea vers la porte.

Il ne se trouvait pas trop mal, avec sa chemise propre, son jean neuf et ses bottes cirées. Derrière son bureau, Maggie parlait au téléphone. Elle se raidit à l'instant même où elle le vit franchir le seuil.

Elle griffonna quelques mots sur un bloc de papier, se leva, et déclara :

— Je lui transmets le message.

Ignorant la présence de Ross, elle raccrocha, apporta le papier dans le bureau du shérif, et le posa sur sa table. Quand elle revint dans le hall de réception, elle accorda à contrecœur son attention à Ross.

— Je peux faire quelque chose pour vous, monsieur Dalton ?

— Ouais. Je suis venu me livrer. Un papier de chewing-gum s'est envolé par la vitre de mon pick-up il y a quelques minutes, et je me suis dit qu'il valait mieux éviter à Cy la corvée de me courir après et de me ramener au poste pour me questionner.

Il lui adressa son sourire le plus enjôleur, et demanda :

— Vous voulez me passer les menottes ?

Elle ne fut ni amusée ni charmée par cette petite scène.

— J'ai du travail, monsieur Dalton, et si vous n'avez pas une raison valable de vous trouver là…

— En fait, j'en ai une, dit-il d'un ton aimable. J'espérais seulement détendre un peu l'atmosphère avant d'en venir aux choses sérieuses.

Maggie compulsa quelques papiers étalés sur son bureau, puis lui tourna le dos et se dirigea vers le classeur métallique où étaient rangés les dossiers.

— Et quelles sont ces « choses sérieuses », je vous prie ?

— Je suis venu déposer plainte contre vous pour harcèlement.

Maggie pivota sur ses talons et manqua laisser tomber la liasse de documents qu'elle était en train de classer. Elle le considéra avec stupeur.

— C'est une plaisanterie ?

— Non, madame, pas du tout. Maintenant… comment dois-je m'y prendre ? Je n'ai pas l'habitude d'être de ce côté-ci de la barrière.

Ross vit un éclair de fureur apparaître dans ses yeux et il eut toutes les peines du monde à contenir un nouveau sourire. Plus elle lui donnait de preuves qu'elle le détestait, plus il était tenté de la mettre dans son lit.

Maggie finit de classer ses documents, retourna à son bureau d'un pas raide, puis s'assit et leva vers lui un regard posé.

— Je ne suis pas habilitée à enregistrer votre plainte. C'est le shérif ou l'un de ses adjoints qui doit le faire, et ils sont tous sortis. Mais vous pourriez peut-être me dire, juste pour passer le temps, quelles accusations vous comptez porter contre moi. Le harcèlement ne tiendra pas, car la définition ne correspond pas aux circonstances.

Ross rajusta son Stetson brun et fit la moue. En réalité, il s'amusait beaucoup.

— D'accord. Alors, disons que je porte plainte pour diffamation. Vous m'avez accusé à tort d'avoir volé du bétail qui en fait m'appartenait.

— Cela ne marchera pas non plus. Pour qu'il y ait diffamation, il faut avoir porté atteinte à la réputation d'une personne par une publication écrite.

— Calomnie ? suggéra-t-il.

Elle poussa un soupir d'impatience.

— Vraiment, monsieur Dalton. Vous avez si souvent été traîné ici au cours des dix années écoulées, que l'on pourrait penser que vous avez une meilleure connaissance des lois. Même si j'avais porté contre vous des accusations précises, il n'y avait pas de témoin. Par conséquent, il n'y a pas eu diffamation, ni calomnie. Et maintenant, pourriez-vous trouver quelqu'un d'autre à ennuyer ? Je suis occupée.

Ross jeta un coup d'œil à son bureau. Mis à part un stylo, un bloc de papier, et un ordinateur éteint, il n'y avait rien devant elle trahissant la moindre activité.

— Oui, je vois que vous êtes très occupée.

Il ne fit pas mine de partir, et demeura planté là, pendant qu'elle fouillait dans un tiroir. Elle finit par le regarder de nouveau avec irritation.

— Vous êtes encore là ?

Il sourit, et annonça :

— Je vous plais.

Maggie le considéra, l'air abasourdi.

— Qu'est-ce qui vous fait dire une chose pareille?

— Parce que pour déclarer ce que vous avez déclaré tout à l'heure, il faut que vous vous soyez renseignée sur moi.

— Qu'est-ce que j'ai déclaré?

— Que j'étais souvent venu ici. Vous avez jeté un coup d'œil à mon dossier?

Il balaya sa propre question d'un geste, et enchaîna :

— Bon, c'est possible. Mais pour savoir que j'ai été traîné ici chaque fois que Farrell avait besoin de revaloriser son ego, il faut que vous en ayez parlé avec quelqu'un. Voyons… avec un des adjoints, peut-être? Mike Halston? Il aime bien parler, celui-là.

Maggie sentit ses joues s'empourprer. Elle avait effectivement parlé de Ross avec Mike. Mais c'était dans une optique purement professionnelle, et parce qu'elle était intriguée par la rancune que Cy Farrell manifestait envers la famille Dalton.

Mike lui avait dit que ces dernières années Cy s'était lassé de discréditer sans cesse Jess, le frère de Ross, et avait pris ce dernier comme tête de Turc. A présent, Maggie avait des doutes sur l'explication de l'adjoint. Farrell en avait probablement par-dessus la tête de l'insolence de Ross, et il avait décidé de lui rabattre son caquet.

Elle prit son stylo, l'examina, et le fit lentement tourner entre ses doigts. Puis son regard revint se poser sur Ross.

— En parlant d'ego… quelle est la vraie raison de votre présence ici? Je suis censée être impressionnée par la comédie grotesque que vous me jouez? Vous pensez que toutes les femmes sont naïves à ce point?

— Non, madame.

Maggie jeta le stylo sur son bureau et se leva. Elle se pencha par-dessus son bureau, et se retrouva pratiquement nez à nez avec lui.

— Cessez de m'appeler « madame ». J'en ai assez, de vos manières insolentes et de vos sourires en coin. Je vous trouve beaucoup plus intéressant quand vous maniez le marteau en jurant, comme le cow-boy que vous êtes.

Souriant de plus belle, Ross frotta le bout de son nez contre le sien. Choquée, Maggie recula d'un bond.

— Je vois que nous progressons, déclara-t-il. Vous admettez que je vous plais un peu. Allons faire un tour, nous en parlerons en nous promenant.

— Ecoutez, répliqua-t-elle sèchement. J'essaye de faire carrière ici. Et ce n'est pas en me montrant en public avec le voleur préféré du shérif que j'y parviendrai.

Elle vit ses yeux bleus se durcir, et regretta instantanément les mots qu'elle venait de prononcer. Jusqu'ici, aucune de ses répliques n'avait semblé l'atteindre. Mais cela… C'était un coup bas, si on songeait qu'il avait chèrement payé sa conduite passée. Mike Halston lui avait confié que depuis le vol de bétail, certaines personnes refusaient toujours d'adresser la parole à Ross, incapables de lui pardonner sa passion pour le jeu, qui avait bien failli détruire sa vie.

— Ross, je suis désolée.

Mais il dissimulait déjà ses sentiments derrière un autre de ses sourires enjôleurs.

— Allons, Maggie, dit-il d'une voix de velours. Depuis que vous êtes revenue en ville vous n'avez pas cessé de m'envoyer des piques. Vous m'en voulez encore de ne pas être allé plus loin, lors de cette soirée dans la crique ? Ou bien de ne pas vous avoir donné une autre chance de me dire oui ?

Le visage de Maggie s'enflamma. Il tourna le dos, sortit d'une démarche nonchalante, grimpa dans son pick-up et s'éloigna. Il avait donc fini par se rappeler qui elle était.

Elle aurait préféré que la mémoire continue de lui faire défaut.

La gorge nouée, elle retourna vers le classeur, en ressortit le dossier de Ross et le ramena sur son bureau.

Elle relut tous les renseignements dont elle avait déjà pris connaissance la semaine précédente. A cause de sa passion pour le jeu, il avait manqué perdre la partie de Brokenstraw qui lui appartenait. A la suite de quoi, il avait été entraîné dans une bande de voleurs de bétail. Et pour couronner le tout, il avait été blessé par balle en essayant de sauver sa belle-sœur, que les voleurs avaient voulu prendre en otage avant de fuir. Après quoi, il avait été condamné par le tribunal à suivre un programme de rééducation pour se désintoxiquer du jeu, et à faire deux ans de travaux d'intérêt public.

Maggie referma le dossier et poussa un soupir de lassitude.

— Vous avez eu une vie mouvementée, monsieur Dalton, dit-elle à mi-voix. Mais je ne peux pas me permettre de vous plaindre. Je ne peux pas.

Elle ne pouvait pas non plus se permettre de songer à l'effet dévastateur qu'il avait sur son système nerveux lorsqu'il se trouvait dans les parages.

Oh certes, elle l'avait trouvé très séduisant quand ils avaient réparé cette clôture ensemble. Si séduisant qu'elle avait dû fournir un effort considérable pour se concentrer sur sa tâche. Ses traits bien ciselés et son long corps souple et viril la rendaient nerveuse. Son pouls s'accélérait chaque fois qu'elle entendait sa voix grave.

Mais cela ne pouvait mener à rien. La prochaine fois qu'elle laisserait entrer un homme dans sa vie, ce serait quelqu'un de stable, sur qui elle pourrait compter. Et pas seulement un grand enfant avec un sourire désarmant.

A 4 heures, Maggie fut heureuse de pouvoir enfin confier le bureau à l'adjoint Joe Talbot, qui travaillait à mi-temps. Elle grimpa au volant de sa voiture, ouvrit le col de sa chemise d'uniforme et remonta ses manches. La journée avait été calme dans l'ensemble, mais elle avait besoin de temps pour réfléchir, et le téléphone qui sonnait sans arrêt l'en avait empêchée.

Elle appuya sur la pédale d'accélérateur en sortant de la ville, et tourna dans le chemin de terre battue qui menait au Lazy J. Un nuage de poussière brune s'éleva dans le sillage du véhicule.

Elle était encore sous le coup de sa prise de bec avec Ross. Tout en tournant et retournant dans sa tête chaque instant de leur entrevue, elle regardait défiler derrière sa vitre des kilomètres de prairie verdoyante délimitée par des rubans de fils barbelés.

Elle s'était montrée trop sèche avec lui, et elle le regrettait sincèrement. Mais il fallait bien qu'elle lui fasse comprendre clairement qu'il n'y aurait jamais rien entre eux, n'est-ce pas? De toute façon, s'il se passait quelque chose, ce ne serait pour lui qu'une aventure passagère. Il ne tarderait pas à reporter son attention ailleurs, comme il l'avait fait treize ans auparavant, lors de cette fête.

Elle avait appris un peu plus tard par Mary Ellen, qui le tenait elle-même de sa sœur aînée, qu'une autre fille avait pris sa place dès qu'elle avait eu le dos tourné. C'était tellement humiliant!

Quand Maggie avait fini par se retrouver entre ses bras, elle avait été si naïve et si innocente, qu'elle n'avait même pas été capable de le suivre là où il voulait l'emmener...

— Mais alors, pourquoi m'a-t-il choisie, moi? avait-elle fulminé, tentant de dissimuler son humiliation devant son amie. Il ne manquait pas de filles plus vieilles avec qui il pouvait coucher!

Mary Ellen, avec la sagesse de ses seize ans, avait fait la moue pour atténuer la pique que contenait sa réponse.

— Parce que tu étais nouvelle?

Et c'était probablement la même chose à présent. Maggie représentait un nouveau challenge, une nouvelle conquête à accomplir.

Avec un hochement de tête satisfait, elle donna un petit coup d'accélérateur. D'accord. Maintenant, elle avait moins de remords à le considérer comme un criminel, un hors-la-loi.

Un disque qu'elle avait inséré dans le lecteur de CD en allant au travail ce matin tournait à vide. Elle le remit au début, et la voix de Céline Dion emplit l'habitacle.

Quelle coïncidence, songea-t-elle en fronçant les sourcils. Les souvenirs de Céline lui revenaient en tête, juste comme ceux de Maggie en ce moment…

Tout à coup, un petit voyant rouge se mit à clignoter sur le tableau de bord de la Ford. L'alarme du moteur.

Maggie freina rapidement, se gara au bord du chemin et coupa le contact. Que fallait-il faire? Elle se baissa pour actionner l'ouverture du capot et sortit de la voiture. Le nuage de poussière rouge qui la suivait l'enveloppa aussitôt.

Elle se mit à tousser et agita faiblement la main devant elle pour chasser la poussière. Puis elle se dirigea vers l'avant de la voiture.

Des volutes de vapeur s'échappaient du capot entrouvert.

Chapitre 3

— Magnifique, marmonna-t-elle. C'est magnifique.

Il faisait chaud, elle était encore à cinq kilomètres de la maison de son oncle, et cette route était probablement la moins fréquentée de tout l'Etat. Pourquoi ce genre de choses vous arrivait-il toujours quand vous étiez à vingt kilomètres du garage le plus proche ?

Maggie souleva le capot, et la volute de vapeur se transforma en un énorme nuage blanc. Il ne lui fallut qu'une minute pour distinguer le trou dans la Durit. Avec un soupir exaspéré, elle rabattit le capot. Puis elle ramassa son sac, ses clés, et se mit à marcher.

Trente minutes plus tard, elle se retrouva, hors d'haleine, en train d'enjamber une clôture de barbelés. Elle espérait prendre un raccourci en traversant cette prairie. Elle avait passé du temps dans la propriété quand elle était enfant, mais pas suffisamment pour avoir de réels repères dans le paysage. Il aurait été plus sage de suivre la route. Mais au train où elle allait, elle serait arrivée au ranch mardi, au moment de repartir travailler.

Elle était furieuse, en nage, et elle avait mal aux pieds. Tout à coup, le bruit d'un galop de cheval retentit dans la prairie, derrière elle. Elle entendit le cavalier pousser une exclamation amusée, puis le cheval s'arrêta dans un lourd piétinement de sabots.

— Vous faites une randonnée ?

Maggie lui lança un regard noir, et continua de marcher. C'est cela. Quand elle se promenait, elle mettait toujours son uniforme, et elle portait son sac en bandoulière comme une écolière.

Ross fit avancer sa monture à sa hauteur, tandis qu'elle progressait péniblement dans l'herbe haute. Il cala l'allure du cheval sur la sienne.

— Je suppose que votre voiture est tombée en panne ?

Elle tenta de maîtriser son souffle, mais n'y parvint pas tout à fait.

— C'est une Durit.

— Oh ! Je suis désolé.

Oui, il était sûrement désolé pour elle !

— Quelle coïncidence de se rencontrer de nouveau aujourd'hui. Buck et moi nous apprêtions justement à rentrer quand nous vous avons aperçue.

Buck avançait tranquillement à côté d'elle. Maggie serra les dents.

— J'ai remplacé le piquet cassé aujourd'hui. Dorénavant, les vaches de Brockenstraw resteront du bon côté de la clôture.

Buck continuait d'avancer, Ross demeurait sur son dos, et Maggie bouillait de rage. Elle avait l'impression d'avoir passé une heure dans un sauna, sans en retirer aucun des effets bénéfiques.

— Eh bien, bonne route, dit Ross en tirant sur les rênes pour faire tourner son cheval. Le dîner est sans doute prêt au…

Le hurlement que Maggie poussa fut si vibrant qu'une demi-douzaine de corneilles s'envolèrent, effrayées.

— Il faut que je vous supplie, pour que vous me rameniez à la maison ?

Ross retint son cheval.

— Non, répondit-il poliment. Tout ce que vous avez à faire, c'est de me le demander.

Il n'ajouta pas qu'elle n'avait rien à craindre pour sa réputation. Les chances qu'elle soit aperçue ici, avec « le voleur préféré du shérif », étaient minces, pour ne pas dire inexistantes. Mais Maggie aurait parié qu'il y avait pensé.

— D'accord, dit-elle, ravalant sa fierté. Je vous le demande.

Ross mit pied à terre et ramena le cheval vers elle, puis prit un mouchoir propre dans sa poche et le lui tendit. Marmonnant un remerciement, Maggie s'essuya le visage.

— Je le laverai et vous le renverrai, dit-elle.

— Non, gardez-le.

Il marqua une pause, et observa son visage rougi et les longues mèches de cheveux noirs qui s'échappaient de sa tresse.

— J'ai un bidon d'eau. Mais elle doit être tiède.

— Cela ne fait rien, j'en veux bien un peu. Merci.

Il décrocha la gourde qu'il transportait sur le cheval et la lui donna. Tout en buvant, Maggie ne put s'empêcher de penser qu'il avait posé les lèvres sur le même goulot, et elle éprouva un léger trouble. Elle parvint à sourire faiblement en lui rendant la bouteille.

— C'était délicieux.

— Une vieille recette de famille.

Il accrocha de nouveau le bidon à la selle, et désigna le cheval d'un geste.

— Vous êtes prête ?

Maggie fit un signe de tête et se hissa sur le cheval. Ses pieds n'atteignaient pas les étriers, et il dut les ajuster pour elle. Après quoi il monta derrière elle, et l'entoura de ses bras pour attraper les rênes.

— Nous ne mettrons pas très longtemps, dit-il de sa voix grave. Dix minutes tout au plus.

Ces dix minutes furent les plus longues de toute la vie de Maggie. Bien que le troussequin de cuir formât une barrière entre eux, elle eut soudain l'impression d'avoir de nouveau quinze ans et elle éprouva un sentiment enivrant à la pensée qu'elle était dans les bras de Ross Dalton. Son parfum viril l'enveloppait, et elle sentait son souffle tiède dans son cou.

Elle se ressaisit et s'assit droite sur la selle, agrippant le pommeau pour se maintenir en équilibre, et s'efforçant d'ignorer la caresse des bras de Ross contre les siens. Elle fit en sorte de réduire au minimum le contact entre leurs deux corps, mais le terrain était accidenté et de temps à autre elle était rejetée en arrière contre son torse, ou bien il était obligé de se pencher vers elle pour garder l'équilibre.

Quand ils atteignirent enfin la maison de son oncle, elle était si crispée que ses omoplates étaient douloureuses.

Lila ouvrit la porte grillagée de la cuisine et sortit en hâte, tandis que Ross immobilisait sa monture devant l'allée qui menait à la maison.

— Maggie! Dieu soit loué! Nous commencions à être très inquiets pour toi. J'ai appelé le bureau et Mike m'a dit que tu étais partie depuis longtemps.

Debout sur les marches du perron, Lila sourit à Ross.

— Bonjour, voisin. Où l'avez-vous trouvée?

Ross se laissa glisser à terre, et Maggie passa une jambe par-dessus la selle pour descendre.

— Pas très loin d'ici. Sa voiture était en panne.

Maggie lui lança un regard noir.

— Je peux parler, si ça ne vous fait rien. Ma voiture était en panne, ajouta-t-elle en se tournant vers sa tante.

Lila Jackson sembla réprimer un sourire, et son regard s'attarda un instant sur eux, tandis qu'ils se tenaient côte à côte.

— C'est ce qu'on m'a dit. J'ai l'impression que tu as besoin d'une bonne douche et d'un bon repas. Ensuite, nous sortirons le pick-up et les chaînes pour tracter ta voiture. Tu sais d'où vient la panne?

Ross répondit de nouveau le premier, et Maggie crispa les mâchoires, furieuse.

— Elle pense que c'est juste une Durit. Si vous voulez, je peux aller jeter un coup d'œil.

Moe Jackson apparut à cet instant derrière la porte grillagée, agrippant un déambulateur.

— Pas la peine, grommela-t-il, bourru. Nous pouvons nous débrouiller.

— Ça me fait plaisir de vous voir debout, Moe, lança Ross d'un ton cordial. Comment va votre jambe ?

Maggie se balança d'un pied sur l'autre, mal à l'aise. Elle espéra que son oncle ferait un effort pour être poli. En dépit de sa rancune contre Ross, Moe était un homme juste. Et Ross était venu en aide à un membre de la famille.

— Elle guérit tout doucement, répondit-il sans un sourire. Tu vas bien, Maggie ?

— Très bien. J'ai seulement eu un peu chaud.

— Bon. Ta tante se faisait du souci.

Et sans un mot de plus, il se retourna avec l'aide du déambulateur et s'éloigna en traînant la jambe.

Maggie vit Ross pincer les lèvres. Puis il se remit en selle, sans prendre la peine de rajuster les étriers à la bonne hauteur. Son oncle n'avait pas été ouvertement hostile, mais son attitude et le ton de sa voix étaient éloquents. Moe Jackson tolérait la visite de Ross, mais il lui faisait comprendre qu'il n'était pas le bienvenu.

— Eh bien, il est temps que je m'en aille pour vous laisser dîner tranquillement.

Maggie acquiesça d'un bref hochement de tête. N'importe qui d'autre que Ross aurait été invité à dîner, en guise de remerciement. Ross le savait. Il y avait un vieux dicton du Montana, qui disait que la porte était toujours ouverte pour les visiteurs. Mais elle ne l'était pas pour Ross.

Lila lui adressa un petit sourire d'excuse, avant de suivre son mari à l'intérieur.

— Merci encore, Ross. Transmettez nos amitiés à Jess et à Casey.

— Je n'y manquerai pas.

Quand Lila eut disparu à son tour, Ross descendit de cheval pour rajuster les étriers. Maggie s'adoucit un peu.

— Je suis désolée qu'il se soit montré si froid. Il vous en veut encore, à cause du... eh bien, vous savez quoi.

— Vous pouvez le dire, vous savez. Il y a encore beaucoup de gens qui ne se gênent pas pour le faire.

Il contourna le cheval pour régler le second étrier, et Maggie le suivit.

— Ce n'est pas juste, dit-elle, avec sincérité. Vous ne vouliez pas être mêlé à ça, vous n'avez rien fait.

Elle marqua une pause, et ajouta doucement :

— Je suis désolée de vous avoir traité de voleur cet après-midi. Vous n'en êtes pas un.

Ross retourna de l'autre côté du cheval et se hissa sur la selle. Il la regarda un instant, et dit :

— Je ne suis pas hors la loi, parce que j'ai témoigné. Sans cela, j'aurais été accusé de complicité, et en ce moment, au lieu d'être en train de parler avec vous, je serais en prison.

Les boucles des rênes tintèrent légèrement lorsqu'il fit tourner le cheval.

— Moe a le droit de m'en vouloir.

Vingt minutes plus tard, Lila Jackson arrêta son vieux pick-up Chevy dans le virage où Maggie avait laissé sa voiture. Celle-ci fut stupéfaite de voir que Ross se trouvait là. Il rabattit le capot de la voiture et replia un petit couteau qu'il glissa dans la poche de son jean.

Une fois de plus, elle se trouva aux prises avec cette étrange attirance. Certes, il était l'homme le plus exaspérant qu'elle ait jamais connu. Mais il était aussi le parfait cow-boy américain… grand, mince et bigrement séduisant avec sa chemise à carreaux et son jean poussiéreux. A quelques pas de la voiture, le cheval de Ross, attaché à un piquet, broutait tranquillement l'herbe de la prairie.

— Salut, dit Maggie en descendant du pick-up.

— Avant que vous m'accusiez de vouloir voler votre voiture, sachez qu'elle ne m'intéresse pas, annonça-t-il d'un ton amical.

Il tapota son Stetson, et expliqua :

— Il n'y aurait pas assez de place pour mon chapeau.

Son regard glissa sur les cheveux défaits de Maggie, son jean propre et sa chemise bleu pâle.

— Vous n'avez pas pris le temps de dîner ? fit-il remarquer.

— Je mangerai plus tard. J'avais besoin d'une douche avant tout. Alors, quel est votre diagnostic ?

— C'est réparé. Du moins temporairement. Le trou était assez près du radiateur, j'ai donc pu couper une partie du tuyau et le remettre en place. Mais cela ne tiendra pas très longtemps, il faudra le remplacer.

Il se tourna et sourit à Lila qui s'attardait près du pick-up.

— Vous auriez un peu d'eau, dans ce tas de ferraille, Lila?

— Vous n'avez qu'à demander pour être servi.

Elle alla chercher le bidon d'eau à l'arrière de la camionnette et le lui tendit en souriant.

— Et je vous prie de montrer un peu de respect pour cette machine, ajouta-t-elle avec bonne humeur. C'est un bon vieux pick-up. Huit cylindres et trois cent quatre-vingt-seize chevaux. Il vaut mieux que tout ce que vous connaissez.

— Je vous demande pardon, dit-il en riant.

Ross remplit d'eau le radiateur de Maggie, puis versa un peu d'eau sur ses mains et les essuya dans l'herbe haute. Quelques minutes plus tard, Lila repartit au volant de son véhicule, laissant sa nièce la suivre dans sa propre voiture.

— Je suppose que je vous dois encore des remerciements, dit Maggie quand elle fut seule avec Ross.

Les yeux fixés sur le bout de ses baskets, elle réfléchit à la proposition qu'elle allait faire, puis croisa le regard bleu de Ross.

— Je me disais... que si vous vouliez encore déjeuner avec moi... Nous pourrions aller à Big Timber, samedi. C'est moi qui invite, bien entendu. Je connais un restaurant où on mange très bien, et...

. Il la dévisagea avec froideur.

— Et où personne ne saura qui nous sommes, c'est cela ?

Maggie rougit violemment et tenta un mensonge.

— Ross, ce n'est pas pour cette raison que j'ai proposé Big Tim…

— Ça m'étonnerait ! Vous êtes terrorisée à l'idée que quelqu'un vous voie avec moi. Mais par chance pour vous et pour moi, je ne suis pas libre ce jour-là.

Il s'approcha, en faisant crisser sous ses bottes le gravier du chemin. Son regard s'assombrit.

— Mais vous avez raison. Vous me devez des remerciements. Et je veux un baiser.

Choquée, Maggie essaya de se dérober. Mais elle ne put aller nulle part. L'arrière de ses genoux heurta le pare-chocs de sa voiture, ses jambes plièrent et elle tomba assise sur le capot.

— Si vous préférez vous asseoir, ça ne me gêne pas.

Avant qu'elle ait pu protester, il lui prit le visage d'une main, et posa ses lèvres sur les siennes. La réponse de Maggie fut immédiate. Stupéfaite, elle sentit un flot de chaleur se déverser dans ses membres, et ses lèvres s'entrouvrirent malgré elle. Ross approfondit son baiser, et en un instant toute sa réserve l'abandonna. Sans même s'en rendre compte, elle se retrouva debout dans ses bras, son corps pressé contre le sien comme si elle voulait se fondre en lui.

Quand il interrompit enfin leur étreinte, le cœur de Maggie battait la chamade et elle avait du mal à respirer. Elle ouvrit les yeux, et rencontra le regard de Ross, brouillé par la perplexité. Elle n'était pas la seule à avoir été troublée par ce baiser. Elle aurait dû dire quelque chose, ou au moins essayer de respirer normalement… mais elle n'en était pas capable.

Brusquement, le regard de Ross redevint normal. Il posa les mains sur ses épaules et la fit se rasseoir sur le capot.

— Comment avez-vous trouvé ça, mon chou ? Vous n'avez pas eu peur, cette fois-ci. Et il n'y avait personne pour nous regarder.

Puis il contourna la voiture et alla détacher son cheval, comme si ce baiser ne l'avait pas déconcerté le moins du monde.

Il fallut un long moment à Maggie pour reprendre ses esprits. Et alors, sa fureur éclata comme l'orage un soir d'été. Cet homme aimait la mettre hors d'elle ! En fait, pour une raison inexplicable, il semblait avoir pour seul but dans la vie de la mettre hors d'elle. Eh bien, elle ne lui donnerait pas la satisfaction de savoir qu'il avait réussi une fois de plus.

Levant fièrement le menton, Maggie se releva posément, épousseta son jean, et monta dans sa voiture.

Et brusquement, ses sentiments prirent une tournure différente.

Elle avait sa part de responsabilité dans ce qui venait de se passer, et elle avait provoqué les railleries de Ross. Il fallait bien qu'il fasse quelque chose pour regagner un peu de pouvoir, après qu'elle l'eut insulté avec cette invitation à déjeuner en dehors de la ville. Il était peut-être impertinent mais il n'en avait pas moins des sentiments.

Un homme qui embrassait comme ça était forcément capable d'éprouver des émotions.

Maggie poussa un petit soupir. Après toutes ces années, qui aurait cru qu'il pouvait encore la faire fondre de désir simplement en la serrant dans ses bras?

Les sabots ferrés résonnèrent sur le chemin de terre. Ross amena son cheval au niveau de la vitre baissée et jeta un coup d'œil dans l'habitacle. Un sourire narquois flottait encore sur ses lèvres.

— Vous attendez une deuxième distribution, Maggie?

La colère de Maggie resurgit, plus puissante que jamais. Par miracle, elle parvint à se dominer.

— Pour tout dire, j'attendais là en me demandant combien de temps vous mettriez pour revenir m'en demander davantage, rétorqua-t-elle en mettant le moteur en route. Ce n'était pourtant pas extraordinaire, mais apparemment, ça vous a plu.

— Là, je crois que vous vous trompez complètement.

— Ah oui?

Elle sourit, et passa la première.

— Vous mentez aussi mal que vous embrassez, déclara-t-elle, avant de démarrer dans un crissement de pneus, les enveloppant son cheval et lui d'un épais nuage de poussière.

La seule chose qui lui gâcha un peu sa sortie, ce fut le rire de Ross, qu'elle entendit vaguement dans le lointain.

*
* *

Quand Maggie arriva sur le champ communal, le samedi après-midi, il y régnait déjà une intense activité. Enfants et adultes portaient tous des éléments de costumes du Far West. Les jambières de cuir, les Stetson poussiéreux, les bottes à semelles compensées destinées à accrocher les étriers.

Maggie acheta un cornet de frites et un Coca, puis grimpa sur les gradins métalliques. Une musique assourdissante s'échappait des haut-parleurs, noyant presque la joyeuse cacophonie de la foule. Elle trouva une place au sixième rang.

L'odeur de la poussière, du foin et des animaux se mêlait aux arômes des hamburgers et des frites. Maggie ressentit malgré elle une pointe d'excitation. Elle n'avait pas prévu de venir assister au rodéo. C'était une chose qu'elle n'avait encore jamais faite. Mais en sortant d'un magasin aujourd'hui, elle avait aperçu l'affiche du programme dans la vitrine de Ruby, et elle avait décidé de voir ce que c'était.

Elle fronça les sourcils, tout en sortant ses lunettes de soleil de son sac. Oui. Oui, c'était la seule raison de sa présence ici.

— Bonjour, mesdames et messieurs ! s'exclama le présentateur, dans la tribune au-dessus d'elle. Bienvenue au rodéo. Jusqu'ici nous avons pu admirer quelques exercices intéressants avec les chevaux, et nous allons voir les taureaux dans quelques instants. Alors dépêchez-vous de prendre vos boissons et d'aller vous asseoir.

Trent Campion va passer le premier. Il montera un sacré gaillard, qui s'appelle Rampage.

Un instant plus tard, la musique de l'orchestre se fit entendre de nouveau avec Charlie Daniels et son violon.

Dominant la musique entraînante, une voix qui n'était plus toute jeune s'écria :

— Comment tu t'es trouvé une aussi bonne place, Maggie ?

Maggie baissa les yeux et vit Ruby Cayhill. Son sac sur l'épaule, la vieille dame se frayait d'un pas alerte un chemin sur les gradins. Elle portait toujours son cardigan rouge, sur son uniforme de serveuse. Tout en se dirigeant vers Maggie, elle lançait des bonjours à droite et à gauche, en agitant ses bras maigres et osseux.

Maggie se poussa un peu pour lui faire de la place.

— Je ne sais pas, tante Ruby. C'est un hasard. Le banc était libre, alors je me suis assise.

Ruby sortit un coussin de son sac, le posa sur le banc et s'assit. Puis elle observa Maggie derrière ses petites lunettes cerclées.

— Je ne me rappelle pas t'avoir déjà vue assister à ce genre de manifestation.

— C'est la première fois. Mon père était contre les rodéos. Il trouvait que c'était stupide, ces hommes qui risquaient leur vie par orgueil, juste pour être applaudis.

Ruby haussa les épaules.

— Chacun a le droit d'avoir son opinion. Moi, quand c'est l'heure du rodéo, je laisse le café à mes employées et je saute dans mon pick-up.

Son regard perçant se posa sur un homme qui traversait l'arène pour se diriger vers la tribune des juges, et elle poussa un soupir exaspéré.

— Voilà ce Trent Campion qui se pavane comme un paon! C'est un sacré bon cavalier. Forcément, il peut s'entraîner à longueur de journée, si ça lui chante. J'espère que ce taureau va l'envoyer valdinguer sur le dos.

Maggie suivit le regard de Ruby.

— A cause de cette affaire avec Ross?

— Non, juste par principe. Son père et lui manquent d'humilité, ils ont besoin d'être remis à leur place. Ben a été mauvais comme une teigne, quand je lui ai téléphoné pour lui dire que Trent avait battu son cheval. Mais il a vite changé de ton, quand je lui ai dit que j'écrirais en gros sur le tableau des menus ce qu'avait fait son gamin, si Ross n'était pas sorti de sa cellule avant l'heure du dîner.

Maggie sourit et proposa une frite à Ruby, qui accepta. Elle imaginait très bien Ruby effaçant le menu du jour sur son tableau, pour y écrire en grosses lettres : « *Trent Campion est un vaurien qui s'amuse à battre ses chevaux.* »

Et elle imaginait très bien aussi Ben Campion faisant aussitôt le nécessaire pour protéger la réputation de sa famille. Dans un pays où les électeurs étaient à l'affût du moindre faux pas des candidats, ce genre de publicité aurait fait très mauvais effet dans la campagne électorale de Trent.

La musique s'arrêta et la voix du présentateur retentit de nouveau dans les haut-parleurs.

— Mes amis, c'est l'heure du rodéo. Pour ceux qui

n'ont pas écouté tout à l'heure, je répète que Trent Campion passera le premier, sur Rampage. Eh bien... Rampage ne se montre pas très coopératif pour le moment, aussi Trent va attendre un peu et nous allons passer au numéro deux. A la porte ouest, nous avons Ross Dalton sur Diablo.

Les doigts de Maggie se crispèrent, écrasant les frites dans le cornet.

Au milieu d'un tonnerre d'applaudissements et de cris d'encouragements un énorme taureau noir émergea dans l'arène, aussi déchaîné qu'un démon le jour du jugement dernier. L'animal sautait et ruait dans tous les sens, tandis que Ross se tenait d'une main à la corde passée autour de son cou. Les nerfs à vif, Maggie vit Ross se rejeter en arrière pour garder l'équilibre, et serrer les genoux sur les flancs de l'animal en furie. Le carton portant son numéro se décrocha de sa veste et s'envola, lorsque l'animal se secoua pour se débarrasser de Ross. Ce dernier se balança violemment de droite à gauche, mais il garda tout de même un bras levé et réussit à ne pas tomber. Le taureau se mit alors à tournoyer sur place. Puis, par bonheur, la sirène retentit pour signaler que les huit secondes étaient écoulées, et Ross sauta à terre sous les applaudissements de la foule.

Maggie se rendit compte qu'elle avait la gorge sèche, et avala une longue gorgée de Coca. C'était donc pour cette raison qu'elle ne l'avait pas aperçu en ville, un peu plus tôt. Et s'il n'était pas libre pour déjeuner, c'était tout simplement parce qu'il avait rendez-vous avec un taureau nommé Diablo.

Bonté divine, ce sport était ridicule. Comment un homme d'une intelligence normale pouvait-il renoncer à jouer d'importantes sommes d'argent, pour se mettre à jouer avec sa vie ? D'où provenait ce besoin de prendre des risques à tout bout de champ ?

— Il va avoir quatre-vingt-dix, c'est sûr ! C'était épatant ! s'écria fièrement Ruby. Epatant !

Elle attendit que les points soient annoncés, puis assena une claque sur la cuisse de Maggie.

— Quatre-vingt-neuf. Ce n'est pas autant que je l'espérais, mais avec ce score il battra tous ceux qui se présenteront contre lui.

Sur ces mots, elle se leva et fourra le coussin dans son cabas.

Maggie la dévisagea avec curiosité.

— Vous partez déjà ?

— J'ai du travail. Maintenant que je sais que cet idiot ne s'est pas brisé le cou, je peux retourner me mettre au boulot.

— Vous avez fait tout ce chemin, juste pour voir Ross ? dit Maggie en souriant. C'est gentil.

Ruby laissa un instant de côté ses manières vives et affairées. Son regard s'adoucit.

— Ce garçon fait partie de ma famille, mon chou. Et je l'aime. Après toutes les bêtises qu'il a faites il y a quelques années, cette arène est le seul endroit où il parvient à se faire accepter par les gens d'ici. Cela me fait du bien de le voir réussir quelque chose.

Elle marqua une pause et ajouta :

— Et je veux qu'il le sache.

Maggie approuva d'un hochement de tête et se leva à son tour. Ross avait certainement besoin de savoir que sa tante l'aimait, songea-t-elle avec un pincement de cœur apitoyé.

— Je vous raccompagne jusqu'à votre camionnette.

Ruby était montée jusqu'ici avec facilité, mais elle approchait tout de même des quatre-vingts ans. Elle les avait peut-être même dépassés. Alors, il valait mieux ne pas tenter le destin.

Les deux femmes ne se trouvaient plus qu'à quelques pas du parking, lorsque Ruby aperçut une personne de sa connaissance, près de la baraque de barbe à papa. Maggie l'attendit, tandis qu'elle traversait le terrain poussiéreux pour aller saluer un bel homme brun accompagné de sa famille.

L'homme avait une vague ressemblance avec Ross: Il était aussi grand que lui, et arborait la même attitude nonchalante et pleine d'assurance. Il embrassa chaleureusement Ruby, sa femme en fit autant, et Maggie devina qu'il s'agissait de Jess, le frère de Ross. Casey était une jolie jeune femme blonde, et leur petite fille, qui semblait âgée environ de deux ans, était la copie conforme de son papa.

Des voix étouffées détournèrent l'attention de Maggie du petit groupe. Elle se tourna légèrement et vit Trent Campion et son père en grande conversation, entre deux camions. Elle fut sur le point de s'éloigner, de crainte que Trent ne l'aperçoive et s'imagine qu'elle était venue au rodéo pour le voir. Mais elle les entendit prononcer un nom familier, et elle demeura sur place pour écouter.

— Tu es dix fois meilleur que lui. Alors maintenant cesse de te lamenter, et vas-y.

— Je ne me lamente pas, papa! rétorqua Trent avec colère. J'ai seulement dit que le score de Dalton serait difficile à battre. De toute façon, ce n'est qu'un round de qualification en vue du rodéo de Founder's Day, en juillet.

— Tu pars avec un mental de perdant, déclara Ben avec rudesse. Il est grand temps que tu comprennes que les électeurs ne sont pas séduits par les concurrents qui n'arrivent même pas à se classer. A moins que tu n'apprécies de te faire humilier comme l'autre jour, chez le shérif? Tu es un Campion, bon sang! Alors, entre dans l'arène et remporte ce round.

— C'est tout ce qui compte pour toi? Le nom des Campion. Et gagner la partie. Tu te moques de ce que je deviens, moi.

— Je t'interdis de me parler sur ce ton. Si je ne me préoccupais pas de toi, je ne serais pas là pour te tirer du pétrin chaque fois que tu fais une bêtise. Faut-il que je te rappelle ce qui s'est passé il y a cinq ans?

Ben marqua une pause. Quand il reprit la parole, son ton était plus dur que jamais.

— Ross Dalton t'a ôté ta dignité et ta virilité. Maintenant, il faut que tu les regagnes.

Ben Campion parlait à son fils avec un tel ton de mépris que Maggie regretta d'avoir écouté. Elle se sentit désolée pour Trent. Il n'y avait rien d'étonnant à ce qu'il se comporte comme il le faisait. Elle vit le regard de Ben se poser sur quelqu'un ou sur quelque chose, au loin, et un rictus d'amertume plissa ses lèvres. Puis elle l'entendit dire à son fils :

— Viens. Allons voir si le taureau s'est suffisamment calmé pour que nous puissions le faire entrer dans le tunnel qui mène aux arènes.

Maggie suivit la direction du regard de Ben. Et tout à coup, une vague chaude se répandit en elle. Ross avait retrouvé sa famille, à côté de la baraque de barbe à papa.

Il était couvert de poussière, et sa chemise en chambray, humide de sueur, collait à ses épaules et à son torse. Il n'en demeurait pas moins l'homme le plus séduisant du monde. Ses cheveux épais étaient assombris par la transpiration, et il avait rabaissé son Stetson sur son visage pour se protéger du soleil.

Maggie se sentit fondre de tendresse lorsque la petite fille blottie dans les bras de Casey Dalton tendit ses petits bras maigrelets vers son oncle. Celui-ci secoua la tête et fit un geste pour montrer ses vêtements sales. Mais l'enfant se pencha tout de même vers lui. Finalement, Ross se mit à rire, la prit dans ses bras et la souleva au-dessus de sa tête, avant de la ramener vers lui pour la serrer contre sa poitrine. Le rire strident de la fillette résonna dans l'air lourd et chaud de l'après-midi.

Ruby fit brusquement un geste vers Maggie, et tout le monde se tourna vers la jeune femme. Elle éprouva de nouveau cette sensation de chaleur, quand Ross la regarda et sourit. Il rendit le bébé à sa maman, puis fit un signe d'adieu à sa famille, avant d'emboîter le pas à sa grand-tante.

— Bonjour! lança-t-il lorsqu'ils arrivèrent à la hauteur de Maggie.

— Bonjour, répondit-elle, légèrement sur ses gardes.

Surgi de nulle part, un sentiment de malaise venait de fondre sur elle. Et cela n'avait rien à voir avec l'homme qui se tenait à présent devant elle. Sur une impulsion, elle regarda autour d'elle.

Dans la foule qui se pressait près des clôtures, elle repéra Cy Farrell, qui l'observait. Ses traits épais étaient crispés dans une expression d'intense désapprobation. L'espace d'une seconde, Maggie croisa son regard et elle devina sans peine ce qu'il pensait. Elle avait rallié le clan des Dalton, et donc le camp ennemi.

La voix de Ruby détourna son attention du shérif.

— Eh bien, il faut que je me dépêche.

Une étincelle de contentement brilla dans ses yeux bleu pâle, lorsque son regard passa de Ross à Maggie. Elle se dirigea d'un pas vif vers le parking délimité par une corde.

— Merci pour la compagnie, Maggie.

— C'était un plaisir.

— Mon neveu, lança Ruby par-dessus son épaule, si tu as besoin du pick-up un peu plus tard, tu sais où sont les clés.

— Merci, tante Ruby.

Ross fit un dernier signe de la main, puis se tourna vers Maggie.

— Vous partez aussi?

Maggie hésita. Pourquoi avait-elle l'impression de

céder à un ordre muet de Farrell, en faisant ce qu'elle avait déjà prévu de faire, de toute façon?

— Oui. Nous retournions toutes les deux au parking.

— Dans ce cas, je n'ai pas beaucoup de temps pour vous présenter mes excuses.

Il sourit, faisant ressortir de fines rides autour de ses yeux bleus.

— Je n'aurais pas dû vous agacer comme je l'ai fait, la dernière fois que nous nous sommes vus. Je suis désolé, mais parfois c'est plus fort que moi.

Avec un soupir, Maggie ôta ses lunettes de soleil et les glissa dans son sac.

— Non, vous n'auriez pas dû… et vous devriez peut-être essayer de lutter contre vos impulsions.

Elle désigna les gradins d'un signe de tête, évitant délibérément de croiser le regard froid de Farrell.

— Que faites-vous ici, alors que le rodéo continue? Vous n'avez pas envie de voir si quelqu'un parvient à battre votre score?

— Je pensais juste venir saluer Jess et Casey. Mais c'est peut-être le destin qui m'a attiré hors de l'arène.

Il n'en dit pas plus, et Maggie ne posa pas de question.

— En fait oui, poursuivit-il au bout d'un instant, j'aimerais bien voir si quelqu'un est capable de me battre. Campion ne va pas tarder à passer.

Il marqua une pause, et sembla réfléchir profondément. Quand il recommença à parler, il n'avait plus le ton malicieux qu'il réservait généralement à Maggie, et sa voix s'était adoucie.

— Je vous offre un hot-dog si vous regardez le reste du spectacle avec moi.

Maggie fit un effort pour ignorer le trouble que provoqua cette proposition. Que lui arrivait-il ? Elle avait envie d'accepter. Mais n'avait-elle pas décidé d'éviter à l'avenir les grands enfants au sourire charmeur ? Et comment aurait-elle pu accepter, avec le regard de vautour de Farrell qui ne la lâchait pas ? Il lui avait promis un poste d'adjoint, et elle avait l'impression de le voir agiter cette promesse sous ses yeux, comme une carotte au bout d'un bâton.

Le regard de Ross se voila.

— N'en parlons plus, déclara-t-il d'un ton bref. Je ne veux pas vous mettre dans le pétrin. Farrell est sûrement en train de rôder dans les parages, et s'il vous voit avec moi cela vous coûtera cher. Souhaitez-moi bonne chance, ajouta-t-il en pivotant sur ses talons.

— Ross, attendez.

Il s'immobilisa, et lui lança un regard interrogateur, sous le rebord de son chapeau.

Tout à coup, Maggie en voulut terriblement à Farrell, de sa tentative peu subtile de manipulation. Il n'avait pas le droit de faire pression sur elle... et c'était pourtant exactement ce qu'il faisait sans même articuler un mot ! Quand elle n'était pas au bureau, sa vie lui appartenait. Et si Farrell y voyait une objection, il faudrait qu'ils aient une petite discussion sur les lois en vigueur dans ce pays.

L'idée l'effleura que Ross essayait sans doute aussi de la manipuler, mais elle n'y croyait pas vraiment.

Elle se dirigea vers lui, bien qu'elle ne fût pas certaine à cent pour cent d'agir dans le sens de son propre intérêt. Esquissant un sourire, elle régla son pas sur le sien, et annonça :

— Je prends toujours du piment dans les hot-dogs.

Finalement, elle ne se contenta pas de regarder le reste de la compétition avec lui. Lorsque le spectacle fut terminé, et que Trent eut battu d'un point le score de Ross, ce dernier demanda à Maggie de l'emmener en voiture chez sa tante Ruby, et elle n'osa pas refuser.

Après avoir jeté son Stetson sur le siège arrière, Ross se plia en deux pour entrer dans la petite Ford, et recula le siège au maximum.

— Je suis venu avec Jess et Casey ce matin, car ma camionnette était pleine de matériaux de construction. Mais ensuite, Lexi… c'est ma nièce…, précisa-t-il en souriant. Lexi était fatiguée, et ils ont dû la ramener à la maison pour sa sieste. Je vais juste emprunter le pick-up de tante Ruby, et je le lui rendrai demain matin.

— Elle n'en aura pas besoin ?

— Elle m'a dit que non. Elle habite juste au-dessus du café, et elle n'a donc aucun problème pour se rendre au travail.

Troublée par sa présence, Maggie garda les mains

crispées sur le volant, tandis qu'ils atteignaient les abords de la ville.

Avec ses larges épaules et son corps d'athlète, Ross paraissait encore plus grand que d'habitude, dans cette minuscule voiture. Son parfum masculin, mêlé à l'odeur des animaux et à celle de la sueur, était enivrant. Maggie lui coula un regard en coin. Cet homme ne cessait de la surprendre. La seule déception qu'il ait manifestée quand Trent avait battu son record, c'était un sourire narquois et un bref haussement d'épaules.

Reportant son attention sur la route, elle dit doucement :

— Je pensais que vous seriez plus contrarié de voir que Trent vous avait battu sur le fil.

— Je l'aurais peut-être été s'il y avait eu une belle récompense à la clé. Mais ce n'était qu'un round de qualification, et la prime était négligeable.

Il marqua une légère pause, avant d'ajouter :

— Nous serons présents tous les deux en finale. Tout ce que je voulais aujourd'hui, c'était obtenir un score honorable.

Maggie acquiesça distraitement. Ses pensées s'étaient déjà tournées vers autre chose. Ou plutôt, elles étaient retournées à un autre sujet. Dans une minute, ils seraient arrivés chez Ruby. Elle savait qu'elle était folle de faire cette proposition, mais…

— Je viens juste de penser… Je suis obligée de passer devant Brokenstraw pour rentrer au Lazy J. Je pourrais vous déposer chez vous ? Comme ça, vous ne serez pas obligé de ramener la camionnette à votre tante demain matin.

Il lui lança un regard agréablement surpris.

— Cela ne vous fait rien ?

— Comme je vous l'ai dit, je suis obligée de passer par là, de toute façon.

— Alors, bien sûr, ce serait formidable.

Il fit un geste en direction des maisons qui venaient d'apparaître dans le virage.

— Nous arrivons au café. Ça vous dirait, de prendre un café avec un morceau de tourte, avant de rentrer ?

Cela demandait réflexion. S'asseoir sur les gradins avec lui, c'était une chose. Boire un café et manger de la tourte en était une autre. Elle s'était déjà compromise aux yeux de Farrell, et si le shérif les voyait entrer chez Ruby, il risquait d'attacher plus d'importance à leur relation qu'elle n'en avait en réalité. D'un autre côté… sa vie lui appartenait, non ?

— Allons, venez, dit-il d'un ton taquin. De toute façon, votre réputation est fichue, à présent. Les commères qui nous ont vus ensemble aujourd'hui vous croient déjà enceinte de trois mois et sur le point de vous marier avec moi.

Maggie fit brusquement demi-tour, en faisant crisser les pneus sur le goudron. Sous le choc, les battements de son cœur s'accélérèrent. De la tourte et un café avec Ross ? Mais où diable avait-elle la tête ?

— Il faut que je rentre.

Ross étrécit les yeux.

— Ecoutez, c'était juste une plaisanterie. Ça ne voulait rien dire.

— Je sais, mais… mais je dois rentrer.

De fait, même si elle avait pensé à la façon dont Farrell réagirait en les voyant ensemble, elle ne s'inquiétait pas beaucoup pour les commérages. Les ragots s'éteignaient d'eux-mêmes, dès lors qu'ils n'étaient plus alimentés. Mais sa plaisanterie sur le fait qu'elle puisse être enceinte avait fait surgir chez elle un sentiment qu'elle s'était efforcée d'ignorer toute la journée. Il ne fallait pas qu'elle passe du temps avec cet homme. Un point c'est tout.

Depuis le lycée, Ross avait toujours eu la réputation de coucher avec toutes les femmes qui voulaient bien de lui. En dépit de l'éducation puritaine qu'elle avait reçue, Maggie pouvait accepter son style de vie. Sans toutefois fermer les yeux sur sa conduite. Tant qu'il gardait la tête sur les épaules et que personne n'en souffrait, il pouvait faire ce qu'il voulait.

Quant à elle, elle avait vingt-huit ans et se sentait prête à se fixer, avec un homme disposé à avoir une relation à long terme. Un homme solide et stable, qui lui donnerait des enfants, et ne regarderait pas toutes les femmes qui venaient à passer.

Alors pourquoi assistait-elle à une compétition avec un amoureux du rodéo, qui refusait tout engagement et n'avait jamais eu une seule pensée sérieuse dans toute sa vie?

Si elle faisait abstraction de l'attirance physique qu'il lui inspirait, Ross Dalton était le contraire de tout ce qu'elle voulait… de tout ce dont elle avait besoin.

— J'ai l'impression que ce que j'ai dit n'était pas aussi drôle que je le croyais, dit doucement Ross, brisant le silence qui se prolongeait un peu trop.

Maggie lui adressa un petit sourire. De toute évidence, il était disposé à accepter toutes les excuses qu'elle invoquerait pour refuser son invitation. Mais il n'en croirait pas un mot.

Tard ce soir-là, alors qu'elle se tournait et se retournait dans son lit, Maggie décida qu'elle devait avoir besoin d'une longue séance sur le divan d'un psychiatre. Car Ross était toujours là… dans ses pensées.

Pourquoi était-elle attirée par un homme qui, en étant simplement ce qu'il était, pouvait détruire sa vie ?

Le fait qu'elle ait rencontré Ross au rodéo n'était pas dû au hasard. Et ce n'était pas par hasard non plus, qu'elle était allée faire ses courses chez Hardy à l'heure du déjeuner. Hardy se trouvait juste en face du café de Ruby… l'endroit où Ross était le plus susceptible d'emmener sa petite amie déjeuner.

Quand elle ne l'avait pas vu en ville, elle aurait dû retourner au Lazy J. C'était la seule chose sensée à faire. Au lieu de cela, elle avait lu le programme du rodéo dans la vitrine de Ruby, et elle avait aussitôt filé au champ communal où avait lieu la compétition. Et ce qui était pire que tout, c'est que Farrell avait été le témoin de sa folie passagère.

Elle retourna son oreiller pour essayer de trouver

un peu de fraîcheur, et s'allongea de nouveau. Il fallait absolument qu'elle se ressaisisse.

Elle sortit de son lit, et alla à la fenêtre de sa chambre. La brise qui soulevait légèrement les tentures lui balaya les jambes et s'insinua sous le tissu léger de sa chemise de nuit.

Le paysage était délicieux. La lune était très haut dans le ciel, illuminant les contours déchiquetés des montagnes et baignant de sa lumière pâle les forêts de pins. Les étoiles scintillaient dans le ciel sombre.

C'était pour cela qu'elle était revenue à Comfort, dans le Montana. Elle s'y sentait chez elle.

Elle n'allait tout de même pas laisser un vague amour d'enfance détruire ses chances d'établir ici une vie solide et productive !

Non, il fallait à tout prix que dorénavant, elle évite Ross Dalton.

Chapitre 4

Il était tard, ce dimanche matin, quand la clochette tinta au-dessus de la porte. Ross entra dans le café, et scruta la salle pleine. Comme la plupart des magasins situés dans la rue principale de la ville, récemment restaurée, le café de tante Ruby avait autrefois été autre chose. Dans les années 1890, alors que Comfort n'était qu'un village de cow-boys, le café avait été l'un des huit bruyants saloons de la ville, et le seul à être équipé d'un orgue. Ruby prétendait que ses clients du petit déjeuner faisaient autant de tapage que les cow-boys de l'époque.

Aujourd'hui, Ross se sentit obligé de la croire. Le bruit des conversations et le tintement des couverts couvraient presque complètement la musique country qui s'échappait du poste de radio.

Ruby traversa la salle d'un pas vif, un pot de café dans chaque main. Ross sourit en la regardant. La petite femme maigre adorait le rouge. Elle possédait au moins quatre pulls de cette couleur, et qu'il neige ou qu'il fasse une chaleur accablante, elle en portait toujours un sur son uniforme blanc. Son pick-up était rouge, ses baskets aussi. Et le rouge, le blanc et le noir étaient les couleurs dominantes dans la décoration du café.

— Bonjour, tante Ruby. Jess m'a dit que tu voulais me voir?

Ruby se haussa sur la pointe des pieds pour l'embrasser, non sans darder sur lui un regard perçant. Puis elle se dirigea vers une table.

— Je ne t'ai pas vu à l'église, ce matin.

Ross leva les yeux au ciel, et la suivit. Ses serveuses se chargeaient de porter les plateaux trop lourds pour elle à présent, mais Ruby aimait bien distribuer elle-même les pots de café.

— Tante Ruby, tu ne m'as pas vu à l'église depuis des années.

— Cela ne te ferait pas de mal, d'y aller de temps en temps. Jess y était, avec Casey et le bébé.

— Il fallait bien que quelqu'un reste pour donner à boire aux chevaux.

— Ils ne seraient pas morts de soif en ton absence.

Ross soupira lourdement et renonça à se défendre. Il désigna le comptoir d'un signe de tête.

— Je te verrai là-bas, quand tu seras libre.

— Ne te sauve pas, surtout. C'est une affaire importante.

— Cela ne me viendrait même pas à l'idée.

Ross fit un signe de la main à quelques amis qui ne demandaient qu'à lui venir en aide, puis alla s'asseoir au comptoir. La plupart des tabourets de vinyle rouge étaient libres, car les familles qui venaient le dimanche matin s'installaient de préférence sur les banquettes.

Il ôta son chapeau et le posa sur le tabouret à côté de lui.

Ruby ne fut pas longue à revenir, et fila derrière le comptoir avec les pots de café vides. Elle lança un coup d'œil au Stetson.

— Tu as réservé la place pour une des gentilles jeunes femmes qui vont à l'église le dimanche ?

On en revenait donc à ce sujet-là. « L'affaire importante » dont Ruby voulait lui parler. C'était clair comme de l'eau de roche.

— Non, j'ai déjà choisi quelqu'un.

— Eh bien, si son nom est Maggie Bristol, tu aurais pu la voir ici un peu plus tôt. Dommage que tu aies dû rester au ranch pour donner à boire aux chevaux.

La remarque eut le don de piquer sa curiosité.

— Maggie est allée à l'église, ce matin ?

— C'est la fille d'un pasteur, et sa mère était une femme bonne et croyante. Alors, où voudrais-tu qu'elle soit, le dimanche matin ?

Ruby saisit un pot de café frais, et en versa dans une tasse qu'elle poussa vers lui avec une petite cuillère et le sucrier chromé. Ses yeux pétillaient, comme si elle était sûre de détenir le scoop de l'année. Ross avait fini par trouver la femme qu'il lui fallait, et il était sur le point de se fixer.

Si elle avait su que la dernière chose qu'il avait l'intention de faire, c'était de s'engager pour la vie, elle n'aurait pas eu ce petit sourire satisfait, songea-t-il.

— Et donc, que t'a raconté Maggie ?

— Oh, nous avons parlé de choses et d'autres.

Comme il ne demandait pas quelles étaient ces « choses », elle se pencha sur le comptoir et le regarda par-dessus ses lunettes cerclées.

— Tu te demandes sûrement si elle a parlé de toi ?

— Non. Je suis presque sûr qu'elle n'a rien dit à mon sujet.

— C'est vrai. Elle n'a rien dit.

Ross éprouva un vague pincement au cœur. Maggie ne pensait donc pas à lui nuit et jour. Et alors ? Il ne pensait pas si souvent à elle, lui non plus.

Il remua le sucre dans son café, et reposa la petite cuillère en la faisant tinter contre la soucoupe.

— Tu as manqué l'annonce à propos de la fête de l'église qui a lieu dimanche prochain, continua Ruby, poursuivant son idée.

— C'est grave ?

— Eh bien…

Ruby saisit un chiffon humide et essuya quelques gouttes de café sur le comptoir.

— J'ai aperçu Trent Campion à l'église, et il avait l'air de trouver cela important, lui. Si j'ai bien compris, il a déjà choisi la fille qu'il veut inviter.

Ross regarda sa tante passer plusieurs fois son chiffon au même endroit, et soupira bruyamment.

— D'accord. Tu meurs d'envie de me raconter ce qui se passe, alors pourquoi tu ne te décides pas à le faire ?

Ruby cessa d'essuyer le comptoir, et une lueur malicieuse fit briller ses yeux pâles.

— Il y aura une vente aux enchères de paniers de pique-nique, pour les célibataires. Les jeunes femmes doivent apporter un pique-nique, et les hommes une couverture sur laquelle déjeuner.

— Et alors?

— Alors, les gars font une offre pour le panier qu'ils préfèrent, et l'argent sert à réparer le toit de l'église. La fille dont le panier a été acheté est obligée de pique-niquer avec le célibataire qui l'a choisi.

Ruby lança à son neveu un regard éloquent.

— Elle n'a pas le droit de refuser. Beaucoup de très jolies jeunes femmes se sont déjà inscrites pour la fête.

Ross finit par comprendre où Ruby voulait en venir. Maggie allait participer à la vente aux enchères, et Trent projetait d'acheter son panier.

Eh bien, cela n'arriverait pas.

Ross songea à la façon dont son corps s'était fondu contre le sien, le jour où il l'avait embrassée. Et hier au rodéo, il avait eu l'impression qu'elle avait vraiment envie d'être avec lui. Mais ensuite, elle l'avait déposé au ranch, aussi froide et distante qu'un inspecteur des impôts, et il ne l'avait pas revue depuis.

Ross avala une longue gorgée de café chaud, puis vida sa tasse d'un seul trait. Il était sans doute temps de montrer à Maggie qu'il ne baissait jamais les bras tant qu'il n'avait pas obtenu ce qu'il voulait. C'était ainsi que les gens de cette ville le voyaient, n'est-ce pas?

— Alors, voyons. Est-ce qu'il y a des noms, sur les paniers de pique-nique?

— Non. C'est au hasard. Tu peux tomber sur n'importe qui.

Ross soutint le regard de Ruby.

— Je veux savoir lequel est le sien. Tu peux m'aider?

— Oui, mais ça te coûtera cher.

Cher? C'était bien la première fois que Ruby monnayait ses services. Avec un soupir résigné, il se leva et sortit son portefeuille de la poche arrière de son jean.

— Combien?

Ruby eut une expression désespérée. Décidément, il n'était qu'un gros balourd.

— Je ne veux pas de ton argent, mon neveu. Je veux que tu ailles à l'église.

Elle tendit le bras, et effleura les cheveux qui retombaient sur sa nuque.

— Et je veux aussi que tu ailles te faire couper les cheveux, avant la fête.

Ross eut un petit rire, et se pencha pour l'embrasser avant de partir.

— Ils protègent mon cou du soleil.

Il sourit largement, en remettant son chapeau.

— Comment tu feras, pour savoir lequel est le sien?

— Je ne me suis pas arrangée, pour régler ton problème avec Trent Campion?

— Oui.

— Alors ne t'inquiète pas, je réglerai ce problème-là aussi. Tu n'auras qu'à aller t'asseoir sur un banc dans l'église. Je m'occupe du reste.

Après avoir passé toute une semaine à tendre de nouveaux fils, à planter des piquets de clôture, et à vacciner des veaux nouveau-nés, Ross avait grand besoin d'un peu de détente.

Maggie ne lui fit pas faux bond.

Ruby et lui avaient pris place sur un des bancs de l'église, et Ruby s'était assise tout au bout, du côté de l'allée, pour être sûre qu'il ne s'échapperait pas. Casey et Jess étaient restés chez eux, car Lexi avait un peu de fièvre, mais Ross connaissait presque toutes les autres personnes présentes. Bien que quelques vieilles grenouilles de bénitier aient chuchoté derrière leur main en le voyant, le toit ne s'était pas ouvert à son entrée dans l'église et les foudres célestes ne s'étaient pas abattues sur l'assemblée. Apparemment, Dieu était plus indulgent pour ses fautes que les habitants de la ville.

Deux rangs devant lui, de l'autre côté de l'allée, un livre de prières dans les mains, Maggie chantait doucement, à côté de sa tante Lila. Elle portait une robe blanche vaporeuse, serrée à la taille par une ceinture dorée. Ses cheveux cascadaient en longues vagues noires sur ses épaules.

Parfaite, songea-t-il en la regardant. Elle était parfaite. Depuis la pointe de sa frange noire qui lui balayait les sourcils, jusqu'au bout de ses sandales à talons.

Il était toujours en train de l'admirer, quand le révérend Frémont leur souhaita à tous une bonne journée, et invita la congrégation à passer dans le jardin pour la vente aux enchères, à laquelle seuls les célibataires de la paroisse pouvaient participer, bien entendu.

Ross était impatient de voir la vente commencer. Car tout en gardant son attention sur Maggie, il avait remarqué le m'as-tu-vu aspergé d'eau de Cologne qui gardait aussi les yeux fixés sur elle depuis le début de la messe.

Alors que l'organiste faisait résonner les dernières notes de l'hymne marquant la fin du service religieux, Ross vit Trent et son père se faufiler devant lui. Il sourit doucement, et ne lâcha pas Trent des yeux, tout en se penchant vers sa tante pour chuchoter :

— Tu es certaine de savoir lequel de ces paniers est celui de Maggie, tante Ruby ?

— Je l'ai vue de mes yeux le déposer dans la sacristie en arrivant.

A cet instant, Trent passa devant eux, et lança avec un petit rire sans joie :

— Tu n'as aucune chance, voleur de bétail. Mes poches sont plus profondes que les tiennes.

— Nous verrons cela. Tu as battu beaucoup de chevaux, ces jours-ci ?

Ben Campion fit mine de se jeter sur Ross, puis se figea brusquement, prenant sans doute conscience qu'il ne pouvait rien faire sans créer de scandale. Un nerf tressauta sur sa joue, et il poussa brutalement son fils devant lui, coupant court à la curiosité des quelques paroissiens qui avaient surpris le bref échange de paroles avec Ross.

*
* *

Le premier panier à être mis aux enchères était une large corbeille d'osier garnie de roses en soie rose pâle et d'un gros nœud de satin blanc. Le contenu, manifestement abondant, était couvert d'une serviette de lin blanc bordée d'un galon rose. Deux coupes à champagne en cristal dépassaient d'un côté, enveloppées dans des serviettes et attachées avec des rubans roses.

Ross fit une première offre à vingt dollars.

Trent surenchérit systématiquement. Chaque fois que quelqu'un faisait une offre, il faisait grimper les enchères. Très vite, Ross et lui demeurèrent seuls pour se disputer le panier. A chaque nouvelle offre, Trent foudroyait Ross du regard. Finalement, Trent lança une nouvelle offre, et Ross eut un sourire de satisfaction. Le joli panier de Bessie Holsopple, la protectrice des chats du village, venait d'échoir à Trent pour cent dollars.

Il comprit, au regard de rage que lui lança Trent Campion, qu'il venait de se faire un ennemi pour la vie.

Le panier de Maggie était plus petit que celui de Bessie, et ne comportait aucun ornement superflu. Il était simplement recouvert d'une nappe à carreaux pliée en quatre. C'était exactement ce à quoi s'attendait Ross. Maggie était une femme qui vivait dans un ranch, travaillait toute la semaine, et avait le sens pratique. Elle n'avait pas le temps de fabriquer des roses en soie, et d'emballer des flûtes en cristal dans des serviettes brodées. Bien qu'elle eût beaucoup de classe, et méritât certainement un tel raffinement.

— J'ai vingt-huit dollars ici, annonça le révérend

Frémont de sa voix de basse, en se penchant sur le panier de Maggie.

Frémont était un homme grand et corpulent, aux cheveux gris et aux lunettes cerclées d'acier. A en juger par le ventre bedonnant qui tendait sa soutane, il aimait la bonne chère.

— Cela sent rudement bon, dit-il d'un air d'envie. Ai-je entendu trente dollars, par là ?

— Cinquante, rectifia Ross.

Des murmures étonnés se répandirent dans la foule, et le révérend le considéra avec stupéfaction.

— Mais c'est vous qui avez fait la dernière offre, dit-il. Vous pouviez remporter ce panier pour vingt-huit dollars.

— Je sais. Mais je suis sûr qu'il vaut largement cinquante dollars, et en plus c'est pour une bonne cause.

Ross n'osa pas poser les yeux sur Maggie. Il avait fait tellement d'histoires pour acheter ce panier, et avait tellement attiré l'attention sur eux, qu'elle lui passerait un bon savon quand il irait étaler sa couverture sur l'herbe pour pique-niquer avec elle.

Le visage rond du révérend s'illumina.

— Ai-je entendu cinquante-cinq ?

Personne ne surenchérit, aussi continua-t-il joyeusement :

— Cinquante une fois… deux fois… adjugé ! Ce panier est à vous pour cinquante dollars, mon garçon.

Dix minutes plus tard, Ross suivit Maggie pour installer la couverture à l'ombre d'un pommier, en réprimant tant bien que mal un sourire amusé. La jeune femme se tenait raide comme un piquet. Elle était agacée, et ne faisait aucun effort pour le cacher.

Elle désigna un point précis sur le sol, où il devait étaler la couverture. Elle ne lui avait pas adressé la parole une seule fois depuis que le révérend avait donné le signal de départ pour le pique-nique.

En revanche, Lila Jackson avait paru très amusée en les voyant partir ensemble.

Ross étala la couverture sur le sol.

Maggie déposa sans cérémonie le panier sur un coin du plaid.

— Qu'y a-t-il pour déjeuner ? s'enquit Ross d'un air innocent.

D'un geste vif, elle ôta la nappe qui recouvrait le contenu du panier. Il vit du poulet frit, de la salade de pommes de terre, des fruits et un gâteau au chocolat. Des canettes de limonade au gingembre et des pailles étaient calées dans un coin du panier, ainsi qu'une bouteille Thermos, des assiettes, des tasses et des couverts en argent. Maggie jeta la nappe au milieu de la couverture, et la secoua violemment pour l'aplatir sur le sol.

Elle finit par se décider à parler, mais elle n'avait visiblement pas la moindre intention de se montrer cordiale.

— Asseyez-vous. Finissons-en au plus vite.

Tout en remplissant une assiette pour lui, elle ajouta :

— Et sachez que je ne coucherai pas avec vous. Alors, autant vous ôter toute idée inutile de la tête.

Abasourdi, Ross la dévisagea un long moment, avant

d'émettre un petit rire de surprise. Il prit l'assiette qu'elle lui tendait, et déclara :

— Vous pourriez au moins attendre qu'on vous demande quelque chose, avant de refuser. Qui vous dit que j'ai envie de coucher avec vous ?

— Ne me dites pas que l'idée ne vous a pas effleuré. Je ne suis pas complètement idiote.

Il mordit dans un morceau de poulet, eut une moue appréciative, et sourit de nouveau.

— D'accord, je ne vous mentirai pas. J'y ai pensé… souvent. Mais je ne pensais vraiment pas que cette idée vous obsédait autant que moi.

Elle écarquilla les yeux.

— Je ne…

Ross poussa un soupir à fendre l'âme.

— Maggie, pour l'amour du ciel, pourquoi êtes-vous de si mauvaise humeur ? Que vous arrive-t-il ?

— Je vais vous dire ce qui m'arrive, grommela-t-elle. Vous. Cet intérêt que vous manifestez tout à coup pour l'église. La comédie que vous venez de jouer avec vos surenchères, comme si vous ne pensiez qu'à contribuer à une noble cause.

— C'est cela qui vous tracasse ? Maggie, cela n'a aucun sens. C'est vraiment une noble cause. Si vous disiez que je vous ai mise dans l'embarras en achetant par hasard votre panier, je comprendrais…

— Par hasard ? Mon œil ! Ruby m'a vue le déposer sur la table en arrivant, et elle vous l'a décrit. Et vous vous êtes arrangé pour faire croire à Trent que le panier de Bessie était le mien.

— Pourquoi aurais-je fait une chose pareille ?

— Pour être sûr qu'il ait acheté un panier avant que le mien ne soit mis aux enchères. Ce qui l'empêchait de miser sur le mien.

Ross ôta son Stetson, le jeta négligemment sur la couverture, et se passa une main dans les cheveux.

— Oh, ma chère, vous avez un ego extraordinaire.

Maggie se mordit la langue.

Elle lui avait demandé de s'asseoir. Au lieu de cela, il s'était allongé de tout son long sur le côté. Appuyé sur un coude, il regardait les plats qu'elle avait préparés. Il avait retroussé les manches de sa chemise bleu pâle, et le col ouvert laissait apercevoir son cou bronzé. La toison qui apparaissait en haut de son torse était un peu plus sombre que ses cheveux, et Maggie s'en voulut d'avoir remarqué ce détail. Son jean neuf mettait en valeur ses hanches étroites.

Elle capta quelques regards furtifs, trahissant de toute évidence le désir, de la part de jeunes femmes assises plus loin. Maggie réprima un soupir. Pourquoi des femmes normalement douées de bon sens perdaient-elles la tête pour des trublions dans le genre de Ross ? Pourquoi perdait-elle elle-même la tête ? Quelle importance, si les hommes comme lui étaient charmants et séduisants ? Ils faisaient de mauvais maris et des pères lamentables.

C'était justement pour cela qu'elle se sentait aussi contrariée. Après le rodéo, elle s'était juré d'éviter Ross, et jusque-là elle s'en était fort bien sortie.

Le vendredi, même Farrell avait été de meilleure

humeur, probablement parce que Ross n'avait pas montré le bout de son nez de toute la semaine.

Et tout à coup, Ross avait réapparu dans sa vie sans crier gare, sautant sur une occasion éminemment respectable : une collecte de fonds pour le toit de l'église. Et voilà que son cœur se mettait de nouveau à battre la chamade, comme si elle n'était qu'une écolière dévalant à toute allure le chemin de la perdition.

« Sois honnête, Maggie, lui chuchota une petite voix intérieure. Ce n'est pas contre lui que tu es en colère. Tu es en colère contre toi-même, car tu meurs d'envie de faire le grand plongeon. »

Ross s'assit, attira le panier vers lui, et en sortit une assiette et des couverts. Apparemment, le long silence de Maggie lui avait remis les idées en place.

— Maggie, personne ne pense que vous êtes avec moi parce que vous le voulez bien. Donc, il n'arrivera rien de ce que vous redoutez.

Croyait-il qu'elle craignait les commérages ? C'était bien le moindre de ses soucis… Et ce n'était pas bien de sa part de lui laisser croire qu'elle accordait de l'importance aux ragots.

Mais comment aurait-elle pu admettre que plus ils passaient du temps ensemble, plus elle avait envie d'être avec lui ? Un tel aveu ne la rendrait que trop vulnérable.

Ross prit autre chose dans le panier. Un flot d'adrénaline déferla dans les veines de Maggie lorsqu'il vint étaler une serviette sur ses genoux, et la lissa du plat de la main. Puis il se mit à remplir son assiette.

— Je… je peux le faire moi-même, bredouilla-t-elle.

— Mais non. Vous avez fait le plus dur, puisque vous avez préparé le repas, n'est-ce pas?

Tout à coup, elle se sentit honteuse. Quel mal y avait-il à être simplement gentille, de temps en temps? En dépit de sa réputation de « tombeur de femmes », Ross n'était pas totalement marginal. Elle l'avait vu travailler dur, et elle savait qu'il éprouvait une réelle affection pour sa nièce, et pour les autres membres de sa famille.

Une ombre s'étendit sur la couverture. Maggie leva les yeux et vit le révérend Frémont qui les observait en souriant. Elle avait été si absorbée par Ross, qu'elle ne l'avait même pas entendu approcher.

— Alors, vous deux, comment ça se passe? demanda-t-il de sa voix grave.

Sa soutane avait été remplacée par un confortable polo blanc et un pantalon noir.

Ross donna son assiette à Maggie et se leva poliment.

— Très bien, révérend. Vous avez eu une excellente idée, pour cette collecte de fonds.

Le révérend sourit avec bonhomie.

— Eh bien, il n'y a pas que l'argent. Nous aurons aussi besoin de bras pour transporter des poutres et des matériaux. Pourrons-nous compter sur vous, Ross?

Pris de court, Ross garda le silence. Maggie sourit.

— Je voulais juste vous en parler en passant, poursuivit Frémont. Il y a si longtemps qu'on ne vous a pas vu, ici. J'espère que vous n'étiez pas en colère contre nous.

— En colère ?

Une rougeur se répandit dans le cou de Ross, recouvrant son teint de cow-boy, bruni par le soleil.

— Je… non, je n'en veux à personne.

— Super. Donc, je pourrai vous faire signe quand nous commencerons les travaux ? Ce sera sûrement un samedi, dans quelques semaines.

— Bien sûr.

— Merveilleux. Si nous avons assez de volontaires, nous n'aurons qu'une journée de travail pour tout mettre en place. Et cette gentille jeune femme a accepté de nous aider à préparer le repas, ajouta-t-il en souriant aimablement à Maggie. De sorte que vous aurez une amie à table.

Frémont tapota en riant son estomac proéminent.

— C'est la raison pour laquelle je donnerai un coup de main, moi aussi. Avez-vous eu des nouvelles de votre papa, dernièrement ? demanda-t-il en s'adressant spécifiquement à Maggie.

— Nous nous parlons au téléphone au moins deux fois par semaine. Il est très occupé. Sa paroisse du Colorado est beaucoup plus importante que celle qu'il avait ici.

— J'ai entendu dire qu'il s'en sortait très bien. C'est quelqu'un, votre père. Ce n'était pas évident pour moi, de prendre sa place.

— Merci, révérend. Je lui répéterai ce que vous avez dit.

Frémont leur adressa un petit signe, et s'en fut exercer son aimable chantage sur les autres brebis de son troupeau.

Maggie rit doucement en voyant l'expression renfrognée de Ross, et planta sa fourchette dans un morceau de pomme de terre. Elle se sentait plus d'appétit, tout à coup.

— Qu'y a-t-il de si drôle ? marmonna Ross en se rallongeant auprès d'elle.

— Vous. Vous avez toujours réponse à tout, et vous envoyez des vannes à tout le monde. Mais vous n'avez pas pu dire non au révérend. Vous savez ce que ça signifie, n'est-ce pas ?

— Je n'en ai pas la moindre idée.

— Cela veut dire qu'en fin de compte, vous n'êtes pas un cas désespéré.

Quarante minutes plus tard, ils ramassèrent le matériel de pique-nique et retournèrent vers leurs voitures, garées côte à côte.

— Eh bien, ce pique-nique n'était pas désagréable, n'est-ce pas ? dit-il.

Maggie déverrouilla le coffre, en se disant qu'elle avait passé un moment bien trop agréable. Ils avaient pris le café en bavardant de choses normales, comme le prix du bétail, et les droits de voisinage.

— Ce n'était pas mal du tout, avoua-t-elle. En fait, j'ai passé un très bon moment.

— Mais si quelqu'un vous pose la question, vous direz que ce n'est pas vrai ?

— Absolument.

Après avoir arrangé ses affaires à l'intérieur du coffre, Ross rabattit le hayon.

— Le repas était excellent. Je vous remercie.

— Il valait cinquante dollars ?

Ross sourit.

— Le gâteau au chocolat les valait largement, à lui tout seul.

Son regard se posa sur les lèvres de la jeune femme, et s'y attarda longuement. Puis, au moment précis où elle commençait à se demander avec une pointe d'inquiétude comment ils allaient se dire au revoir, il lui posa l'index sur le bout du nez, puis grimpa dans son pick-up et s'éloigna rapidement.

Maggie se glissa au volant de sa Ford bleue, consciente des petits frissons qui se répandaient dans ses bras, et d'une drôle de sensation au creux de son estomac. Bien. Elle avait réussi à passer une heure avec lui sans se jeter à son cou ni se couvrir de ridicule. Maintenant, elle pouvait rentrer chez elle et oublier cette journée particulièrement éprouvante pour ses nerfs.

De fait, cette rencontre avec Ross n'avait pas été inutile. Lorsqu'elle sortait avec Tod, elle s'était souvent demandé si elle était normale. Elle se sentait attirée par lui, mais cela n'avait rien à voir avec le trouble et la chaleur qui l'envahissaient quand Ross l'approchait.

Donc, avait-elle une libido qui fonctionnait normalement ? Oui, c'était certain. Elle marchait même si bien, que cela allait finir par lui attirer des ennuis. Grâce au ciel, elle ne le reverrait pas de sitôt.

Mais son soulagement fut de courte durée.

Car lorsqu'elle fut arrivée chez elle et qu'elle ouvrit son coffre, elle découvrit la couverture indienne de Ross nettement pliée à côté de son panier d'osier.

Ross arrêta son cheval à côté de l'alezan de Jess et suivit le regard de son frère, qui était fixé sur un bâtiment à quelque distance du troupeau. La maison de Ross, dont les rondins venaient d'être vernis, luisait dans le soleil d'après-midi, entourée par les pins et les trembles. Une large cheminée de pierre s'élevait sur un côté de la maison, et la rambarde du porche qui en faisait le tour apparut lorsque le vent balaya les feuilles des arbustes.

— Cela commence à prendre tournure, dit Jess.

— Oui. J'ai passé la première couche de vernis hier soir, et ce soir je mettrai en place les fenêtres. Je pense pouvoir m'installer fin juillet.

— Génial. Et comme dit Casey, il ne te manquera plus qu'une femme.

Ross ne put contenir un sourire amusé.

— Dis à Casey qu'elle peut toujours rêver. Je fais partie de ces gars qui n'aiment que leur cheval.

Jess rit doucement. Pressant les flancs de l'alezan, il lui fit descendre la colline, vers le bétail qui paissait autour d'un abreuvoir.

— Si c'est pour lui que tu as construit cette immense chambre à coucher, cela va faire jaser.

— Les gens se mettraient à parler de moi ? Waouh. Ce serait une grande première, tu ne crois pas ?

— D'après tante Ruby, tu leur as donné du grain à moudre hier, à la vente aux enchères de l'église. Cinquante dollars pour un panier de pique-nique ?

— Oui, eh bien... celui de Bessie Holsopple est parti pour cent dollars. J'ai pensé que celui de Maggie valait largement la moitié.

Jess fit avancer son cheval jusqu'à l'abreuvoir et lui caressa l'encolure tandis qu'il buvait.

— Et que va-t-il se passer, maintenant ? Tu as l'intention de la revoir ?

— Ça dépend d'elle, dit Ross avec désinvolture, en laissant son cheval boire à son tour.

Mais malgré son attitude indifférente, il échafaudait toutes sortes de plans.

Il savait qu'il allait la revoir. Elle avait sûrement ouvert son coffre maintenant, et vu sa couverture. Elle allait se sentir obligée de la lui rapporter. Quand elle le ferait, il affirmerait qu'il avait agi par distraction. Elle ferait des histoires, et prétendrait qu'il l'avait fait exprès. Il lui demanderait pardon, et avouerait qu'elle avait raison.

Ensuite, ils n'y penseraient plus, et ils continueraient d'avancer l'un vers l'autre sur la pointe des pieds, poussés par cette irrésistible attirance. C'était de la manipulation ? Oui. Mais sans l'excuse de cette couverture, elle ne pourrait jamais revenir vers lui, et faire ce qu'il fallait pour maintenir le lien fragile qui existait entre eux.

Ross savait pourtant qu'elle voulait poursuivre cette relation. Mais il savait aussi qu'elle se méfiait de l'attirance qu'elle éprouvait pour lui. Une attitude que Ross n'avait encore jamais rencontrée chez une femme. La plupart de celles avec qui il était sorti n'étaient là que pour le plaisir. Elles n'attendaient pas de promesses, ni de bague de fiançailles.

Il n'espérait pas convertir Maggie à ses vues du jour au lendemain, mais il voulait bien passer un peu de temps à essayer. Car lorsqu'elle se laisserait enfin convaincre… ils passeraient des moments fabuleux ensemble.

— Réveille-toi.

Ross tressaillit et reporta son attention vers son frère. Jess l'observait d'un air amusé, sous le rebord de son Stetson noir.

— Pardon ?

— Je t'ai demandé si tu voulais que je te donne un coup de main ce soir, après le dîner.

— Pour quoi faire ?

— Pour installer tes fenêtres.

Ross éclata de rire.

— Tu es pressé de me mettre à la porte pour pouvoir faire tranquillement des galipettes avec Casey ?

— Non, je suis pressé de te voir te fixer et faire des petits cousins à Lexi. Maggie est peut-être la femme qu'il te faut.

Riant de plus belle, Ross tira sur les rênes de son cheval et s'éloigna de l'abreuvoir.

— Heureusement qu'elle ne t'entend pas. Quand elle se met en colère… Eh bien, je n'avais jamais vu une fille de pasteur comme elle.

— Combien de filles de pasteur as-tu connues, en fait ?

— C'est la seule. Mais si je ne savais pas que c'est la

fille de Tom Bristol, je pourrais croire que son père est sergent instructeur. Je n'avais jamais vu une femme aussi décidée à partir en guerre… surtout contre moi.

Jess sourit, tandis qu'ils se dirigeaient vers le troupeau.

— J'ai l'impression qu'elle est exactement la femme dont tu as besoin.

Casey Dalton jouait avec sa fille sur la pelouse quand Maggie arriva à Brokenstraw le lundi soir, et se gara dans l'allée. Casey se leva et épousseta son jean avant de venir à sa rencontre. Lexi la suivit, en soufflant de toutes ses forces sur un pissenlit pour faire s'envoler le duvet.

— Vous êtes Maggie ? dit Casey en souriant.

— Oui, et je suppose que vous êtes Casey. Bonsoir.

— Bonsoir.

Le regard de Maggie glissa sur la fillette brune aux cheveux soyeux, vêtue d'un short et d'un T-shirt rose et blanc.

— Et je parie que tu es Lexi ?

Lexi se cacha en riant derrière les jambes de sa mère. Casey prit la petite fille dans ses bras et l'embrassa.

— Je suis une vraie mère poule, je l'embrasse à tout bout de champ.

— Il n'y a pas de mal à cela, dit Maggie, attendrie par le tableau qu'elles formaient.

Elles étaient aussi différentes que possible. Les cheveux de Casey, d'un blond scandinave, formaient un vif contraste avec les cheveux sombres de Lexi, et ses grands yeux noirs.

— C'est un amour, ajouta Maggie.

— Merci. Elle nous fait craquer aussi.

Il y eut une pause. Maggie en profita pour reprendre son souffle et demander, de l'air le plus dégagé possible :

— Est-ce que Ross est là ?

— Eh bien... oui et non.

Casey vit la tige de pissenlit que Lexi s'apprêtait à porter à sa bouche, et la lui ôta vivement des mains, pour la jeter sur le sol.

— Il n'est pas ici, mais dans sa propre maison.

C'était une surprise. Quand il l'avait rencontrée dans la prairie, deux semaines auparavant, Ross avait laissé entendre qu'il vivait dans la maison principale, avec son frère et sa famille.

— La maison de Ross ne sera finie que dans quelques semaines, poursuivit Casey. Donc, en réalité, il habite encore ici. En fait, nous allions justement nous rendre chez lui pour chercher papa... n'est-ce pas, ma chérie ? ajouta-t-elle en souriant à Lexi.

Lexi eut un sourire timide et cacha son visage au creux de l'épaule de sa maman.

— Ne faites pas attention, dit Casey en berçant la fillette contre elle. Il lui faut du temps pour s'habituer aux nouvelles têtes. Mais quand c'est fait, elle est redoutable.

Elle marqua une pause, et suggéra gentiment :

— Vous pourriez venir avec nous ? Ce n'est pas loin.

La maison est située environ à trois cents mètres de la crique. Vous voyez où c'est ?

Oh oui, elle voyait très bien.

— Je ne crois pas que…

— Je viens de remplir une bouteille Thermos de limonade fraîche, continua Casey. Il faut juste que j'aille la chercher, avec un gilet pour Lexi.

— Merci, mais j'étais seulement passée rendre une couverture à Ross. Il l'avait oubliée dans ma voiture.

Maggie rougit en songeant à ce que ces mots pouvaient laisser penser, et se hâta de fournir une explication.

— Il y avait un pique-nique organisé par la paroisse hier, et…

— Oui, je sais. Ross a acheté votre panier de pique-nique aux enchères. Vous êtes-vous bien amusés ?

Maggie hésita, un peu gênée. Elle ignorait ce que Ross avait dit chez lui, et elle ne voulait pas donner de fausse impression.

— Oui, je me suis bien amusée.

— Super. Je crois que Ross aussi.

Casey lui adressa un sourire engageant et reprit :

— Je vous en prie, accompagnez-nous. Je meurs d'envie de faire découvrir cette maison à quelqu'un, en dehors de la famille.

— Il l'a construite lui-même ?

— Entièrement. Jess l'a un peu aidé, et il a engagé un électricien. Mais il a installé toute la plomberie. C'est époustouflant, n'est-ce pas ?

Le sourire de Casey s'effaça et elle ajouta :

— Les gens ont une opinion toute faite sur Ross. Ils

n'imaginent pas qu'il puisse être différent de ce qu'il laisse voir en surface. Mais ils se trompent.

Elle sembla réfléchir un instant avant de reprendre, pensive :

— Si vous venez avec nous, je vous raconterai une histoire que vous trouverez sans doute très intéressante.

Bien que la chaleur de la journée ne se soit pas encore dissipée, Maggie sentit des frissons glacés lui parcourir les bras. Elle eut brusquement envie de courir vers sa voiture et de démarrer le plus vite possible. Mais en même temps, elle avait terriblement envie de rester.

Elle ne voulait pas se trouver mêlée davantage à la vie de Ross. Pourtant, l'invitation de Casey l'intriguait, et elle ne parvenait pas à refuser. Pourquoi n'avait-elle pas suivi sa première idée, qui était simplement de renvoyer la couverture à Ross par la poste ?

— D'accord, dit-elle. Je vais juste récupérer la couverture sur le siège arrière, et…

— Vous feriez mieux de la laisser ici, dit Casey en lui faisant signe de la suivre dans la maison. Les affaires de Ross sont encore ici, et il serait obligé de la ramener. Vous la lui rendrez plus tard.

C'était logique. Maggie franchit la porte grillagée derrière Casey, et pénétra dans la cuisine.

Ce qui n'était pas logique, c'était d'accepter d'aller visiter la maison d'un homme dont les sourires enjôleurs et les manières de séducteur constituaient un défi permanent pour son éducation rigide de fille de pasteur.

Chapitre 5

C'était une véritable maison de rêve que Ross se construisait. Haute de deux étages, avec un large porche, un toit en pente, et des parois en rondins, elle était nichée dans un bosquet de pins, de trembles et de peupliers.

Casey prit Lexi dans ses bras, gravit les marches du perron et franchit une large porte qui ouvrait sur un salon spacieux. Maggie la suivit, avec la bouteille de limonade et les verres en carton. L'air était chargé de l'odeur du bois fraîchement verni, mais les fenêtres ouvertes laissaient entrer la brise du Montana et les rayons roses du soleil couchant. Des voix d'hommes leur parvinrent d'une autre pièce, au fond du couloir.

Une massive cheminée de pierre s'élevait le long d'une paroi, et un escalier flambant neuf, muni d'une rampe de bois ciré, menait à une vaste mezzanine.

Maggie leva les yeux et observa la rambarde vernie, tout le long de la mezzanine. « Oui, Maggie, murmura cette petite voix intérieure, qu'elle finissait par trouver insupportable. C'est probablement là que se trouve sa chambre. »

— Bien, dit Casey d'un ton de conspirateur, en déposant sa fille sur le sol. Maintenant, tu vas courir dans la cuisine et dire à papa et à oncle Ross que les dames sont là avec la limonade.

Lexi fit un signe de tête enthousiaste, et s'enfuit en appelant les deux hommes à tue-tête.

Ceux-ci entrèrent un instant plus tard. Cramponnée à la main de son père, Lexi sautait joyeusement à son côté.

Jess Dalton était mince, bronzé et torse nu. Et Maggie ne ressentit pas le moindre trouble en le voyant.

En revanche, lorsque ses yeux se posèrent sur Ross, une vague chaude la submergea.

Tard le soir, quand son esprit refusait de se fixer sur un sujet anodin et sans danger, Maggie ne pouvait s'empêcher de l'imaginer tel qu'il était en ce moment. Bronzé, musclé, viril… sans un gramme de graisse. Des gouttes de sueur luisaient dans la toison brune qui couvrait son torse. La cicatrice dont Casey lui avait parlé dans la voiture était visible du côté gauche, juste sous la cage thoracique.

Ross sourit. Ses yeux bleus s'illuminèrent, et il laissa voir une rangée parfaite de dents blanches. Maggie éprouva une drôle de sensation au creux de l'estomac.

— Bonjour. Quelle surprise !

— Bonjour, répondit Maggie en se cramponnant à la bouteille Thermos. Je suis passée au ranch pour vous rendre votre couverture, et Casey m'a persuadée de l'accompagner jusqu'ici, pour voir votre maison.

— J'ai eu du mal à la convaincre, déclara Casey d'un ton sévère. Donc, tiens-toi bien.

Tout en s'adressant à Ross, elle se tourna vers Jess et sourit. Il ne fallait pas être devin pour comprendre qu'elle le trouvait séduisant. Mais Casey pouvait s'offrir le luxe d'admirer ouvertement son mari. Alors que Maggie savait qu'elle ne s'attirerait que des ennuis en regardant Ross de cette façon.

— Tu veux de la limonade, papa ?

Jess souleva la fillette dans ses bras et lui embrassa le bout du nez.

— Pas tout de suite, mon bébé. Papa a besoin de parler avec maman. Tu ne veux pas jouer avec Oncle Ross pendant une minute ?

Lexi hocha vigoureusement la tête.

— Oh, oui !

Jess sourit à Maggie.

— Bonjour. Je suppose que vous êtes Maggie. Content de faire votre connaissance.

— Nous revenons dans une minute, lança Casey en riant.

Jess attira la jeune femme dans le couloir. Ils les entendirent rire doucement ensemble, puis il y eut une longue plage de silence.

— On joue à sauter très haut, oncle *Woss* ?

— D'accord, petit chou.

La fillette s'accrocha en riant aux doigts de Ross et il

la souleva encore et encore à bout de bras, en la faisant zigzaguer dans les airs.

Tout en jouant avec Lexi, il s'approcha de Maggie et désigna le hall d'un coup d'œil amusé.

— Je suis stupéfait qu'ils n'aient pas encore fait un petit frère à Lexi, dit-il.

Maggie trouvait que Jess et Casey formaient un couple harmonieux, et elle le fit savoir à Ross.

— C'est vrai, acquiesça-t-il. C'est merveilleux... pour eux.

— Mais pas pour vous ?

— D'après vous ?

Elle pensait que la dernière chose qu'il voulait, c'était de s'engager dans une relation sérieuse, mais elle ne dit rien. Elle n'aurait su expliquer pourquoi elle n'avait pas envie d'aborder ce sujet.

— Il y a longtemps qu'ils sont mariés ?

— Cela fera trois ans en août, et je pense qu'ils ne l'ont jamais regretté une seconde.

Il désigna d'un mouvement de la tête la bouteille et les verres qu'elle tenait.

— Si vous portez tout ça sur la table de ma future salle à manger, je vous offre à boire, les filles.

La « table » était constituée de deux grosses planches de bois posées sur des chevalets. Une énorme scie circulaire était posée sur la table. Ross la débrancha, la rangea sur le sol, et balaya la sciure sur les planches. Puis Maggie put déposer la bouteille de limonade.

Ross se tourna vers sa nièce et ouvrit les bras. La fillette se précipita vers lui, et il la souleva.

— Dis à Maggie, mon cœur. Est-ce que tu as le droit de toucher les outils d'oncle Ross ?

— Non, murmura l'enfant d'un ton grave.

— Et pourquoi ?

— Parce que je pourrais me faire mal.

— C'est bien, tu es très sage. Est-ce que je peux avoir un bisou, pour me récompenser de t'avoir fait sauter très haut dans les airs ?

Lexi eut un petit rire, et lui posa les mains sur les joues.

— Oui.

— Je peux en avoir combien, aujourd'hui ?

— Cinq !

Ils comptèrent ensemble, tandis que Lexi déposait cinq bisous sonores sur les joues de Ross.

Celui-ci la posa enfin sur le sol, et se tourna vers Maggie.

— Remplissez les cinq verres. Quand Jess et Casey reviendront, je pense qu'ils auront soif, et qu'ils voudront repartir rapidement.

Maggie remplit le premier verre, en dissimulant tant bien que mal sa déception. Elle n'avait pas envie de partir tout de suite.

— Dans ce cas, il faut que je me dépêche de boire aussi. J'ai laissé ma voiture au ranch, et je serai obligée de partir avec eux.

Il s'approcha d'elle, et elle perçut son parfum mêlé à l'odeur de la sueur. Ce n'était pas désagréable du tout.

— Vous n'avez pas encore fait le tour du propriétaire.

— Je sais.

— Je peux vous raccompagner plus tard, si vous voulez.

Evitant son regard, Maggie se pencha pour donner le verre de limonade à Lexi.

— Bien sûr, dit-elle avec une feinte indifférence. Puisque je suis là, autant jeter un coup d'œil. Ce que j'ai vu jusqu'ici est très beau. Mais…

Lexi prit le verre à deux mains, et Ross regarda la fillette.

— Dis merci à Maggie.

— Merci, Maggie.

— De rien, mon poussin.

— Mais quoi? reprit Ross, revenant à leur conversation.

— Mais… il se peut aussi qu'ils restent.

— Oh, non, ils vont partir, dit Ross d'un ton tranquille.

Maggie sentit un frisson d'anticipation lui parcourir le corps.

Ross avait vu juste.

Quelques instants après qu'il eut prononcé ces paroles, Casey et Jess vinrent boire avec eux. Puis ils annoncèrent qu'il était tard, et que Lexi devait encore prendre son bain avant d'aller au lit.

A présent, se tenant à bonne distance de l'homme

torse nu qui lui faisait visiter la maison, elle se dit qu'elle était contente qu'ils soient partis.

Elle savait qu'elle jouait avec le feu, mais les sentiments auxquels elle était en proie depuis qu'elle avait revu Ross étaient trop excitants pour tenter de les contenir. Elle n'avait eu qu'une seule relation sérieuse dans sa vie. Et elle n'avait jamais connu avec Tod le chaos émotionnel que Ross lui faisait éprouver.

Son père lui avait toujours dit que la vie était un don précieux qu'il fallait chérir et fêter. Et ce soir, Maggie avait la ferme intention de faire cela : fêter la vie. Au moins un petit peu.

Ils passèrent de pièce en pièce, et Maggie perçut la fierté qu'il éprouvait à lui montrer les choses qu'il avait faites de ses mains, et à désigner celles que d'autres avaient faites pour lui. La construction de la cheminée de pierres grises, roses et beiges, dépassait de loin ses compétences de bricoleur, et il avait fait appel à un artisan pour cela. Mais toutes les bûches de sapin assemblées en queue d'aronde avaient été posées par Ross et Jess.

— Cela m'a pris deux ans et demi, en y consacrant tout mon temps libre, expliqua-t-il. Mais dans quelques semaines, j'aurai un toit sur la tête.

Il fit une pause, et ajouta :

— Un toit bien à moi.

Ils montèrent à l'étage et regardèrent par la fenêtre. Maggie n'avait jamais vu un aussi bel environnement. Les hautes montagnes au sommet enneigé, qu'elle apercevait aussi de chez son oncle, se détachaient sur le ciel clair. Un peu plus près de la maison s'élevait un bosquet d'arbres. Des ancolies bleues et des fléoles des prés roses parsemaient la prairie qui entourait la construction. Dans la lumière déclinante du soleil couchant, elle crut apercevoir un cours d'eau scintillant comme un ruban d'argent.

— C'est splendide, Ross.

— Merci, dit-il avec un sourire satisfait.

Il vint se placer derrière elle, et Maggie sentit ses sens s'aiguiser. Bien qu'il se tînt à plusieurs centimètres d'elle, elle sentait la chaleur de son corps, et son souffle effleurant ses tempes.

— Le soleil est en train de disparaître. Si je veux me laver avant de vous ramener, je ferais mieux de me dépêcher.

Il lui prit la main, et se dirigea vers l'escalier. Maggie laissa ses doigts dans les siens.

Elle avait aperçu quelques tuyaux de plomberie, mais apparemment il n'y avait encore ni éviers ni douches dans la maison. Où avait-il l'intention de se laver ?

Ross prit un petit sac à dos posé derrière la porte d'entrée, et emmena Maggie le long d'une allée couverte de lames de bois, qui menait derrière la maison.

Tout à coup, Maggie comprit où ils allaient, et un léger sentiment de malaise l'envahit. Elle n'avait pas fait le rapprochement, quand elle avait vu le scintillement de l'eau, depuis la fenêtre du loft. Mais elle comprenait, à présent.

Elle avait envie de fêter la vie. Réellement. Mais étant donné la réputation de Ross, les sentiments qui l'agitaient elle-même, et l'endroit où ils se rendaient, la fête risquait fort de déraper.

— Vous n'avez pas vraiment besoin de vous laver.

— Bien sûr que si, répliqua-t-il dans un sourire. Si je ne le fais pas, nous ne survivrons pas au voyage de retour, enfermés dans la voiture !

Maggie acquiesça d'un hochement de tête, mais demeura sur ses gardes, tout en marchant dans l'herbe haute. Elle entendit le bruit de la cascade avant de la voir.

Des pins et des peupliers cachaient la crique et la clairière où elle s'était trouvée un soir, treize ans auparavant. Quelques touffes d'herbe vigoureuses avaient poussé malgré l'ombre qui régnait dans la grotte formée par les roches et les feuillages denses.

Sans lui lâcher la main, Ross la conduisit jusqu'à un tronc d'arbre qui avait été traîné près du feu de camp, délimité par des pierres disposées en cercle. Elle s'assit sans qu'il ait eu besoin de le lui dire. A quelques mètres de là se trouvait la crique, dont les eaux étaient réchauffées par des résurgences de sources chaudes. La nuit ne serait pas complètement tombée avant au moins une heure, mais des crickets faisaient déjà entendre leur chant nocturne.

— Voyons, si vous vous tournez de l'autre côté…

Maggie tressaillit et agrippa instinctivement les épaules de Ross, qui venait de la soulever pour la faire tourner dans l'autre sens.

— Voilà. De cette façon, vous ne pourrez pas vous sentir gênée.

Il comptait se déshabiller ? Elle se leva d'un bond.

— Ecoutez, il vaudrait sans doute mieux que je vous retrouve à la…

— A la maison ? s'exclama-t-il avec un rire moqueur. Vous craignez de ne pas pouvoir résister, et de regarder malgré vous, Maggie ?

Elle se rassit, l'air renfrogné.

— Quand vous aurez fini de vous croire irrésistible ! Vous pourriez danser nu dans les rues, ça me laisserait de marbre. Je voulais simplement vous mettre à l'aise.

— Oui, bien sûr.

Il s'assit à côté d'elle pour enlever ses bottes et ses chaussettes.

— Vous voulez bien surveiller ça pour moi ?

— D'accord, répondit-elle avec raideur. Mais je ne vois pas pourquoi quelqu'un voudrait les prendre.

Il sortit du savon et une serviette de son sac, lui adressa un clin d'œil, et se leva pour se diriger vers la crique.

Figée, Maggie essaya d'ignorer ce qui se passait derrière elle. Mais la chanson des crickets et le bruit cristallin de la cascade ne purent couvrir le bruit métallique de sa fermeture Eclair quand il ôta son jean, ni le tintement des pièces de monnaie que contenaient ses poches quand il jeta le pantalon sur le sol.

— Vous êtes sûre de ne pas vouloir venir avec moi ? lança-t-il joyeusement. L'eau est chaude et assez profonde. On peut même s'asseoir, à certains endroits.

— Non, merci.

Elle entendit les éclaboussures autour de ses pieds nus quand il entra dans l'eau, puis le soupir de plaisir qu'il poussa en s'asseyant dans les tourbillons qui transformaient la crique en une sorte de Jacuzzi naturel.

Maggie concentra son attention sur le bosquet de pins, et sur les lueurs mauves du crépuscule qui apparaissaient entre les branches. Il régnait un tel calme autour d'eux, qu'elle s'exprima à voix basse, quand elle fit remarquer :

— Vous avez une cicatrice sur le côté.

— Mon appendicite ? Alors, je sais que vous avez regardé !

— Ce n'est pas vrai, répliqua Maggie, agacée. Je parle de la cicatrice que vous avez à la taille. J'ignorais que vous aviez été opéré de l'appendicite.

Il eut un rire grave, qui se mêla aux bruits de l'eau.

— Je n'en ai pas.

Irritée, Maggie se tourna instinctivement pour lui répondre. Elle aperçut de la mousse savonneuse, un bras levé, et se retourna vivement.

Appliquant un des préceptes de son père, elle compta jusqu'à dix pour recouvrer son sang-froid.

— Casey m'a raconté ce qui était arrivé avec les voleurs de bétail.

— Ah oui ? Vous n'aviez pas besoin d'elle pour le savoir. Je suis sûr que toute l'histoire est consignée en détail dans le dossier qui se trouve dans les classeurs de Farrell, juste derrière votre bureau.

— C'est exact, admit Maggie. Et vous aviez raison, il est vrai que j'ai consulté votre dossier.

Il émit un bruit de gorge sourd, comme pour confirmer qu'il le savait déjà.

— J'ai toujours cru… autrefois, poursuivit Maggie, quand ma famille vivait ici… que Belle Crawford était quelqu'un de bien. Je possède même une croix en or que mon père avait achetée pour moi, dans sa bijouterie.

Ross eut un petit rire sans joie.

— Dans ce cas, vous avez un bien meilleur souvenir d'elle que moi. C'était une femme très active. Le jour, un pilier de la communauté. La nuit, elle devenait la reine des voleurs de bétail, et la patronne des filles du Babylon.

Casey lui avait aussi parlé du Babylon. C'était un club privé, consacré au jeu et à la prostitution. Il était situé en pleine forêt, en dehors de la ville, et était fermé depuis plusieurs mois maintenant.

Mais trois ans auparavant, les complices de Belle, à qui Ross devait l'argent qu'il avait perdu au jeu, avaient retenu Casey prisonnière dans une des chambres, pour être sûrs que Jess ne les dénoncerait pas au shérif. Par chance, Casey ne s'était pas laissé abattre, et elle avait réussi à s'échapper avant qu'ils ne puissent lui faire du mal.

— Casey m'a dit que vous aviez été blessé par balle, en essayant d'empêcher ces hommes de l'emmener.

— Cela n'a pas servi à grand-chose. J'ai échoué.

Maggie se tourna tout à fait, oubliant sa gêne.

— Mais vous avez essayé. Vous avez risqué votre vie pour sauver la sienne.

— Oui, je dois être une sorte de saint.

Ross s'aspergea le visage et passa les doigts dans ses cheveux pour les lisser en arrière. Puis il sourit, et changea de sujet.

— Puisque vous n'avez rien de mieux à faire, vous ne voudriez pas me frotter le dos?

Maggie sourit. Elle commençait à éprouver de la sympathie pour lui... et pas seulement une attirance physique.

— Non, dit-elle.

— Le torse, alors?

Le sourire de Maggie s'élargit, et elle secoua la tête. Il était insolent, et sa joie de vivre était agaçante. Mais tous ses sourires aguicheurs et ses reparties moqueuses ne servaient qu'à bâtir une façade, à cacher l'homme que, pour une raison ou une autre, il craignait de révéler. Elle l'avait déjà entr'aperçu, de temps à autre, quand il n'était pas sur ses gardes, ou bien quand il ne se rendait pas compte qu'elle l'observait.

La vulnérabilité qu'il faisait tant d'efforts pour cacher se dévoilait dans la tendresse qu'il montrait pour sa nièce, dans son regret de ne pas avoir réussi à protéger Casey, dans la douceur qu'il témoignait à sa tante Ruby.

Et la solide maison de rondins qu'il avait construite était comme un monument proclamant son besoin d'établir quelque chose de stable dans sa vie. C'était peut-être un homme qui aimait les femmes, mais il y avait chez lui une profondeur que Maggie n'aurait pas décelée si elle n'était pas venue ici, ce soir, avec Casey.

— Je sors! annonça-t-il.

Il lança la savonnette sur l'herbe de la rive et fit mine de se lever. Maggie s'empressa de détourner de nouveau les yeux.

Juste au moment où elle venait de décider qu'il avait

tout de même un peu de classe, il fallait qu'il redevienne impossible ! Quoique… bon, il fallait reconnaître qu'il était sorti de l'eau assez lentement pour lui laisser le temps de détourner les yeux.

Lorsqu'il eut fini de se sécher, qu'il eut remis son jean, et qu'il eut rejoint Maggie, pieds nus, près du tronc d'arbre, le soleil avait disparu et les ombres de la nuit s'étendaient autour d'eux. Il prit des chaussettes propres et une chemise dans son sac, et remit le savon et son linge sale à l'intérieur. Puis il enfila la chemise, qu'il laissa déboutonnée.

Il s'assit à côté de Maggie pour mettre ses chaussettes. La jeune femme ne put détacher les yeux de l'épaisse toison brune qui recouvrait ses muscles pectoraux, et descendait en forme de flèche vers son nombril. Ses cheveux encore humides retombaient en lourdes mèches sur son front et dans sa nuque. Un peu étourdie, elle inspira l'odeur masculine du savon, qui se mêlait au parfum des pins et des fleurs sauvages.

Lorsqu'il eut fini de mettre ses bottes, il retroussa les manches de sa chemise. La plupart des cow-boys portaient des chemises à manches longues, même en été, pour éviter d'être brûlés par le soleil.

Finalement, il posa les yeux sur elle. Maggie soutint son regard.

Soudain, ils prirent conscience du silence qui les environnait. Ils étaient seuls dans la prairie, avec les grillons pour témoins.

Le regard de Ross glissa lentement sur ses longs cheveux répandus sur ses épaules, revint vers ses yeux, et se fixa sur ses lèvres. Pendant quelques secondes, il sembla hésiter sur la conduite à tenir.

Maggie sentit sa gorge se nouer.

Alors, il se pencha vers elle, très lentement, comme pour lui laisser une chance de se dérober. Elle n'en fit rien. Son cœur battait à se rompre. Elle tremblait, ses membres étaient sans force, ses seins gonflés de désir. Ross était si près qu'elle sentait son souffle, voyait la barbe d'un jour qui ombrait ses joues.

Il l'embrassa. Doucement, avec délicatesse. Seules leurs lèvres se touchaient. Il fit glisser le bout de sa langue sur ses lèvres, qu'elle se garda d'entrouvrir.

Elle avait l'estomac noué. Sa respiration s'accéléra. Elle avait envie… oh, oui, elle avait envie…

Ross interrompit son baiser, mais ne recula pas. La brise du soir effleura les lèvres humides de Maggie.

— Pourquoi êtes-vous là avec moi, Maggie ? murmura-t-il. Vous auriez pu repartir avec Jess et Casey.

— Par curiosité, murmura-t-elle d'une voix tremblante, qu'elle ne reconnut même pas. Je voulais voir votre maison.

Ross secoua la tête, et posa ses mains solides sur la ceinture du jean de la jeune femme. Il lui caressa les hanches, passant le bout de ses doigts sur la couture du Levi's.

— Je ne crois pas, chuchota-t-il, en posant de nouveau la bouche sur la sienne.

Ross l'attira contre lui, lui emprisonnant les bras. Dans un réflexe, Maggie tenta d'agripper sa chemise. Mais ses doigts ne rencontrèrent pas le tissu. Elle fut parcourue d'un frisson en sentant sous ses mains sa peau douce et la toison qui recouvrait son torse. Elle pressa les mains contre sa chaleur.

Il lui taquina les lèvres du bout de la langue.

— Donne-moi ta bouche, Maggie, murmura-t-il d'une voix rauque. Laisse-moi y goûter.

Les inhibitions de Maggie s'envolèrent d'un seul coup. Etourdie, elle s'offrit, l'accueillit en elle, et laissa les sensations l'emporter dans un tourbillon qui la ramena treize ans en arrière.

Ross glissa une main dans ses cheveux et la maintint contre lui afin de donner plus d'intimité à leur baiser. Maggie se rendit compte tout à coup que son autre main glissait sur sa hanche et qu'il lui effleurait les fesses du bout des doigts. Des frissons se répandirent dans ses jambes, et elle ne fit rien pour se dérober à ses caresses… jusqu'à ce que sa main s'aventure sous son T-shirt et qu'il se mette à lui caresser un sein.

Alors, elle mit un terme au baiser et arrêta son geste, luttant pour reprendre le contrôle de sa respiration. Elle saisit la main égarée sous le T-shirt, la posa sur la cuisse de Ross et la couvrit de sa propre main.

En un clin d'œil, il eut inversé le mouvement. La main de Maggie se retrouva sous la sienne, plaquée contre la chaleur de sa cuisse.

— Je ne peux pas, chuchota-t-elle d'une voix tremblante.

Elle essaya de dégager sa main, mais il la maintint solidement.

— Je trouve que ça se passe très bien, protesta-t-il.

— Non.

Elle réussit à retirer sa main.

— Il va bientôt faire nuit, dit-elle. Si nous ne partons pas tout de suite, nous n'y verrons plus rien.

— Nous pourrons chercher notre chemin à tâtons.

Maggie se leva. La fraîcheur de la nuit ne parvenait pas à apaiser son corps enflammé comme une torche. Elle eut l'impression que ses jambes ne la portaient plus.

Ross l'attira de nouveau dans ses bras.

— Encore un baiser, murmura-t-il, les lèvres contre sa joue. Ensuite, je te ramènerai au ranch.

Il lui prit le menton pour lui renverser le visage, et leurs regards se rencontrèrent. Malgré le manque de lumière, elle vit que les yeux de Ross étaient voilés, comme si une question le tourmentait.

— Je t'en prie, chuchota-t-il en faisant glisser un doigt sur ses lèvres, en une caresse enivrante. Rien qu'un baiser, et nous partirons. C'est promis.

Le cœur de Maggie fit un bond. Elle pouvait l'embrasser encore une fois… juste une fois. Ce baiser qu'ils avaient échangé, assis sur le tronc d'arbre, avait été si excitant. D'autant plus excitant qu'ils n'avaient pu se serrer plus intimement l'un contre l'autre. Et elle voulait cette intimité, elle la désirait désespérément depuis ce premier baiser près de la voiture.

Maggie ferma les yeux et entrouvrit les lèvres.

Ross posa la bouche sur la sienne. Le chant des crickets et le cri d'une chouette cachée dans les bois résonnèrent autour d'eux sans qu'ils n'y prennent garde. Leurs mains s'aventurèrent fébrilement, explorant les courbes et les muscles saillants. Quand Ross posa une main sur ses hanches et la plaqua étroitement contre lui, Maggie ne tenta pas de lui échapper.

Elle inspira un filet d'air tandis que le baiser se prolongeait encore et encore, et que le désir montait en elle comme une flèche brûlante.

Ross finit par s'écarter.

— Retournons à la maison. Je laisse toujours un sac de couchage dans le loft. Nous serons plus à l'aise.

— Je ne peux pas.

— Maggie, j'ai envie de toi.

— Non.

— Pourquoi ?

Elle n'aurait su dire comment elle trouva la force de se dégager et de reculer.

— Parce que tu désires toutes les femmes. Combien ont déjà partagé ce sac de couchage avec toi ?

Ross l'observa longuement. Pendant ces quelques secondes, leurs pensées s'éclaircirent et leur respiration se calma. Finalement, il hocha la tête. Sans prendre la peine de répondre à sa question, ou de nier ce dont elle l'accusait, il dit d'un ton sobre :

— Allons-y. Jess et Casey doivent se demander ce qui nous est arrivé.

Non, ils ne se posaient sûrement pas la question, songea Maggie un peu plus tard, tandis qu'ils roulaient en silence.

Elle était collée à la porte du côté passager, comme si elle craignait d'effleurer Ross par mégarde.

En ce moment, Jess et Casey étaient probablement serrés dans les bras l'un de l'autre, priant entre deux soupirs pour que leur petite fille ne s'éveille pas et pour que Ross ne revienne pas trop vite. Après trois ans de mariage, il y avait toujours cette passion ardente entre eux. Le genre de relation qu'elle espérait avoir un jour avec l'homme qui serait son mari.

Maggie coula un regard en direction de Ross. Son front était sombre sous le Stetson, son profil bien ciselé à peine éclairé par les lumières du tableau de bord, ses pensées bien cachées.

Une flèche de désir transperça Maggie. Poussant un léger soupir, elle se détourna pour contempler la rangée de montagnes qui se détachait contre le ciel sombre, et les lignes de fils de fer barbelés illuminés par les phares du pick-up.

« Je vous en prie..., songea-t-elle en regardant les premières étoiles dans le ciel. Je vous en prie, faites que mon futur mari apparaisse dans ma vie, avant que je ne commette une erreur irrattrapable. »

Ross inspira profondément, interrompant le fil de ses pensées.

— Il n'y a toujours eu que moi, dit-il.

— Pardon ? fit-elle, interloquée.

— Dans le sac de couchage. Il n'y a jamais eu personne d'autre que moi.

Chapitre 6

Maggie rentra chez elle en luttant contre la tentation de faire demi-tour et de retourner tout droit à Brokenstraw. Son corps vibrait encore au souvenir de ce qui s'était passé. Elle croyait sentir la pression des lèvres de Ross sur les siennes. Ses joues étaient encore enflammées par la caresse de sa barbe naissante.

Que dirait son père s'il savait qu'elle se comportait d'une façon aussi impudique avec un homme qui n'était pas son mari? Maggie laissa échapper un lourd soupir. Le révérend, comme l'appelait sa mère, lui lançait des regards qui en disaient long, à l'époque où elle sortait avec Tod. Mais ce n'était pas parce que Tod n'était pas pratiquant. Le révérend Tom Bristol était un homme bon et tolérant, qui n'était pas opposé à ce que les gens s'en tiennent à leurs propres croyances, tant qu'ils menaient une vie décente. En revanche, il était absolument opposé à ce que les couples aient une vie sexuelle avant le mariage… même lorsqu'il était absolument certain que le mariage aurait lieu.

S'il avait pu voir comment elle s'était comportée ce soir, il aurait été mortifié.

Elle avait l'impression d'entendre sa voix, bouleversée :

— Ma chérie, réfléchis. Tu es la fille d'un pasteur. Et tu te lies avec le plus mauvais garçon de la ville. Un homme qui a prouvé, par ses actes irréfléchis et par ses fréquentes liaisons amoureuses, qu'il ne respecte ni les lois ni les femmes. Tu es également, bien que j'aie encore du mal à me faire à cette idée, une représentante de la loi. Ta relation avec cet homme n'a aucun sens. Maggie, si tu ne fais pas très attention, cela pourrait t'attirer beaucoup d'ennuis. Sur le plan spirituel, mais aussi sur le plan professionnel.

— Je sais, dit-elle dans un soupir.

Elle se gara près de la petite cabane à outils, à côté du pick-up de sa tante. De la lumière brillait aux fenêtres du ranch.

— Je sais très bien tout cela, papa.

Elle alluma la lumière intérieure de la Ford, et se regarda dans le rétroviseur. Ce qu'elle vit lui arracha un grognement de contrariété. Comment aurait-elle pu rentrer chez son oncle avec cette tête-là ? Pour ses cheveux, pas de problème. Un coup de brosse arrangerait tout. Mais ses lèvres gonflées et ses joues rougies étaient trop révélatrices.

Sortant une brosse de son sac, elle la passa plusieurs fois dans ses cheveux. Puis elle éteignit le plafonnier de l'habitacle et sortit de la voiture. Son cœur sombra quand elle entendit les voix dans la véranda.

A vingt mètres devant elle, elle vit un véhicule luxueux garé près de la maison. La voix grave de Trent Campion lui parvint, couvrant celles de son oncle et de sa tante.

— Bonsoir, Maggie.

Maggie parvint à esquisser un petit sourire, tout en montant les marches du perron. Par chance, Lila évitait d'allumer les lampes extérieures pour ne pas attirer les insectes. Malgré tout, quelques papillons voletaient autour des bougies parfumées à la citronnelle.

Elle s'immobilisa à quelques pas des bougies, près du montant de la véranda.

— Bonsoir, Trent. C'est une surprise.

— Une surprise agréable, j'espère.

Il observa son sourire aimable, ses cheveux bien coiffés, et parut extrêmement content.

Moe rit de bon cœur. Une des rares manifestations de bonne humeur que Maggie lui ait vues depuis qu'elle était revenue du Colorado.

— Maintenant que tu es là, Lila et moi allons pouvoir cesser d'ennuyer ce garçon avec nos histoires. Nous rentrons.

Avec l'aide de Lila, Moe parvint à s'extraire de son fauteuil de rotin non sans pousser un grognement de douleur, et se dirigea vers la porte en s'appuyant sur sa canne.

Trent se précipita pour lui ouvrir la porte grillagée de la cuisine.

— Merci, Trent, dit Lila.

Elle laissa Trent aider Moe à entrer dans la maison, et se rapprocha subrepticement de Maggie, qu'elle dévisagea avec curiosité.

— Il y a encore de la limonade sur la table, ma chérie. Et des verres propres sur le plateau.

Puis, baissant la voix, elle demanda :

— Pourquoi restes-tu plantée là ? Tu te sens mal ?

Lila regarda Maggie un peu plus longuement, plus attentivement. Comprenant que son examen mettait Maggie mal à l'aise, elle prit une bougie et l'approcha de la jeune femme.

— Oh, mon Dieu, dit-elle doucement.

Le visage de Maggie, déjà rougi par les baisers de Ross, s'empourpra complètement.

— Ce n'est pas ce que tu crois.

— Juste une petite allergie au soleil ?

— Quelque chose comme ça. Une allergie, en tout cas.

— A Ross ?

Trent ressortit à ce moment. Lila souffla rapidement la bougie, gagnant par ce geste la reconnaissance infinie de Maggie.

— Tu sais, gazouilla-t-elle d'un ton léger, je commence à croire que ces satanés papillons de nuit s'imaginent que j'allume ces bougies pour les inviter à faire la fête.

Elle s'approcha des autres bougies disposées sur la table et les souffla également.

— J'annule l'invitation sur-le-champ. De toute façon, vous n'avez pas besoin des bougies, la lumière du hall suffit à éclairer la véranda.

— Je me garderai bien d'émettre une objection, déclara Trent.

Maggie fit la moue. Si Trent avait mal interprété les paroles de sa tante, et croyait que Lila voulait encourager une romance entre eux, elle allait devoir le détromper rapidement.

— Je vous souhaite une bonne nuit.

— Bonne nuit, madame Jackson. Merci pour la limonade.

— Bonne nuit, tante Lila.

Quand sa tante eut refermé la porte derrière elle, Maggie fit glisser son sac de son épaule, et se dirigea vers la balancelle de la véranda. Elle déposa le sac sur les coussins, faillit s'installer à côté, mais se ravisa et alla s'asseoir dans le fauteuil que son oncle venait de libérer. C'était plus prudent.

Trent prit le fauteuil qui se trouvait à côté d'elle.

— Je suppose que vous avez vu ma voiture, dit-il, un sourire radieux illuminant son visage.

Maggie ne comprenait toujours pas la cause de son contentement.

— Oui, j'ai vu votre voiture, répondit-elle en se demandant quelle importance cela pouvait avoir.

Il avait bien fallu qu'il ait un moyen de locomotion pour venir jusqu'ici, après tout.

— J'en étais sûr. Vous savez, je n'étais pas certain d'avoir bien compris quand nous nous sommes vus dans le bureau du shérif, il y a deux semaines. Mais vous vous intéressez un peu à moi, n'est-ce pas ?

Maggie voulut répondre, mais aucun son ne franchit ses lèvres. Qu'est-ce qui lui faisait penser cela ?

— Quand je vous ai vue vous arrêter pour vous recoiffer… j'ai compris que c'était pour moi. Je… j'ai trouvé cela très bien, Maggie.

Elle était incapable de prononcer un mot.

Trent ne serait sûrement pas content, s'il savait pour quelle raison elle avait dû remettre de l'ordre dans sa tenue. Et Maggie n'avait pas envie de se confier à qui que ce soit… à l'exception de Lila, qui avait tout deviné. Et ce n'était pas étonnant. Il y avait eu assez de frictions entre Ross et elle, ces derniers temps, pour provoquer une explosion.

Le seul fait de penser à lui suffit à réveiller le trouble qui l'habitait. Maggie se leva et alla vers la table de rotin. Mais avant qu'elle ait pu atteindre la carafe de limonade, Trent était déjà là, en train de la servir. Le parfum de son after-shave était fort, et presque gênant. Maggie songea avec regret à l'odeur fraîche du savon sur la peau de Ross.

Elle accepta cependant le verre que lui tendait Trent, et but une longue gorgée de limonade.

— Vous ne m'avez pas attendue trop longtemps ?

— Non, pas vraiment. Votre oncle et votre tante m'ont tenu compagnie.

Y avait-il quelque chose d'arrogant dans le ton de sa voix ? se demanda Maggie en fronçant les sourcils. Mais elle décida de ne pas se poser trop de questions et d'être plus compréhensive. Depuis qu'elle avait surpris la conversation entre Trent et son père au rodéo, Trent lui faisait un peu pitié.

Elle s'était doutée dès leur première rencontre que les sourires de Ben et ses manières aimables n'étaient que de la comédie. Mais elle n'aurait jamais cru qu'il puisse se montrer aussi cruel, et encore moins avec son propre fils.

Elle regagna son fauteuil, son verre à la main, en songeant aux lèvres de Ross imprégnées du goût de la limonade... Troublée, elle toussota, et demanda à Trent :

— Vous aviez une raison spéciale de passer, ce soir ?

— En fait, oui. Je voulais vous demander pardon.

— Pardon ? Pourquoi ?

— Tout d'abord, pour ne pas vous avoir rendu visite plus tôt. Il a fallu que je me rende dans la capitale pendant quelques jours. Et ensuite...

Il s'assombrit, et reprit :

— Je tenais à m'excuser pour ce désastreux pique-nique. Je croyais vraiment que le panier que j'avais acheté était le vôtre, dit-il en croisant son regard avec sincérité. Je n'aurais jamais offert cent dollars pour le panier de pique-nique de Bessie Holsopple.

Il eut une grimace dégoûtée, et continua :

— Il y avait tellement de poils de chats sur la nappe que j'ai à peine osé goûter à la nourriture.

Maggie eut du mal à contenir un sourire.

— Pour en venir au fait, je suis désolé que vous ayez été obligée de supporter la compagnie de ce vaurien de Ross Dalton. Je vous ai observée du coin de l'œil, et j'ai bien vu que vous faisiez des efforts pour être aimable. Vous ne méritiez pas de vous retrouver dans une telle situation. Malheureusement, une fois que j'avais acheté le panier de Bessie, je ne pouvais plus en choisir un autre.

Maggie observa son visage dans l'ombre, et attendit les paroles qui auraient dû suivre. Comme il gardait le silence, elle continua à sa place :

— Et naturellement, Bessie se serait sentie blessée.

L'espace d'une seconde, Trent posa sur elle un regard éberlué, puis tenta vivement de se rattraper.

— Oh, bien sûr, absolument. Et pour rien au monde je n'aurais voulu lui faire de la peine.

Il eut un petit rire condescendant, et ajouta :

— Elle était tout excitée que son panier ait été choisi par un Campion.

Maggie en était certaine. Bessie était une femme maigre et sans beauté, qui vivait seule au milieu de ses chats et n'avait rien d'autre à faire que de ranger et d'épousseter les livres de la bibliothèque. Mais ce n'était pas très charitable de la part de Trent de laisser entendre qu'elle avait été éblouie d'avoir été choisie. Si le plan de Ross n'avait pas fonctionné comme prévu et qu'il ait été obligé de pique-niquer avec Bessie, Maggie était certaine qu'il se serait montré beaucoup plus gentil et délicat.

— Trent, je suis désolée, mais je me sens très fatiguée et j'ai besoin d'aller dormir. J'ai eu une longue journée.

— Bien sûr, dit-il avec une déception évidente. Mais il ne faut plus que nous restions si longtemps sans nous voir.

Il lui prit son verre, alla le reposer sur la table, et lui tendit la main pour l'aider à se relever.

— Je pourrais venir vous chercher demain matin, pour le petit déjeuner? Le café ouvre à 6 heures. Cela vous laisse largement le temps d'arriver au bureau à 7 heures.

— Trent…

Maggie retira sa main et s'écarta.

— Je ne me sens pas prête à avoir une nouvelle relation pour le moment. Juste avant de venir à Comfort, j'ai rompu avec un homme que je fréquentais depuis deux ans. J'ai besoin d'un peu de temps.

Il eut de nouveau l'air peiné, mais parvint à dissimuler sa déception sous un haussement d'épaules désinvolte.

— D'accord, je peux comprendre. Mais nous pouvons tout de même être amis, n'est-ce pas? Du moins, jusqu'à ce que vous soyez prête à vivre autre chose.

— En effet, admit-elle, incapable de repousser froidement sa proposition.

Trent ne devait pas avoir beaucoup d'amis, et il n'y avait pas de mal à se montrer un peu charitable. Mais quand elle serait prête à « vivre autre chose », ce ne serait sûrement pas avec Trent Campion.

— C'est gentil d'être passé me voir, dit-elle.

— Je suis content que ça vous fasse plaisir. J'ai l'intention d'être souvent gentil, à partir de maintenant.

Maggie fut soulagée lorsqu'il lui eut souhaité une bonne nuit et se fut éloigné au volant de sa voiture. Elle fut soulagée également de constater en rentrant dans la maison que Lila ne l'avait pas attendue. Elle allait pouvoir filer rapidement prendre une douche, et se mettre au lit.

Sa tante ne lui aurait certainement pas demandé d'explication, mais Maggie se serait sentie obligée de lui en donner une. Or, elle aurait été un peu gênée d'avoir à expliquer son comportement avec Ross, ce soir.

D'autre part, elle avait envie d'être seule pour repenser à ses baisers et ses caresses, les revivre encore et encore, toute la nuit.

— Tu es sûr de ne plus avoir besoin d'aide ? demanda Jess, en fin d'après-midi.

Ross jeta un coup d'œil à son frère. Ils venaient juste de poser la baignoire dans l'alcôve couverte de carreaux de céramique, et de finir la plomberie.

— Merci, mais c'est bon. Je peux finir seul.

Il décolla une étiquette sur le côté de la baignoire, et se releva en froissant le papier aux couleurs brillantes.

— Qu'y a-t-il de prévu pour demain soir ?

— Il faut encastrer le lavabo, connecter les tuyaux, puis placer l'évier dans la cuisine.

Ross jeta l'étiquette dans une corbeille en plastique.

— Et bientôt, il faudra passer une nouvelle couche d'isolant sur les parois extérieures.

Il croisa le regard de Jess, l'air pensif.

— J'envisage de déléguer un peu les travaux de finitions.

— Oh ?

— Oui. J'ai décidé de faire appel à un professionnel pour carreler les sols et poser les moquettes. Ed Hanley viendra demain pour la salle de bains. Mais tante Ruby m'a parlé d'un de ses clients, qui avait des problèmes financiers en ce moment. Aussi, je me suis dit, pourquoi pas ? Ce gars a toujours travaillé dans le bâtiment et j'ai fait des emprunts plus que suffisants à la banque pour payer ces travaux. Je me dis que puisque je rembourse déjà des traites, autant profiter de la maison le plus rapidement possible.

Jess répondit d'un air désinvolte, et Ross n'aurait sans doute pas remarqué l'inquiétude qui perçait dans ses paroles s'il n'avait pas si bien connu son frère.

— Qu'est-ce qui te pousse soudain à emménager si vite ? Cela fait deux ans et demi que tu dis que tu n'es pas pressé.

— Eh bien, maintenant je le suis.

— Tu as l'intention de pendre la crémaillère en privé ?

Ross lança à son frère un regard dur, brusquement irrité par l'air entendu qu'il arborait. Il n'avait jamais eu de secrets pour Jess. En fait, comme un imbécile, il s'était même souvent vanté de ses exploits avec les femmes… ce dont il n'était pas très fier, à présent.

Mais la pensée de se retrouver en tête à tête avec Maggie était trop personnelle. En plus, Ross ressentait le besoin de la protéger.

— Non, je ne projette pas de pendaison de crémaillère. Tu voulais me faire une surprise ?

— Tu sais très bien ce que je veux dire.

— Oui, je le sais, et ça ne te regarde pas.

Jess posa sur Ross un regard neutre, puis hocha la tête.

— Tu as raison, petit frère, ce ne sont pas mes affaires. Mais réfléchis bien avant de faire quoi que ce soit. Maggie n'est pas Brenda.

Non, ce n'était pas la même chose. Maggie avait de l'allure et de la classe. D'un autre côté, Brenda était une vraie bombe sexuelle. Ross et elle avaient passé des moments délicieux ensemble, au cours des dix dernières années. Mais pour Brenda, le sexe était un peu comme un exercice d'aérobic. Elle aimait bien la compagnie de Ross, mais n'importe quel autre cow-boy était susceptible de l'intéresser autant que lui.

Ross ne l'avait pas vue depuis… Il fronça les sourcils. Depuis que ces problèmes de jeu et de vol de bétail l'avaient rendu plus prudent. En fait, il n'avait plus approché de femme du tout depuis assez longtemps. C'était peut-être la raison pour laquelle il avait tellement envie de mettre Maggie dans son lit.

— Tu m'en veux de mettre mon grain de sel dans tes affaires, dit Jess.

Ross secoua la tête.

— Ce n'est pas grave. Tu t'inquiètes simplement pour elle. Je ne peux pas t'en vouloir pour ça.

Il désigna d'un signe de tête l'ouverture dans le mur de la salle de bains, qui attendait toujours une porte.

— Prenons une bière, en attendant. J'ai des canettes dans la glacière.

Quelques minutes plus tard, ils étaient installés dans

la véranda, adossés aux larges piquets qui délimitaient le périmètre de la terrasse.

Jess leva les yeux vers le ciel, d'un bleu pur et dégagé.

— Il nous faudrait de la pluie.

Ross opina de la tête. Le niveau de la rivière avait baissé, et ils auraient bientôt des problèmes pour irriguer les champs.

— Washington et le nord de la Californie nous prennent tout.

Jess eut un sourire narquois.

— Je suppose qu'ils s'en passeraient bien volontiers.

Il finit sa bière et jeta la canette vide dans le tonneau des déchets à recycler.

— Bien, je ferais mieux de rentrer. J'ai promis à Casey que nous irions chez tante Ruby pour les beignets de poulet, ce soir.

— C'est vrai, c'est mercredi.

Les légendaires beignets de poulet de Ruby étaient toujours à six cents la pièce le mercredi soir, et le café était généralement bondé à cette occasion.

— Vous avez besoin de quelqu'un pour garder Lex?

Jess descendit les marches du perron.

— C'est gentil d'y penser, mais nous allons l'emmener avec nous. Tante Ruby ferait une crise, si nous y allions sans elle.

Il monta dans sa camionnette, puis passa la tête par la fenêtre, en souriant.

— Puisque tu aimes tant les gosses, pourquoi tu n'en as pas un à toi?

Ross leva les yeux au ciel.

— Tu ne viens pas de me dire que c'était une mauvaise idée?

— Ce n'est pas une mauvaise idée, si tu fais les choses comme il faut.

Le cœur serré, Ross esquissa un sourire, et regarda son frère s'éloigner au volant de son pick-up. Jess avait tout ce qu'il fallait… une jolie femme, une petite fille adorable, et le genre de vie idéale dont on parle dans les chansons.

Il jeta sa canette dans la poubelle, et retourna à l'intérieur pour se remettre au travail.

Comme il faut? Pour faire les choses « comme il faut », il fallait se marier, et il n'y avait aucune chance que ça arrive. Certaines personnes, comme Jess et Casey, étaient faites pour le mariage.

D'autres non.

Le jeudi après-midi, le téléphone sonna dans le bureau du shérif, et Maggie décrocha.

— Bonjour, ici le bureau du shérif. Maggie à l'appareil.

— Bonjour, ma chérie. Oh, mais quel ton professionnel!

Maggie sourit.

— Bonjour. Je ne m'attendais pas à avoir de tes nouvelles aujourd'hui.

— Et pourquoi pas ? répondit le révérend Bristol, avec un sourire qui transparaissait dans ses paroles. Il est bien naturel qu'une fille entende la voix de son père à l'autre bout du fil, quand elle répond au téléphone !

— Eh bien, peut-être pas lorsqu'elle est dans le bureau du shérif. En plus, nous nous sommes parlé il y a à peine deux jours.

— Là, je crois que tu marques un point, dit-il en riant. De toute façon, je ne te retiendrai pas longtemps. Je viens d'appeler au ranch, et Moe m'a dit que tu te trouvais au bureau. Optimiste comme je suis, j'ai toujours l'espoir que tu vas t'intéresser à autre chose qu'à l'application de la loi.

Oh, elle s'intéressait à bien d'autres choses, songea-t-elle avec un pincement de culpabilité. Mais il n'y avait rien là que son père approuverait. Bien que son père espérât toujours la voir se marier, avoir des bébés et laisser certaines occupations aux hommes de ce monde, Maggie était certaine que s'il avait à choisir, il préférerait qu'elle reste dans la police plutôt que d'avoir une relation avec Ross.

Ross Dalton était un coureur de jupons, un joli cœur coiffé de Stetson, qui n'épouserait jamais la fille de Tom Bristol, et par conséquent ne lui donnerait jamais de petits-enfants.

— Enfin, reprit son père d'un ton plus sobre, venons-en à la raison de mon appel. J'espère que tu ne seras pas trop déçue, mais je ne pourrai pas venir le 4 Juillet.

Le conseil paroissial veut que la kermesse d'été ait lieu pour l'Independance Day, et je ne pourrai vraiment pas m'absenter.

Il soupira, et ajouta tristement :

— Ce sera la première fois depuis ta naissance que nous ne passerons pas le 4 Juillet ensemble.

— Je sais, dit Maggie, aussi déçue que lui.

Le révérend Tom Bristol n'était pas uniquement axé sur les fêtes religieuses. Il avait aussi le sens de la famille, et depuis qu'elle était toute petite, il avait toujours emmené Maggie voir les feux d'artifice pour la fête de l'Indépendance.

— Tu me manqueras, ma chérie. J'espère que tu t'amuseras quand même.

— Certainement. La municipalité a organisé un bal dans le centre-ville, et j'irai sans doute. Mais tu me manqueras aussi.

— Ce sera l'affaire de deux semaines. Nous ferons une petite fête de remplacement plus tard.

La deuxième ligne se mit à sonner, et Maggie se rembrunit.

— Désolée, papa. Il y a un autre appel, je suis obligée de répondre.

— Pas de problème. Je te rappellerai. Je t'embrasse.

— Je t'embrasse aussi.

Elle raccrocha, et enfonça un bouton pour répondre sur l'autre ligne.

— Bureau du shérif, bonjour.

C'était l'imprimerie qui appelait pour signaler qu'une partie des affiches pour la campagne électorale du shérif était prête. Maggie transféra l'appel dans le bureau de Cy. Quelques minutes plus tard, ce dernier abandonna la montagne de paperasses qui s'amoncelaient sur sa table de travail, et entra d'un pas vif dans le hall de réception.

— Je serai de retour dans quelques minutes. Mike a-t-il téléphoné pour dire si l'accident pour lequel il a été appelé était grave ?

— Non, mais comme il n'a pas demandé d'ambulance et n'a pas alerté les pompiers, ce n'était sans doute qu'un accident matériel.

— D'accord. Si vous avez besoin de moi, je serai à l'imprimerie.

Il accrocha sa radio à sa ceinture, et se dirigea vers la porte.

— A tout à l'heure.

Ces derniers temps, Cy était plus souvent dehors qu'au bureau. Entre ses visites chez l'imprimeur, et ses rendez-vous avec les hommes d'affaires de la région, il ne lui restait plus beaucoup de temps pour régler les affaires courantes. On était à peine fin juin, et sa campagne d'élections était déjà en plein boum.

Maggie reporta son attention sur l'écran de son ordinateur. Qu'est-ce qui pouvait pousser un homme à se conduire comme ça, alors qu'il n'avait pas de candidat opposant à vaincre ? Cy était-il plus intéressé par le poste de shérif que par le travail que cela représentait ? Ou bien plus simplement s'ennuyait-il ? La petite ville de Comfort était loin d'être un foyer d'intrigues policières, comme en témoignait la courte liste des interventions et des arrestations que Maggie dressait tous les mois pour le journal local.

Elle mit en route l'imprimante, puis se rappela brusquement qu'elle devait remettre de nouvelles cartouches, et éteignit l'appareil.

Les cartouches d'encre qui se trouvaient dans son tiroir ne correspondaient pas à son imprimante. Quelqu'un s'était trompé, et avait interverti celles de Cy avec les siennes. Donc, celles-ci devaient se trouver dans le tiroir de Cy. Maggie saisit le petit paquet de cartouches, entra dans le bureau du shérif, et ouvrit les tiroirs métalliques.

Elle sourit en constatant que les deux premiers tiroirs étaient remplis de fournitures de papeterie, de petits gâteaux sous Cellophane, et de bonbons. Quand elle ouvrit le troisième, elle dénicha enfin les cartouches qu'elle cherchait.

Elle les prit, déposa les siennes au fond du tiroir, et s'apprêta à refermer celui-ci, mais ses phalanges effleurèrent le fond métallique, qui émit un drôle de son creux. Intriguée, elle tapota le fond et examina l'intérieur du tiroir. Celui-ci avait environ trente centimètres de profondeur. Mais en le regardant de l'extérieur, il semblait en avoir un peu moins de quarante.

Le tiroir de Cy Farrell était donc pourvu d'un double fond.

— Ce qui ne te regarde pas, Maggie, murmura-t-elle, en retournant rapidement s'asseoir à son bureau.

Elle venait juste d'insérer une nouvelle cartouche dans l'imprimante lorsque Ross entra. Maggie fut submergée par le souvenir de ce qui s'était passé entre eux la dernière fois qu'ils s'étaient vus, et son visage s'enflamma. Elle imagina sa bouche pressée contre la sienne, ses mains brûlantes se glissant sous sa chemise.

Il fallait mettre un terme à cette folie, une fois pour toutes.

Elle toussota pour s'éclaircir la gorge, et s'efforça de prendre l'air aussi professionnel qu'un peu plus tôt, quand son père avait téléphoné.

— Bonjour. Que puis-je faire pour vous ? demanda-t-elle, renonçant au tutoiement trop familier.

Ross se dirigea vers son bureau d'une démarche virile, et elle vit une lueur malicieuse passer dans ses yeux lorsqu'il ôta son Stetson.

Il aurait dû y avoir une loi pour interdire à un homme d'être aussi beau, songea Maggie. Il ne portait qu'une simple chemise de coton et un jean, mais le bleu de ses yeux était mis en valeur par le bronzage de son visage, et il était superbe. Elle sentit son cœur s'emballer.

— Pour commencer, vous pourriez répondre « oui » à la question que je vais vous poser, dit-il.

— Ross, ne commencez pas vos taquineries.

— Non, pas ici, dit-il en regardant autour de lui d'un air amusé. C'est un lieu un peu trop public, même pour moi.

Maggie se sentit une fois de plus entraînée hors des voies qu'elle s'était tracées. Pour son propre bien-être, il était urgent qu'elle prenne une décision. Elle ne pouvait continuer de flirter avec le démon, sans en subir les conséquences.

D'autre part, elle avait du travail, et la seule présence de

Ross suffisait à disperser toutes ses pensées, à l'exception de celles qu'elle n'aurait jamais dû avoir.

— Ross, énonça-t-elle, plus froidement qu'elle ne l'aurait voulu, si vous avez quelque chose d'important à me dire, dites-le vite afin que je puisse me remettre au travail ensuite.

Le sourire de Ross s'évanouit, et il haussa les sourcils, l'air déconcerté.

— Désolé. Je suis juste passé vous dire que lorsque je me suis arrêté au magasin pour faire des provisions, je suis tombé par hasard sur le révérend Frémont.

— Et alors ?

Le regard de Ross se fit plus dur, sa bonne humeur disparut, et il pinça les lèvres. Tout à coup, elle se trouva confrontée à un Ross grave et solennel, qu'elle trouva encore plus sensuel et plus troublant que celui qui l'avait taquinée un instant plus tôt.

— Et alors, répondit-il, Frémont a décidé de remplacer le toit de l'église ce samedi, si nous trouvons assez de monde pour donner un coup de main.

Le cœur de Maggie sombra, tandis que tout espoir de garder Ross à bonne distance s'évanouissait. Le jour de la vente aux enchères, le révérend avait clairement laissé entendre qu'il comptait sur la présence de Maggie pendant les travaux. Les circonstances allaient donc une fois de plus rapprocher Ross et Maggie, consolidant le lien troublant qui s'était déjà formé entre eux.

— Pourquoi est-il si pressé ?

— Et pourquoi pas ? S'il a l'argent pour payer la

réfection du toit, je ne vois pas pourquoi il remettrait les travaux à plus tard.

— Parce qu'il se peut que les gens aient déjà fait des projets pour le week-end, voilà pourquoi. A cette époque de l'année, les fermiers ont du temps libre, répliqua-t-elle d'un ton irrité.

Elle vit un nerf tressauter sur la joue de Ross, mais elle avait décidé de rompre tout lien avec lui, et il fallait qu'elle aille jusqu'au bout.

— Ce genre d'activité doit être prévu assez longtemps à l'avance pour ne pas prendre les gens au dépourvu. Mon père, lui, n'aurait jamais forcé la main aux paroissiens de cette façon.

Le regard de Ross se fit brusquement froid et distant.

— Tous les habitants du comté ne sont pas convoqués, Maggie. Seulement ceux qui le veulent bien, et nous ne serons qu'une poignée. La plupart des gens peuvent adapter leur emploi du temps, quand il se passe quelque chose d'important. Si vous n'êtes pas libre, je suis sûr qu'une autre femme pourra prendre votre place.

Cela aurait dû la laisser indifférente, toutefois elle se sentit blessée.

— Je suis sûre qu'une autre femme pourra me remplacer… très facilement, murmura-t-elle, la gorge serrée. Vous avez pensé à quelqu'un en particulier?

Ross ignora la question, et marmonna :

— Si vous changez d'avis, sachez que nous commencerons le travail à 9 heures. Comme ici les gens se lèvent à l'aube, cela laissera le temps aux fermiers et aux éleveurs de s'occuper des bêtes et des enfants.

Il prit la direction de la porte, d'un pas raide. Juste avant de sortir, il se retourna et la regarda durement.

— Vous savez, je ne comprends pas du tout ce qui vient de se passer ici. Ni pourquoi vous avez voulu que ça se passe comme ça.

Il remit son Stetson, et s'éloigna à grands pas.

Maggie pressa les paumes de ses mains sur ses tempes douloureuses. Ce fut le moment que choisit la petite voix irritante, celle qui aimait tout particulièrement mettre l'accent sur ses erreurs, pour résonner clairement dans sa tête.

« Félicitations. Tu as vraiment bien manœuvré. A l'heure qu'il est, cet homme est sans doute persuadé que tu as de graves troubles de la personnalité. »

Elle baissa les mains et les posa sur son bureau. Eh bien, qu'aurait-elle pu faire d'autre? Lui annoncer de but en blanc qu'elle ne trouvait pas que c'était une bonne idée de le revoir? Il aurait probablement ri à gorge déployée, en lui faisant remarquer qu'ils n'étaient jamais réellement sortis ensemble et que donc, ils pouvaient se voir sans que cela porte à conséquence.

Il était hors de question qu'elle lui dise la vérité. C'est-à-dire qu'elle ne pouvait pas poser les yeux sur lui sans éprouver du désir, mais qu'elle ne voulait pas s'intéresser à lui, car il n'était pas le genre d'homme à se fixer très longtemps avec une femme.

Elle avait déjà perdu deux ans avec quelqu'un qui avait pris ses jambes à son cou quand elle avait fait allusion à leur avenir. Elle n'avait pas l'intention de répéter cette erreur.

Cy Farrell entra d'un air furibond, le visage cramoisi.

— Que… que diable voulait-il? s'écria-t-il, l'air outré.

Maggie glissa une liasse de feuillets dans l'imprimante.

— Il est juste passé me donner des renseignements au sujet de l'église, de la part du révérend Frémont.

Cy fit entendre un rire sarcastique.

— Au sujet de l'église? Vous envisagez d'épouser le mauvais garçon de la ville, Maggie?

Les mâchoires de Maggie se contractèrent. Cy ne pensait pas un mot de ce qu'il disait, naturellement. Il voulait juste lui laisser entendre qu'il n'ignorait pas qu'il y avait quelque chose entre Ross et elle… et que cela ne lui plaisait pas du tout.

— Le révérend veut commencer les travaux du toit samedi. J'avais proposé de préparer une partie du repas pour les travailleurs.

— Et Ross Dalton va l'aider à changer ce toit?

— Eh bien, en fait, oui.

— Ce toit doit avoir quelque chose de spécial. A ce que disent les femmes de la ville, sa spécialité ce n'est pas la charpenterie.

Maggie sentit la moutarde lui monter au nez. Cy faisait tout ce qui était en son pouvoir pour s'assurer que Ross n'approcherait pas de sa nouvelle recrue, et il y prenait un plaisir certain. Il avait tort de se faire du souci. Maggie s'appliquait à maintenir Ross à distance. Elle regrettait seulement de ne pas éprouver, elle, de plaisir à le faire.

— J'espère que cela ne vous ennuie pas, dit-elle, changeant brusquement de sujet. Mais quelqu'un avait rangé par erreur mes cartouches d'imprimante dans votre tiroir. Je les ai échangées avec celles qui étaient dans mon bureau.

Le visage de Farrell se vida de toute couleur, puis s'empourpra. A la grande surprise de Maggie, il lui tourna brusquement le dos, pénétra dans son bureau, et referma la porte derrière lui, ce qu'il faisait rarement.

Lorsqu'il revint, il semblait plus maître de lui.

— C'est moi qui me suis trompé, grommela-t-il d'un ton bourru. J'ai rangé les nouvelles cartouches, sans m'en apercevoir, l'autre jour. L'imprimante marche bien ?

— Très bien, répondit Maggie en lui montrant d'un geste les feuilles qui sortaient de l'appareil.

Elle le dévisagea avec curiosité. Pourquoi était-il aussi contrarié ? Simplement parce qu'il avait commis une erreur, et qu'une employée subalterne s'en était aperçue ?

A moins qu'il ne redoutât qu'elle ait découvert le double fond de son tiroir ?

Maggie sentit les battements de son pouls s'accélérer. Cy cachait-il quelque chose dans ce tiroir ? Quelque chose qui ne devait être découvert sous aucun prétexte ? Quelque chose de compromettant ?

Elle fronça les sourcils d'un air désabusé, tout en récupérant les feuillets imprimés. Ses soupçons étaient ridicules. Si ce tiroir contenait quelque chose, c'était probablement un magazine avec des photos de femmes nues.

Décidément, les enquêtes policières lui manquaient plus qu'elle ne l'aurait cru.

Maggie s'apprêtait à rentrer chez elle, lorsque Farrell sortit de son bureau en mâchonnant un cure-dents.

— Au fait, Maggie… vous avez toujours l'intention de prendre le poste d'adjoint, quand Mike partira pour l'école de police, à l'automne ? Je sais que nous en avons déjà parlé.

Maggie fut stupéfaite. Farrell savait très bien que ce poste l'intéressait. Ils n'avaient pas fait qu'en parler en passant, il lui avait carrément promis le poste.

— Parce que si le travail de secrétariat vous plaît, un des garçons de Harvey Becker aimerait bien entrer dans la police. Il vient juste de finir ses études, et il a obtenu un diplôme de droit criminel. Il a même terminé troisième de sa promotion.

Maggie sentit son sang se glacer. Elle fit un effort considérable pour demeurer aimable. Farrell essayait une fois de plus de la manipuler, et il le faisait sans trop de subtilité.

— Oui, j'ai toujours l'intention de prendre le poste de Mike. En fait, je suis même impatiente de devenir adjoint.

— Génial. Parce que, avec vos deux ans d'expérience, vous seriez naturellement la première sur ma liste. A moins que…

— A moins que… ? répéta-t-elle.

— A moins que vous ne changiez d'avis, après tout. Parfois, les journées sont longues, et le travail peut devenir dangereux. Surtout pour une femme, qui tôt ou tard voudra fonder une famille. Quand on a des enfants en bas âge, on n'a plus trop envie de s'exposer au danger.

Avec un sourire bon enfant, il s'approcha du bureau, examina le rapport d'arrestations qu'elle venait d'imprimer pour le journal local, et le reposa sur la table.

— Non que ce soit toujours dangereux. Mais je ne voudrais pas que vous vous lanciez dans ce genre de travail sans en connaître tous les aspects.

Ses yeux verts étaient froids quand il la regarda, à travers ses petites lunettes cerclées.

— Vous voulez toujours le poste ?

— Oui, je le veux toujours.

Farrell lui adressait un avertissement. Soit il voulait absolument qu'elle reste à l'écart de Ross soit il voulait l'écarter du poste d'adjoint.

Maggie n'aurait su dire ce qu'il en était exactement.

Chapitre 7

Incapable de dormir, et trop nerveuse pour attendre l'heure normale pour prendre son service, Maggie arriva avec une heure d'avance au poste de police, et se gara devant la porte. Elle avait été réveillée à 4 heures du matin par un rêve désagréable, mais elle n'en avait retenu que quelques bribes. La seule chose qu'elle se rappelait clairement, c'était le regard accusateur de Cy Farrell.

Dès qu'elle eut ouvert la porte et fut entrée dans le hall, elle entendit des éclats de voix s'échappant du bureau personnel de Cy. Maggie se figea sur le seuil, reconnaissant aussitôt cette voix chargée de colère.

— Si tu crois que je vais payer une telle somme pour un meeting, tu as perdu la tête ! criait Ben Campion. Tu oublies qu'on est à peine fin juin, que tu n'as pas d'autre candidat face à toi, et que tu as déjà eu des cartes, des stylos, des affiches et je ne sais quoi encore imprimés à ton nom !

Il fulminait, et dut s'interrompre pour reprendre sa respiration avant de continuer :

— Bon, je réglerai la facture pour cette saleté, mais c'est tout. Je te le dis une fois pour toutes, ce meeting n'aura pas lieu !

Farrell répliqua d'une voix basse et métallique :

— Dans ce cas, ton fils n'obtiendra pas son mandat pour les législatives.

Maggie fit claquer la porte derrière elle, pour avertir les deux hommes que quelqu'un venait d'entrer. Avait-elle bien entendu ? Farrell venait-il de menacer Ben Campion ? Un bruit de bottes résonna sur le parquet, et Cy pénétra dans le hall de réception.

— Maggie, dit-il, tâchant en vain de dissimuler son irritation. Vous êtes en avance.

La jeune femme sourit comme si tout était normal, et alla poser son sac sur le bureau.

— Je sais. Je n'arrivais pas à dormir, aussi j'ai décidé de venir m'avancer dans mon travail. J'aimerais finir ces rapports mensuels. J'espère que ça ne vous ennuie pas ?

Farrell l'observa un bref instant, puis hocha la tête.

— Bien sûr que non. Mais je suis en réunion, aussi j'aimerais ne pas être dérangé pendant un moment. D'accord ?

Il jeta un coup d'œil dans son bureau, et Maggie suivit son regard. Campion se tenait à côté du bureau de Farrell, l'air détendu, vêtu d'une chemise blanche, d'un pantalon kaki, et de son sempiternel Stetson blanc. Il salua gentiment Maggie d'un signe de tête, et celle-ci lui rendit son sourire.

— Pas de problème, dit-elle avec entrain. Je vais mettre la cafetière en route, allumer l'ordinateur, et je vous promets de ne pas rester dans vos pattes.

Cy hocha la tête et retourna dans le bureau en tirant la porte derrière lui. Les battements de cœur de Maggie commencèrent à se calmer. Que se passait-il donc? Ce n'était pas possible, elle n'avait pas bien entendu ce que disait Cy. Aucune personne sensée n'aurait cherché des ennuis aux Campion.

Non seulement ceux-ci étaient les bienfaiteurs d'une demi-douzaine d'associations caritatives et de sociétés de la ville, mais ils avaient aussi des alliés fidèles et puissants. Pour un homme qui espérait être réélu, une dispute avec eux pouvait être fatale.

Maggie plongea la tête dans un placard pour y chercher du café et des filtres, tout en gardant son attention fixée sur la porte fermée. Les bruits d'une discussion orageuse lui parvenaient toujours à travers la porte, mais les deux hommes parlaient trop bas pour qu'elle puisse comprendre ce qu'ils disaient.

Elle entendit un bruit sourd, probablement un poing s'abattant sur la table, et un instant plus tard, Ben ouvrit brusquement la porte et sortit. Il tenait plusieurs feuilles de papier froissées au creux d'une de ses mains massives.

Farrell sortit sur ses talons.

— Donc, tout est fin prêt pour le meeting? s'exclama-t-il, en donnant une tape amicale sur l'épaule de Ben.

Ben le dévisagea, comme s'il avait une folle envie de l'écraser sous le talon de sa botte, tel un insecte nuisible.

— Envoie-moi une autre copie des dépenses engagées. Je les étudierai encore une fois.

Son attitude changea brusquement, quand il se rendit compte qu'ils n'étaient plus seuls. Lissant maladroitement les feuillets, il les glissa dans sa poche et adressa un nouveau sourire à Maggie.

— Vous êtes spécialement en beauté aujourd'hui, Maggie.

— Merci, dit-elle en souriant également.

Mais elle ne voulait pas des compliments de cet homme. Elle commençait à penser qu'il était dangereux. A moins que l'homme à redouter ne soit le massif shérif en uniforme, qui arborait un sourire bienveillant ?

Campion prit congé et Cy retourna dans son bureau. Maggie était plongée dans la plus grande confusion. Elle avait peut-être mal compris. Elle n'avait entendu qu'une partie de la discussion et en avait tiré des conclusions sans doute trop hâtives. Il était fort possible qu'elle ait commis une erreur de jugement.

Mais elle ne le croyait pas.

Car l'image de cet étrange tiroir à double fond lui revenait sans cesse à l'esprit.

Elle ne revit pas Cy avant l'heure du déjeuner. Le shérif émergea de son bureau en sifflotant gaiement. Il prit le chapeau brun de son uniforme accroché à une patère dans le hall, lissa ses cheveux qui s'éclaircissaient avec l'âge, et enfonça le chapeau en le rabattant sur son front.

— Je sors un moment, Maggie. Je vais voir des gars au bureau de change Gold and Silver, précisa-t-il avec un clin d'œil. Ensuite je passerai prendre un café au Donut Shop.

Farrell, au Donut Shop ? Cela ne s'était jamais vu. Le fait d'avoir remporté une victoire sur l'homme le plus influent de l'Etat l'avait certainement mis de bonne humeur !

— C'est une excellente idée, dit-elle. En fait, quand Mike sera revenu, je vous retrouverai peut-être là-bas.

Farrell se dirigea vers la porte en riant. Tout à coup, il s'arrêta, se frappa le front, et revint sur ses pas.

— Un jour, je finirai par oublier ma tête, dit-il sans cesser de rire.

Il retourna dans son bureau. Au bout de quelques secondes, il l'appela.

— Maggie, vous pourriez venir un instant, s'il vous plaît ?

— Tout de suite.

Maggie enregistra quelques données sur son ordinateur, puis se rendit dans le bureau de Farrell. Ce dernier était penché au-dessus du fameux tiroir.

— Oui ?

Cy leva brièvement les yeux, tout en fouillant dans le tiroir.

— Je voudrais vous montrer quelque chose. Je suppose qu'il est temps que vous soyez au courant, puisque vous serez ma nouvelle adjointe à l'automne prochain.

Vraiment ? Après ce qu'il lui avait dit hier, elle n'en était plus très sûre.

— Qu'est-ce que c'est? demanda-t-elle, un peu gênée de poser la question alors qu'elle connaissait déjà la réponse.

Cy lui fit signe de passer derrière le bureau. Il en avait sorti les cartouches d'imprimante, les formulaires, et d'autres bricoles qu'il contenait, afin de dégager le double fond qu'elle avait découvert la veille. Maggie vit un rabat métallique muni de charnières. Cy prit une clé qui était collée par un ruban adhésif au fond du tiroir supérieur, et l'inséra dans une petite serrure. Puis il souleva la plaque métallique, révélant un espace d'une dizaine de centimètres de profondeur, et un petit album de numismatique garni de pièces en argent.

— Si jamais un jour vous devez apporter un objet de valeur au bureau, il sera en sûreté ici.

Maggie contempla avec méfiance les dollars glissés sous les pochettes en plastique transparent. Etait-ce une simple coïncidence, si Farrell lui montrait ce double fond le lendemain du jour où elle l'avait découvert par hasard? Avait-il vraiment « oublié » de prendre ces pièces avant de partir? Ou bien lui montrait-il quelque chose uniquement dans le but de dissiper d'éventuels soupçons?

Elle songea à la réaction qu'il avait eue la veille en apprenant qu'elle avait pris les cartouches dans son tiroir. Et elle ne put s'empêcher de se demander si ce double fond n'avait pas contenu quelque chose de plus compromettant que ces pièces de un dollar.

Après avoir récupéré son trésor, Farrell ferma le rabat à l'aide de la clé, et remit en place le contenu du tiroir.

— Vous avez bien vu où je cachais la clé, n'est-ce pas ?

— Oui, j'ai vu.

— Bien. Comme je vous l'ai dit, si vous avez besoin de mettre quelque chose en lieu sûr pendant quelques heures, c'est ici qu'il faut le cacher.

— Merci. Je m'en souviendrai.

Farrell glissa de nouveau la clé sous la bande de ruban adhésif, referma les deux tiroirs, et regagna le hall avec Maggie.

— Je n'en ai pas pour longtemps, dit-il. Trois quarts d'heure, tout au plus.

Maggie alla à son bureau et s'assit, dans un brouillard. Le comportement du shérif n'était pas logique. Cela déclencha toutes sortes de sirènes d'alarme dans son esprit.

A ce moment, le téléphone sonna. Elle décrocha, en se disant que le lendemain ce serait samedi et qu'elle pourrait se détendre un peu.

Puis elle se rappela le toit de l'église. Ses nerfs n'avaient pas fini d'être mis à rude épreuve.

Elle allait être obligée de revoir Ross.

— Nous avons posé tous les bardeaux qui étaient là, Ross ? lança Scott Jackson.

— Oui.

— Il va falloir ouvrir un nouveau paquet, dans ce cas.

— Reste là. Je vais les chercher.

— Merci. Je me demande pourquoi il les a pris noirs. C'est moins cher?

— Tu me poses une colle, répondit Ross en riant. Je suis content que ça ne soit pas ma tante Ruby qui les ait choisis. Ils seraient rouges.

Maggie entendit leur conversation, et sourit. Se frayant un chemin entre les femmes qui bavardaient tout en déposant leurs plats sur la table, elle transporta l'énorme distributeur de thé glacé jusqu'à la buvette protégée du soleil par une tente.

Elle décocha un regard en coin à Ross, tandis qu'il descendait de l'échafaudage pour aller prendre un autre paquet de bardeaux, et se détourna vivement lorsqu'il surprit son regard.

Rose de confusion, elle déposa le distributeur de thé à côté des autres conteneurs de boissons fraîches. A sa droite, se trouvait une énorme bassine de métal gris, remplie à ras bord de glace pilée et de canettes de soda.

Elle coula un autre regard prudent en direction de Ross. Celui-ci était de nouveau sur le toit en pente, en train d'ouvrir le carton de bardeaux. Le chaud soleil de midi caressait ses épaules puissantes et son dos bronzé.

Une vague de désir déferla en elle tout à coup, et elle se revit dans la crique, alors qu'il riait tout en se baignant dans les eaux tièdes de la source. Elle crut sentir sa bouche ferme sur la sienne, et…

A sa grande honte, elle s'aperçut que ses mamelons étaient durs et gonflés de désir. Elle se retourna, pour ajouter d'autres canettes dans la bassine grise, les enfonçant sous la glace pour les rafraîchir plus vite. Il fallait absolument qu'elle chasse ces pensées ridicules de son esprit, avant que ses sentiments ne deviennent trop visibles.

Avec beaucoup d'efforts, elle avait réussi à se montrer toute la matinée polie mais distante avec Ross. C'était le seul moyen de s'extraire du marécage d'émotions dans lequel elle se sentait sombrer.

Toutefois, elle était contente de voir que son cousin Scott se montrait cordial envers lui. Oncle Moe était du genre rancunier, mais son fils Scott raisonnait différemment. C'était le genre d'homme qui considérait une situation, l'analysait, puis allait de l'avant. Scott estimait que Ross avait payé pour ses fautes.

— Où voulez-vous que je dépose ce plateau de sandwichs, ma jolie ?

Maggie réprima un grognement d'impatience. C'était la cinquième fois que Trent venait l'aborder depuis qu'il était arrivé, une demi-heure auparavant. Elle appréciait son aide, mais les tâches qu'il choisissait auraient pu être accomplies par les femmes qui étaient là. D'autre part, les hommes qui travaillaient sur le toit auraient eu besoin de bras supplémentaires pour transporter les bardeaux, et débarrasser les lambeaux de toile goudronnée et les vieux matériaux qui jonchaient le sol autour de l'église.

Il est vrai que Trent n'était pas habillé pour ce genre de travail.

Maggie s'essuya les mains sur son jean, et haussa le ton pour dominer le vacarme des coups de marteaux.

— Posez-le là-bas, dit-elle en désignant un espace libre sur les tables de pique-nique.

A quelques mètres de là, tout un assortiment de salades, de desserts, de jambon, de fromages et de feuilletés salés était étalé sur les cinq tables alignées.

Maggie et Bessie Holsopple avaient couvert les tables avec les rouleaux de papier blanc qu'elles avaient trouvés dans la salle de réunion de l'église, et elles avaient scotché les extrémités pour éviter que le vent ne déchire cette nappe de fortune. Cette précaution toutefois était superflue, car il n'y avait pas un souffle d'air aujourd'hui.

Ross et les autres hommes auraient probablement préféré que le vent souffle, comme c'était habituel dans la région. La température approchait des quarante degrés. Où était la pluie dont la météo ne cessait de promettre l'arrivée ?

— Très bien, messieurs, annonça le révérend de sa voix de stentor. Il est midi. L'heure de manger, de boire, et de remercier le Seigneur pour tous les mets délicieux que ces dames ont eu la bonté d'apporter.

Il y eut quelques protestations, les hommes étant peu enclins à s'interrompre en plein milieu de leur tâche, mais le révérend vainquit toutes les objections.

— Allons, cela fait maintenant trois heures que vous êtes au travail. Dieu n'a pas envie que l'un de vous soit victime d'une insolation, et moi non plus.

Ross s'essuya le front du revers de la main, et descendit de l'échafaudage.

— Du moins, pas avant que le toit ne soit posé, n'est-ce pas, révérend ?

Frémont émit un petit rire et secoua le doigt d'un air

réprobateur, tandis que Ross enfilait la chemise qu'il avait posée sur un montant de l'échafaudage.

— Ne me faites pas dire des choses que je ne pense pas, mon fils.

Quand tout le monde se fut rassemblé et que le silence fut retombé, Frémont prononça le bénédicité, puis les invita à s'asseoir et à manger. Ce que tout le monde fit, à l'exception de Ross.

Dans le vacarme des bavardages et des plats que l'on faisait passer autour de la table, Ross prit un sandwich et alla vers Maggie. Il saisit un des verres en plastique empilés près des boissons, et le plaça sous un des distributeurs.

— C'est cela, le thé glacé ?

— Oui.

Il était aussi distant que Maggie l'avait été pendant la matinée, et elle ne pouvait lui en vouloir. Détournant les yeux, elle essaya de calmer les battements de son cœur, et versa le thé dans son verre. Elle aurait aimé qu'il reboutonne sa chemise.

Le fait de le voir là, avec le bord de son chapeau rabattu sur son front, et des gouttes de transpiration scintillant sur son torse, faisait remonter trop de souvenirs dans son esprit. Pourquoi fallait-il qu'il soit si beau ? Et pourquoi était-il beau en toutes circonstances ?

Avant qu'elle ait fini de remplir le verre de Ross, Trent en prit un à son tour et s'approcha, en bousculant légèrement Ross.

— Oh, excuse-moi, dit-il avec désinvolture.

Ross observa d'un air amusé les traits tendus de Trent et ses vêtements mal adaptés à la situation. Une luxueuse chemise vert pâle, une cravate, un pantalon à pli, des bottes cousues main dont le cuir brillait comme un miroir. Placés côte à côte, les deux hommes formaient un contraste saisissant. Les cheveux noirs de Trent étaient parfaitement coiffés, et lissés en arrière, tandis que des gouttes de sueur coulaient sur les cheveux de Ross, un peu ébouriffés sur les tempes.

— Tu t'es mis sur ton trente et un pour les journalistes, Trent ?

Ce dernier s'empourpra. Et à juste titre, songea Maggie. Même les femmes s'étaient habillées simplement aujourd'hui.

Ross eut un sourire sarcastique et s'éloigna de quelques pas pour aller prendre un autre sandwich sur le plateau. Trent saisit cette occasion pour se rapprocher de Maggie et s'adressa à elle d'une voix à la fois douce et familière, comme s'il espérait que les autres les entendraient.

— J'ai passé un excellent moment avec vous lundi soir, Maggie. Surtout lorsque votre oncle et votre tante sont rentrés en nous laissant en tête à tête dans la véranda.

Il esquissa un petit rire, et ajouta :

— Je n'ai toujours pas compris pourquoi votre tante a soufflé toutes les bougies et nous a laissés comme ça, dans l'obscurité.

Maggie le dévisagea, abasourdie. Trent avait aussi bien qu'elle entendu ce qu'avait dit Lila au sujet des papillons de nuit. Mais il créait ainsi une équivoque, en espérant que Ross l'entendrait. Un peu anxieuse, Maggie lança un coup d'œil à ce dernier, mais vit qu'il n'avait aucune réaction. Il mangeait un sandwich et buvait un verre de thé glacé, tout en observant le toit de l'église, comme s'il était impatient de l'escalader de nouveau.

Quand elle eut distribué quelques canettes de bière et rempli plusieurs verres, Trent revint à la charge.

— Je ne sais pas si je vous l'ai dit l'autre soir, mais le jus de citron de votre tante est le meilleur que j'aie jamais goûté. Je ne connais personne d'autre qui fasse encore la limonade avec des citrons frais.

« Passons à autre chose ! » eut-elle envie de crier. Il ne disait rien de très important, mais le ton sur lequel il parlait laissait entendre que la soirée avait eu un caractère plus intime qu'en réalité.

— Je lui dirai que cela vous a plu, répondit-elle, d'une voix égale.

— Oui, dites-le-lui. Vous savez, j'ai longuement parlé avec elle, avant votre retour à la maison. Je crois que nous nous sommes très bien entendus. Et votre oncle n'a pas son pareil pour raconter des histoires.

Pourquoi avait-elle l'estomac noué ? Après tout, quelle importance, si Ross entendait les paroles de Trent ? Cela faisait des jours qu'elle essayait de mettre de la distance entre eux, n'est-ce pas ?

« Eh bien, ce devrait être chose faite, maintenant », lui souffla la petite voix de sa conscience.

Ross revint vers la buvette d'une démarche nonchalante et lui tendit son verre pour qu'elle le remplisse. Son regard était indéchiffrable.

— Moi aussi, j'ai passé une très bonne soirée lundi, observa-t-il finalement.

— Tout le monde s'en moque, répliqua sèchement Trent.

— Oh, je n'en suis pas sûr. Maggie ne s'en moque pas.

Maggie lui adressa un regard suppliant, tout en remplissant son verre de thé. Soit il ne comprit pas sa supplique muette, soit il se moquait de la mettre mal à l'aise.

— J'ai passé un long moment à faire des travaux dans ma maison, reprit-il d'un ton désinvolte. Ensuite, j'ai trouvé la soirée si belle, que je suis allé à la cascade pour me baigner à poil dans la…

Les traits de Trent se contorsionnèrent de colère.

— Je t'ai dit qu'on s'en fichait. Va raconter ta super-soirée à Brenda, si tu veux.

Il poussa un soupir, et ajouta, l'air écœuré :

— De toute façon, je suppose qu'elle était avec toi.

Maggie eut l'impression d'être traversée par une onde électrique.

Brenda ? Qui était cette Brenda ?

— Eh bien, à vrai dire, il y avait bien une femme avec moi, dit Ross en souriant. Une femme belle et intelligente et…

— Prenez votre verre, dit Maggie en lui tendant le gobelet. Il y a du gâteau au chocolat sur la table, vous n'en voulez pas ?

— C'est vous qui l'avez fait ?

Le visage cramoisi, Trent reprit la parole :

— Nous étions en train de parler, si ça ne te fait rien.

Ross haussa les épaules, l'air conciliant.

— Désolé. Je ne vais pas vous déranger plus long-temps.

Il but son thé d'un seul trait, jeta le gobelet dans une poubelle, puis retourna vers l'église pour ramasser les morceaux de toile goudronnée éparpillés sur le sol. D'autres hommes retournèrent travailler avec lui. Très vite, le bruit des marteaux et les cris des hommes résonnèrent de nouveau dans le jardin, autour de l'église.

Le soleil avait sombré derrière les montagnes et l'église avait un nouveau toit. La journée avait passé sans que Maggie ait pu trouver une seule occasion de reparler avec Ross. En plus, il faillit partir sans qu'elle le voie, lorsqu'elle retourna à l'intérieur de l'église chercher la boîte à gâteaux de sa tante.

Il était déjà sur le parking, et se dirigeait vers son véhicule tout en enfilant sa chemise, quand Maggie le rattrapa.

— Ce n'est pas ce que vous pensez, dit-elle en alignant son pas sur le sien.

Il continua de marcher.

— De quoi voulez-vous parler ?

— De Trent et moi, répondit Maggie. Je ne veux pas que vous vous fassiez de fausses idées.

— Je ne m'en fais pas.

— Si, je sais ce que vous pensez. Il m'attendait dans la véranda, quand je suis revenue de chez vous, ce soir-là. Il a eu l'air de dire que nous avions été… proches…

une fois mon oncle et ma tante rentrés. Mais il ne s'est absolument rien passé entre nous.

Ross s'arrêta à côté de son pick-up et la regarda. L'expression de ses yeux était lointaine et indifférente. Il boutonna sa chemise en chambray, et elle respira l'odeur de la sueur, mêlée à celle du linge propre, et d'un reste d'after-shave. Les ombres du crépuscule se pressaient autour d'eux.

— Pourquoi me dites-vous cela ? demanda-t-il.

Maggie ouvrit la bouche, mais aucun son ne franchit ses lèvres. Pourquoi lui disait-elle cela ?

— Ross…

— Je sais qu'il ne s'est rien passé. S'il avait dû se passer quelque chose ce soir-là, cela aurait été avec moi.

Elle hésita un instant, partagée entre l'envie de le gifler, et celle de le remercier de ne pas croire qu'elle était une fille facile. Quoique… le ton sur lequel il avait prononcé ces mots était très arrogant.

Maggie réprima un soupir de frustration. Elle n'avait jamais rencontré un homme capable de la déstabiliser si souvent, et si facilement.

Elle secoua la tête d'un air las, lui tourna le dos, et regagna sa voiture.

La musique, la fumée et le bruit atteignaient des niveaux stupéfiants ce soir-là au Dusty's Roadhouse, même pour un samedi. Assis au bar, les deux mains posées sur sa chope de bière, Ross essayait d'ignorer les hurlements des danseurs sur la piste. Il n'arrivait pas à retrouver le titre de cette vieille chanson de Billy Ray Cyrus que jouait l'orchestre. Ah, oui... *Le Cœur Brisé et Douloureux.*

Il aurait plutôt fallu dire « *Le Cœur Déçu* ». Il ne savait pas à qui il en voulait le plus... à Maggie, ou à lui-même ? A elle, sans doute. C'était elle qui avait engagé cette guerre froide entre eux, avec son air glacial.

Il aurait sans doute pu être un peu plus aimable, quand elle était venue lui donner ces explications, concernant Campion. Mais pourquoi recommencer à se faire des idées et à penser à elle, alors que cela ne le mènerait nulle part ? Apparemment, elle trouvait plus prudent de boire de la limonade avec Trent Campion que de tenter le destin avec le trublion de la ville.

Ross fronça les sourcils et jeta un regard circulaire dans le bar où il était entré une demi-heure auparavant avec Ray Pruitt, un des employés du ranch. Cela faisait des mois qu'il n'avait plus mis les pieds ici. Rien n'avait changé. Les poutres portaient toujours les marques au fer rouge d'une douzaine de ranches de la région. Les anciens tonnelets de bière et autres bric-à-brac du vieux Far West ramassaient toujours la poussière sur les étagères qui faisaient le tour de la pièce.

Ross prit quelques bretzels dans le bol posé sur le comptoir d'acajou, et poussa le bol vers le tabouret que Ray venait de libérer. Dès que l'orchestre jouait, Pruitt se précipitait sur la piste de danse, éblouissant les femmes avec son costume noir et son sens du rythme.

Oui, décidément, rien n'avait changé.

Sauf lui.

La voix rauque et sensuelle d'une femme lui murmura à l'oreille :

— Tu ne danses pas, cow-boy ?

Grâce au ciel, certaines choses étaient immuables, songea-t-il en pivotant sur son tabouret de bar. Vêtue d'un jean moulant et d'une veste en satin vert à bords frangés, Brenda Larson se glissa sur ses genoux et noua les bras autour de son cou. Ses épais cheveux roux retombaient en petites boucles serrées autour de son ravissant visage, et cascadaient sur ses épaules, mettant en valeur ses yeux verts et ses lèvres rouges et brillantes.

C'était pour cela qu'il était venu ce soir. Il y avait longtemps qu'il n'avait pas couché avec une femme. Et la belle Brenda avait toujours l'air de sortir du lit… et d'être impatiente d'y retourner.

— Ça faisait un moment qu'on ne se voyait pas, susurra-t-elle en pressant ses seins ronds contre le torse de Ross. Je t'ai manqué ?

— Follement, marmonna-t-il, en essayant de retrouver « l'ancien » Ross.

Il l'enlaça plus étroitement, enfouit le visage dans ses cheveux… pressa le nez contre son cou parfumé… attendit que ses soupirs et ses petits rires de gorge fassent naître le désir.

Bon sang, il en avait assez de jouer à de petits jeux avec une bêcheuse collet monté, qui ne savait pas ce qu'elle voulait. Il fit glisser ses mains sur la chemise soyeuse de Brenda, en songeant aux taches de rousseur qui parsemaient ses épaules pâles.

Quelle ironie! Trois heures auparavant il était en train de réparer le toit d'une église, et maintenant… Maintenant, il essayait de réveiller sa libido. Mais sans succès.

Les mains de Ross se figèrent sur le dos de Brenda. Pourquoi tout à coup, les boucles de ses cheveux enduits de laque lui rappelaient-elles irrésistiblement des fils barbelés? Et comment se faisait-il que son parfum lourd n'ait jamais encore eu cet effet répulsif sur lui?

— Tu ne bouges plus tes mains, mon chou? lui roucoula-t-elle à l'oreille. Si nous allions sur la piste de danse, tu t'échaufferais peut-être un peu?

Soudain, il comprit qu'il ne s'échaufferait pas ce soir. Du moins, pas assez pour lui donner ce qu'elle espérait.

— Euh… Bren?

— Mmm?

Il s'écarta légèrement et annonça :

— Il faut que je m'en aille.

Brenda haussa les sourcils, et battit des paupières en le regardant comme s'il avait perdu la tête.

— Pardon?

— Nous danserons une autre fois, d'accord?

— Une autre fois?

— Désolé.

L'air boudeur, elle quitta ses genoux et l'embrassa légèrement sur la joue, puis effaça les traces de rouge à lèvres du bout de son pouce.

— Que t'arrive-t-il, Ross Dalton? Tu étais plus drôle, autrefois.

— J'étais différent, admit-il dans un soupir.

En tout cas, il n'était plus drôle du tout. Il repoussa sa chope de bière et alla à la porte du bar.

— Bonne nuit, Brenda. Dis à Ray que je le verrai demain au ranch.

Le ciel était parfaitement dégagé lorsqu'il traversa l'allée éclairée par les rayons de la lune, et pénétra dans le petit parking. L'air de la nuit était lourd, mais après son passage dans le bar enfumé, il le trouva presque rafraîchissant.

Sortant les clés de la poche de son jean, il se dirigea d'un pas las vers son pick-up. Tant pis pour sa réputation de tombeur, songea-t-il. Pourquoi s'était-il mis dans la tête qu'il aimait faire la fête, garder un souvenir confus de ses soirées arrosées, et avoir la gueule de bois le lendemain ?

Il avait perdu sa soirée, alors qu'il aurait pu travailler dans sa maison, ou bien… Un sentiment bizarre et inconnu fit tressauter son cœur lorsque la pensée le traversa.

Ou bien aller voir Maggie.

Quelques jours plus tard, le 3 juillet, lorsque Maggie rentra du travail, elle trouva sur la table de la cuisine un petit paquet que son père lui avait envoyé. A côté du colis, le journal du jour était ouvert à la deuxième page. Une photo de Trent surmontait l'article concernant le toit de l'église.

Le regard de Maggie passa rapidement de Trent à la silhouette imprécise d'un homme mince et élancé, travaillant torse nu à quelques mètres derrière lui. Son cœur fit un bond, puis se mit à battre la chamade. Puis elle referma brusquement le journal, s'obligeant à oublier Ross, et reporta son attention sur le colis de son père.

L'un dans l'autre, la journée s'était assez bien passée. Farrell était aimable avec elle, et il avait cessé de lui énumérer les dangers d'une carrière de shérif adjoint.

Mais le fait d'avoir des nouvelles de son père lui mettait du baume au cœur.

— Tu as vu le journal? demanda Lila en entrant dans la cuisine.

— Oui.

Maggie tira sur le papier adhésif qui enveloppait le colis.

— Je parie que Trent est déçu que sa photo n'ait été publiée qu'à la deuxième page.

Surprise, Maggie leva la tête.

— Je croyais que tu l'aimais bien?

— Oh, je ne le déteste pas, mais il y a des gens que j'aime plus que lui. Au fait, il a téléphoné aujourd'hui. Il voulait t'inviter au bal de demain.

— Je sais. Il m'a aussi appelée au bureau. J'ai refusé son invitation.

En revanche, elle lui avait promis une danse, juste pour se débarrasser de lui plus vite.

Maggie finit de déchirer le papier et ouvrit le colis.

— Seigneur! s'exclama-t-elle en riant. A-t-on le droit d'envoyer des choses pareilles par la poste?

— Qu'est-ce que c'est?

— Des bâtonnets à étincelles. Il y en a deux boîtes. Des rouges pour moi, et des dorés pour papa.

Elle lança un petit regard désolé à Lila.

— Il n'a pas pensé à en envoyer pour toi et Oncle Moe. Mais je veux bien partager avec vous.

— Ne t'inquiète pas, répondit Lila en riant. Il y a une lettre dans le paquet?

— Non. Il doit penser que les étincelles suffisent.

Maggie sourit et posa le paquet sur la table, submergée par une bouffée de souvenirs.

— Maman n'aimait pas ces trucs-là. Elle avait toujours peur qu'ils prennent feu, ou que je me brûle avec. Mais papa est un grand enfant, il adore les feux d'artifice.

— Et c'est très bien, car pour tout le reste, il est beaucoup trop sérieux.

Lila sortit un plat de steaks du réfrigérateur, et le passa à Maggie.

— Je vais faire cuire ceci au gril. Ce soir, nous allons préparer un vrai repas de cow-boy à ton oncle.

— Ah bon?

— Oui. J'ai fait cuire des pommes de terre dans le four, et la salade est presque prête. Il ne me reste qu'à ajouter quelques tomates.

— Pas de hachis Parmentier, ce soir?

— Après la scène qu'il m'a faite la dernière fois? répliqua Lila en riant. Je ne lui en servirai plus pendant quelque temps.

Maggie sortit sur la terrasse et alluma le feu sous le gril, puis déposa les steaks sur la grille, au-dessus des braises.

Lila avait raison. Maggie adorait son papa, mais il était vraiment trop sérieux.

Elle sourit en songeant au jour où il l'avait surprise portant le rouge à lèvres de Mary Ellen Parker. Elle avait treize ans à l'époque, et toutes les filles de sa classe commençaient à se maquiller... toutes sauf elle, bien entendu. Son père avait fait un bond. Elle s'était dit qu'elle serait sans doute obligée de faire un pèlerinage de repentance en Terre sainte pour le calmer.

Son sourire s'effaça peu à peu. Et puis il y avait eu le soir de la fête, avec Ross...

Il était tard lorsque Mary Ellen l'avait déposée au presbytère, et Maggie avait longuement hésité à rentrer. Elle aurait voulu rester seule dans le noir toute la nuit, mortifiée à l'idée qu'on l'avait vue, avec sa chemise déboutonnée.

Quand elle s'était finalement décidée à rentrer, elle aurait voulu se glisser dans la maison sans que ses parents la voient, et se faufiler rapidement dans sa chambre. Malheureusement, elle avait croisé son père. Et quand il l'avait embrassée pour lui souhaiter une bonne nuit, il avait perçu l'odeur de la bière sur ses lèvres.

— Ma chérie! s'était-il exclamé. Tu sens l'alcool?

Elle avait fini par avouer qu'elle avait bu quelques gorgées de bière, juste pour faire comme les autres. Sa mère s'était montrée compréhensive. Mais son père avait eu l'air si déçu, qu'elle en avait eu le cœur brisé.

Un peu plus tard, il était entré dans sa chambre, avait allumé sa lampe de chevet, et avait traîné une chaise près de son lit.

— Tu as désobéi, ma chérie ? Tu es allée traîner avec les autres ? Cela ne te ressemble pas. Qu'est-ce qui t'a poussée à participer à ce genre de fête ?

Elle avait haussé les épaules, désemparée. Elle ne pouvait pas lui dire qu'elle était désespérément amoureuse de ce Ross Dalton. Il aurait été bouleversé.

— Et tu as bu de la bière ? Maggie, tu n'as que quinze ans. Il existe des lois qui interdisent aux mineurs de boire de l'alcool. Et si la police était venue contrôler ce qui se passait pendant la fête ? Que serait-il arrivé ?

A ce moment, elle avait compris à quel point ses parents, et surtout son père, auraient pu être humiliés par sa conduite. Et elle s'était effondrée.

— Ne pleure pas, avait murmuré son père en lui embrassant le front. Ce n'est pas grave. Tu veux bien juste écouter un petit conseil de ton papa ?

Elle avait hoché la tête, incapable d'articuler un mot.

— Dans les années qui viennent, tu te trouveras exposée à toutes sortes de tentations, et certaines seront incroyablement difficiles à repousser. Mais tu sais ce qui t'aidera à les surmonter ?

Encore une fois, elle avait hoché la tête.

— Le respect de toi-même. Tu as bon cœur, Maggie. Tout ce que je te demande, lorsque tu seras confrontée à la tentation, c'est de te poser deux questions. Est-ce que mes actes pourront nuire à autrui ? Et pourrai-je vivre sans me sentir coupable, après avoir pris ma décision ?

— C'est tout ? avait-elle murmuré entre ses larmes.

— C'est tout. Maintenant, fais un bisou à ton papa, et essaye de dormir.

Mais après tout cela, quand son père était sorti de sa chambre ce soir-là, Maggie avait continué de penser à Ross... et à la sensation terriblement délicieuse qu'elle avait éprouvée entre ses bras.

Le bruit des steaks grésillant sur le gril tira brusquement Maggie de ses pensées. Elle attrapa vivement une longue fourchette, pour les retourner. Mais à peine eut-elle esquissé ce geste, qu'un sentiment troublant l'envahit de nouveau et qu'elle se retrouva en proie à toutes les rêveries qui l'avaient harcelée pendant la journée.

Elle se tourna vers l'est et contempla la prairie fertile et verdoyante qui s'étendait entre le ranch de son oncle et Brokenstraw.

Pourquoi tout ce qui faisait partie de sa vie la ramenait-il invariablement à Ross Dalton ?

Chapitre 8

Lila Jackson soupira, et prit deux vestes en denim sur leur cintre, dans le placard du hall.

— Tu sais, Moe, je pense toujours que nous aurions dû louer un fauteuil roulant. Ce serait bien plus pratique.

— Lila Marie, pour rien au monde je ne me serais rendu à cette fiesta dans un fauteuil roulant! Maggie! Tu es prête?

Réprimant un sourire, Maggie descendit avec un plaid et son sac sur le bras. Elle avait revêtu un jean, comme Moe et Lila. Mais au lieu d'une chemise à carreaux, elle avait choisi un léger polo de coton blanc avec un décolleté arrondi. La chaîne et la croix en or que son père lui avait achetées des années auparavant chez Belle Crawford ornaient son cou. Ses longs cheveux noirs étaient répandus sur ses épaules.

— Tu es ravissante, ma chérie, dit Lila.

— Merci. Toi aussi.

— Tu as mis les trois chaises pliantes à l'arrière de la camionnette ?

— Non, monsieur l'éternel inquiet, répondit-elle à Moe. Je n'en ai mis que deux pour vous. Moi, je n'en aurai pas besoin.

Maggie lança un coup d'œil amusé à Lila, et précisa :

— Vous n'en aurez sans doute pas besoin non plus. J'ai vu les pompiers volontaires dresser une tente immense, aujourd'hui. Il y aura des tables et des bancs à l'intérieur, et ce sera plus agréable que de rester assis au soleil.

Moe se renfrogna et se dirigea vers la porte en poussant devant lui son déambulateur.

— Oh, je suis sûr que ça vous plairait à toutes les deux de me coincer là-bas, au milieu de toutes ces vieilles joueuses de bingo.

Il eut un ricanement et ajouta :

— Eh bien, ça n'arrivera pas.

Puis il se tourna vers Maggie, et sourit en lui faisant un clin d'œil.

— La seule vieille bonne femme avec qui j'ai envie de passer ma soirée, c'est ta jolie tante Lila.

Maggie souriait toujours quelques minutes plus tard, au volant de sa voiture. Il n'y avait pas assez de place pour trois dans le pick-up, à cause de la jambe de Moe qui était encore plâtrée. Et c'était aussi bien ainsi. Après avoir vu le sourire radieux de sa tante, elle ne demandait pas mieux que de les laisser quelques instants en tête à tête.

Moe Jackson n'était pas le genre d'homme à dire des

mots doux. Mais il adorait Lila, et celle-ci le lui rendait bien.

Que pouvait-on demander de plus à la vie ?

Il était presque 19 h 30 quand ils atteignirent le parking de Frontier Street, et celui-ci était déjà bondé. L'adjoint Mike Halston était là, dirigeant les retardataires vers un espace supplémentaire qui venait d'être ouvert.

Il plaisanta avec Maggie en disant qu'elle aurait dû se trouver à sa place, et la jeune femme répondit qu'elle était contente de ne pas être encore adjoint. Puis ils se garèrent sous un bouquet d'arbres, au bord de l'étroit cours d'eau qui coulait à la lisière de la ville.

Maggie descendit de voiture, et alla prendre les deux chaises et le déambulateur de Moe à l'arrière du pick-up. Puis ils remontèrent tous les trois lentement Frontier Street, dont l'accès était interdit aux véhicules.

Dans une ville qui ne comptait que six cents habitants, tout le monde se connaissait. Ils bavardèrent pendant quelques instants avec des amis, goûtèrent à différents gâteaux, et s'attardèrent devant les baraques de friandises et d'artisanat.

Puis, lorsque la soirée avança et que Moe commença à se sentir fatigué, ils choisirent un emplacement dans la rue où ils purent installer les chaises pliantes, et écouter l'orchestre en attendant que le feu d'artifice commence.

Maggie s'assit sur un banc en bois à côté de la chaise de son oncle. Un mince croissant de lune brillait dans le ciel sombre, et des lanternes commençaient à s'illuminer tout le long de la rue, éclairant les façades restaurées des magasins anciens et faisant renaître un passé qui n'était pas si éloigné que ça. L'attention de Maggie fut attirée par la tente dressée au bout de la rue. Cent ans auparavant, elle aurait pu abriter un prédicateur, déterminé à imposer la parole de Dieu à une petite ville en proie au péché et à la corruption.

Un nouvel orchestre prit le relais du premier, donnant le départ de la fête. Le rythme s'accéléra, la musique se fit plus forte, et tout à coup des couples s'élancèrent en riant sur la piste de danse délimitée par des cordons multicolores.

L'orchestre en était à son troisième morceau, quand Maggie s'aperçut que son oncle battait la mesure avec son pied valide.

— Tu t'amuses bien, oncle Moe ?

— Bien sûr. Ce chanteur se débrouille drôlement bien. Tu ne trouves pas, Lila ?

— Oui, il est très bon.

Une voix qui n'était pas inconnue s'éleva à ce moment à côté d'eux.

— Vous dansez, Maggie ? Vous m'avez promis une danse.

Maggie leva les yeux et rencontra le regard engageant de Trent Campion. Il portait une chemise à carreaux rouges, blancs, et bleus, un foulard blanc autour du cou, et un jean. Mais lorsqu'elle surprit le regard de Ben Campion surveillant son fils, elle se demanda si c'était Trent qui avait choisi ses vêtements, ou son père.

Voulait-il que ses habits donnent l'image d'un honnête et fervent patriotisme ? Etait-ce une manœuvre de politicien, anxieux de plaire à son électorat ?

Ben Campion voulait offrir à ses électeurs une image de parfait citoyen américain. Or, son fils était bel homme, respectait l'église, était champion de rodéo, et fervent supporter de l'environnement. Une combinaison à laquelle les autres concurrents auraient du mal à se mesurer. Surtout s'ils n'étaient plus de première jeunesse et nouveaux en politique.

Maggie lui sourit, et se leva pour s'excuser.

— J'aimerais beaucoup danser, mais nous venons juste de nous asseoir. Un peu plus tard, peut-être ?

Son refus ne sembla pas décourager Trent. En fait, il paraissait accomplir une suite d'actes répertoriés, cochant une liste invisible. Le fait de danser avec elle faisait sans doute partie des missions qu'il s'était fixées pour la soirée.

— Plus tard, d'accord, dit-il en glissant une main dans la poche de sa veste. J'ai encore quelques petits drapeaux à distribuer, de toute façon.

Il en donna un à Moe, qui le remercia d'un large sourire.

— Merci. Je vais tout de suite l'épingler à ma veste.

— J'en suis ravi, monsieur. J'avais des œillets rouges, blancs et bleus pour les dames, mais… ils sont déjà tous partis, ajouta-t-il avec un petit haussement d'épaules pour s'excuser. Je suis désolé.

Lila lui assura que ce n'était pas grave du tout, et Trent reporta alors son attention sur Maggie.

— Je reviendrai dans un moment. D'accord?

— Bien sûr.

Une fois de plus, elle éprouva un petit pincement de sympathie pour Trent. Car il ne pouvait pas être lui-même un seul instant, alors que des dizaines d'électeurs se pressaient autour d'eux.

Moe s'éclaircit la gorge, et accrocha le minuscule drapeau américain au revers de sa veste.

— Tu sais, Maggie...

— Oui, je sais, oncle Moe, répondit-elle avec un soupir. Trent est un très bon parti.

Maggie demeura un moment debout, pour regarder les danseurs. Quand le morceau fut terminé, le chanteur prit le micro et s'avança sur la scène.

— Bonsoir, mesdames, lança-t-il d'une voix puissante. La prochaine danse est pour vous, car nous allons avoir notre moment dédié à Sadie Hawkins. C'est-à-dire que pour ce morceau, c'est vous qui allez choisir votre partenaire.

Il y eut des cris enthousiastes dans la foule.

— Alors, mesdemoiselles, attrapez vite le bras du cow-boy de vos rêves, avant qu'une autre ne vous le prenne. Vous avez environ...

Il se tourna vers le batteur, et demanda :

— Combien de temps dure cette chanson, Boone?

— Quatre minutes.

— Vous avez entendu? Vous avez quatre minutes pour le convaincre que c'est avec vous qu'il doit regarder le feu d'artifice. Car celui-ci commencera dès que le morceau sera terminé.

Et sur ces mots, il entonna une chanson de John Michael Montgomery.

Il y eut des mouvements dans la foule des danseurs, et Maggie regarda des jeunes femmes au sourire effronté, et d'autres plus timides, emmener sur la piste l'homme qu'elles avaient choisi.

Soudain, le sentiment de solitude qu'elle avait eu ces derniers jours l'enveloppa de nouveau. La musique était belle, la nuit tombait, et elle aurait aimé éprouver la même émotion que ces femmes, au regard rêveur.

Malgré elle, elle pensa à Ross et elle sut qu'il se serait balancé sensuellement au rythme de la musique, pressé contre sa partenaire. Il y avait chez lui une grâce souple et virile. Dans ses gestes, dans sa démarche, dans la façon dont il l'avait serrée contre lui comme pour se fondre en elle.

Tout à coup, elle crut qu'elle allait cesser de respirer. Un long frisson glacé se répandit dans ses membres.

Il était là.

Juste dans son champ de vision. A dix mètres d'elle, Ross dansait avec une jeune femme. Pendant une fraction de seconde, elle crut presque qu'il avait surgi spontanément de son imagination.

La femme qui dansait serrée contre lui avait de longues jambes, des hanches aussi étroites qu'une poupée Barbie. Et des seins énormes qu'elle pressait contre la poitrine de Ross. Elle avait passé les bras autour de son cou. Des cheveux roux encadraient son visage et retombaient en boucles serrées sur ses épaules.

Maggie regarda les doigts de Ross serrés sur la taille

de sa compagne, leurs corps étroitement plaqués l'un contre l'autre.

Un sentiment à mi-chemin entre la peine et la colère la transperça et chassa toute pensée cohérente de son esprit. C'était de la pure jalousie. Maggie détourna les yeux au moment exact où Trent réapparut, distribuant toujours ses petites broches en forme de drapeaux. Sur une impulsion, Maggie s'élança vers lui.

— J'aimerais bien danser maintenant, si vous êtes d'accord, proposa-t-elle d'une voix enjouée.

A en juger par son sourire, la proposition l'enchanta. Il remit les broches dans sa poche, et prit la main de Maggie.

— Il y a des semaines que j'attends ça, dit-il.

Quelques instants plus tard, ils se balançaient au rythme de la musique, au milieu des autres couples. Maggie scruta subrepticement les groupes de danseurs, cherchant un cow-boy à la haute stature et une rousse pulpeuse agrippée à lui.

— Qu'est-ce qui vous a décidée ? demanda Trent en lui souriant.

Maggie sentit ses idées s'éclaircir lentement. Ce qu'elle faisait n'était pas bien. Trent ne méritait pas d'être utilisé comme ça.

— En fait…, dit-elle. J'aurais dû accepter votre invitation plus tôt. Mon oncle est fatigué, et nous partirons sans doute tout de suite après le feu d'artifice. Comme ils commencent juste après cette chanson, je n'aurais pas pu tenir ma promesse.

Tout ce qu'elle disait était vrai… même si elle venait juste d'y penser.

— Alors, vous n'êtes pas brusquement tombée follement amoureuse de moi?

Maggie chercha une réponse, mais il sourit, et enchaîna :

— N'en parlons plus. Je n'ai pas envie de connaître la réponse.

Il était si compréhensif et si correct que Maggie eut honte d'elle-même. Elle aurait voulu que la chanson se termine tout de suite, pour pouvoir lui dire au revoir et partir. Quant à Ross… Ross était libre de danser avec qui il voulait. Elle lui avait dit clairement qu'elle n'avait pas l'intention de poursuivre la relation étrange qui s'était nouée entre eux, aussi…

« Alors pourquoi t'es-tu décomposée en le voyant danser avec cette femme?»

Maggie ferma les yeux et se dit qu'elle n'en savait rien. Mais en réalité, elle savait. Cela défiait la logique, mais elle savait.

Ross avait un casier judiciaire. Et elle était officier de police.

C'était un démon, et elle était fille de pasteur.

Il s'était associé à des hommes dangereux, qui avaient tiré sur oncle Moe et lui avaient volé son bétail. Or elle aimait et respectait Moe Jackson comme s'il avait été son père.

Cela faisait trois excellentes raisons pour lesquelles elle ne pouvait absolument pas tomber amoureuse de Ross Dalton.

Mais elle craignait fort d'être déjà amoureuse de lui.

Quand elle rouvrit les yeux, elle vit que Ross la regardait. Et qu'il n'avait pas l'air content.

Maggie lui fit un signe de tête poli. La mine sombre, il lui rendit son salut.

C'est alors qu'elle se rendit compte que Ross ne prenait pas une part active à ce qui se passait entre la femme et lui. En fait, il faisait tout ce qu'il pouvait pour empêcher la cuisse de sa partenaire de s'insinuer entre ses jambes. Les mains posées sur ses hanches, il la maintint à distance, alors qu'elle riait sensuellement et le regardait avec une telle intensité que même un aveugle n'aurait pu se tromper sur la signification des messages qu'elle lui adressait.

Quand la chanson fut enfin terminée et que Trent la raccompagna auprès de son oncle et de sa tante, elle fut soulagée qu'il ne reste pas avec eux pour regarder le feu d'artifice. Ce qu'elle venait de voir sur la piste l'avait trop bouleversée.

Une demi-heure plus tard, le feu d'artifice était terminé. Tout le monde était admiratif, mais Maggie n'aurait su dire ce qu'elle en pensait. Car pendant tout le temps qu'avait duré le spectacle, elle avait eu la tête ailleurs. Chaque fois qu'une fusée avait illuminé le ciel, elle avait cherché Ross des yeux dans la foule, l'estomac serré à l'idée que sa partenaire avait peut-être réussi à le convaincre de la suivre.

Elle avait tout de même repéré Jess, Casey, Ruby, et le bébé. Mais Ross demeurait invisible.

Elle regagna le parking avec Lila et Moe, tandis que la plus grande partie des habitants de la ville restaient pour continuer de danser et s'amuser. Mais l'absence de Ross l'inquiétait plus que tous les tracas qu'elle avait eus ces derniers temps. Y compris l'étrange comportement de Farrell. Où était-il passé ? Avec qui était-il ?

Maggie déposa les chaises et le déambulateur de son oncle à l'arrière du pick-up, et attendit que Moe soit installé dans le siège du côté passager pour refermer la portière.

— Tu es bien installé ?

— Pas trop mal, répondit Moe.

Lila mit le moteur en route et alluma les phares. Maggie recula d'un pas pour la laisser démarrer.

— Je vous suis, dit-elle.

Elle demeura là un instant, à regarder le pick-up sortir du parking en cahotant, puis s'engager sur la route. Puis, les sourcils froncés, elle prit ses clés dans la poche de son jean et retourna vers la crique où était garée sa voiture. Un mouvement dans l'herbe haute attira brusquement son attention.

Maggie se retourna et tressaillit en voyant la silhouette d'un homme se détacher de l'ombre des arbres et se diriger vers elle d'un pas ferme.

— Ne dites rien, murmura-t-il en posant son Stetson sur le capot de la voiture. Et ne partez pas, je vous en prie. J'ai juste besoin de cela.

D'un mouvement souple, Ross l'attira dans ses bras et l'embrassa. Maggie referma avidement les bras sur lui.

Ses lèvres étaient douces et chaudes, son baiser enivrant. Maggie inspira profondément, absorbant avec délice l'odeur fraîche et masculine de sa peau. Elle lui caressa le dos, passa les doigts dans les cheveux soyeux qui retombaient sur sa nuque, oubliant toutes ses réserves dans la chaleur de son étreinte. Elle entendit un grognement de désir s'échapper de sa gorge.

Une main virile glissa sur ses reins, et il la pressa contre lui, lui faisant éprouver la force de son désir. Le frisson qui la parcourut alors était trop puissant pour qu'elle ait la force de le repousser. Elle aurait voulu que cet instant se prolonge pendant des heures, des jours… Elle se pressa sensuellement contre lui.

Ross interrompit son baiser, posa le front contre le sien et s'efforça de recouvrer le contrôle de lui-même. Sa main remonta sur ses hanches, et se posa au creux de ses reins.

Malgré le grondement qui déferlait dans ses tempes, et la musique qui leur parvenait de la rue, Maggie entendit la musique apaisante du vent dans les peupliers.

— Je voulais être avec toi ce soir, chuchota Ross. Pas avec elle.

Maggie fut prise de vertige. C'était de la folie. Ils ne s'étaient plus parlé depuis le jour où Ross avait travaillé sur le toit de l'église. Elle chercha son regard, et murmura, dans un filet de voix :

— Ross, que sommes-nous en train de faire ?

— Du diable si je le sais, marmonna-t-il.

Il hésita un moment, les yeux toujours fixés sur elle. Puis il laissa échapper un petit soupir de regret.

— Il faut que tu partes. Ton oncle et ta tante vont s'inquiéter s'ils ne voient pas les phares de ta voiture derrière eux.

Il l'embrassa encore une fois, mais avec plus de douceur.

— Sois prudente sur la route.

Puis il ramassa son chapeau, et retourna vers les lumières et le vacarme de la fête.

Maggie frissonna sous la brise tiède qui agitait les ramures. Ses nerfs étaient à vif, le sang lui battait aux tempes. Ross avait raison. Si elle ne partait pas rapidement, Lila allait s'inquiéter.

Mais elle tremblait tellement, qu'elle aurait du mal à contrôler le volant. Prenant une inspiration tremblante, elle monta dans la voiture et claqua sa portière.

Elle resta assise sans bouger pendant une longue minute, avant de mettre la clé dans le contact et de démarrer.

Deux jours plus tard, Ross jeta sa selle sur une cloison basse de la sellerie, et essuya des gouttes de transpiration sur sa lèvre supérieure. Il ne se pardonnait pas d'avoir embrassé Maggie l'autre soir, sous les arbres du parking. Elle avait dû le prendre pour un fou, pour surgir de l'ombre comme ça !

Que lui arrivait-il ? Pourquoi ne parvenait-il pas à l'oublier ? Ce n'était qu'une femme, et il en avait embrassé des dizaines dans sa vie. Mais aucune ne l'avait troublé autant que Maggie. Ce devait être l'effet de la chaleur. Ou une question d'hormones. Ou encore, la pression barométrique.

Bon sang, il devait bien y avoir une raison, non ?

Ils allaient finir par avoir la pluie que les météorologues leur promettaient depuis des jours. Il était temps. L'atmosphère était si lourde, que ses vêtements lui collaient à la peau. Quand il était venu mettre de l'ordre et répandre du foin frais tout à l'heure, le ciel d'après-midi s'était déjà assombri et le vent s'était levé.

Un bruit de sabots à l'extérieur le tira de ses pensées. Jess entra dans l'écurie avec son alezan et le cheval de Ross.

— Nous allons avoir de l'orage, annonça-t-il. Et il va être violent.

— Très violent?

— La météo prévoit des inondations dans les vallées, des vents dangereux, et peut-être de la grêle.

Le front plissé d'inquiétude, Ross regarda à l'extérieur. Ray Pruitt ramenait vers l'écurie les chevaux qui étaient restés dehors. Le vieux Hank, l'autre employé de Brokenstraw, ferma le portail du corral, et rattrapa son chapeau qu'une bourrasque venait de lui arracher. Trois autres chevaux piétinaient nerveusement le sol en attendant qu'on vienne les chercher, les oreilles dressées, les naseaux levés pour humer le vent.

Le ciel ne s'était pas seulement assombri. Le tonnerre roulait et grondait dans le lointain, et de gros nuages gris s'amoncelaient à l'horizon comme des balles de coton poussiéreuses. Le paysage venait de changer en moins de dix minutes.

Ross alla chercher les chevaux et aida Jess à barricader les portes et les fenêtres des hangars. Puis il courut vers la maison, et s'engouffra dans le bureau où se trouvait le téléphone.

Lorsqu'ils avaient travaillé sur le toit de l'église, Scott Jackson lui avait dit qu'il allait s'absenter cette semaine pour assister à un mariage à New Mexico. Ce qui signifiait que ses parents allaient se retrouver seuls au Lazy J. Comme Maggie travaillait, et que Moe était immobilisé, Lila serait seule pour préparer le ranch à subir les assauts de la tempête qui s'annonçait.

Il composa le numéro, et constata que la ligne était occupée. Il attendit quelques secondes avant de recommencer. Toujours occupé.

Jess entra et ôta son chapeau.

— Qui appelles-tu ?

— Moe et Lila. Ils auront peut-être besoin d'aide, car Scott s'est absenté cette semaine. Où sont Casey et le bébé ?

— Dans la cuisine, en train de préparer le repas.

Ross composa de nouveau le numéro, et cette fois quelqu'un décrocha.

— Maggie ?

La voix anxieuse de Lila résonna dans l'appareil avant que Ross ait eu le temps de dire un mot.

— Non, Lila, c'est Ross. J'appelais juste pour demander si vous aviez besoin d'aide, avec l'orage qui se prépare.

— Tout va bien ici. Mais je suis inquiète pour Maggie. J'ai appelé le bureau du shérif pour lui dire de rester en ville ce soir à cause de l'alerte météo, mais Farrell m'a dit qu'elle n'était pas là. Il l'a envoyée à Clearcut il y a quelques heures, pour remettre une assignation, et elle n'est pas encore revenue.

Ross sentit l'inquiétude le gagner. Clearcut n'était même pas un village, c'était tout juste un hameau formé par trois maisons. Et comme cela ne se trouvait qu'à une quinzaine de kilomètres de la ville, elle aurait dû être de retour.

Sans compter que des inondations étaient annoncées. Et comme Clearcut était situé dans une cuvette, ce n'était vraiment pas l'endroit où il fallait se trouver. Située entre deux lignes de montagnes, la route était transformée en torrent par l'eau qui coulait en cascade sur les pentes de granit. Et il était bien connu qu'à chaque pluie le niveau des criques montait, noyant les rives et les chemins avoisinants sous la boue.

— Farrell ne lui a pas lancé un appel radio, quand il a vu qu'elle ne rentrait pas ?

— Il ne pouvait pas. Elle a pris sa voiture. Cy pense qu'elle a dû se réfugier quelque part pour laisser passer l'orage.

C'était possible, mais pas certain…

— Savez-vous chez qui elle devait remettre l'assignation ?

— La maison des Addams. Vous voyez où c'est ? Ils n'ont pas le téléphone.

— Oui, je connais. Je vais la retrouver, Lila.

Ross raccrocha tandis que Lila le remerciait encore. Il se précipita dans le dressing de la cuisine pour y prendre son imperméable. Il en saisit un deuxième, à tout hasard.

— Où comptes-tu aller, avec ce temps ? lui demanda Casey, l'air soucieux.

— Maggie est coincée quelque part entre le ranch et Clearcut. Lila est inquiète, et je lui ai promis d'aller à sa recherche.

— Tu vas te retrouver sous l'orage. Les services météo ont prévu qu'il serait très violent.

Elle prit plusieurs canettes de soda dans le réfrigérateur, et empila les sandwichs qu'elle venait de faire dans le sac à pain. Elle sembla comprendre sans qu'il ait besoin de le lui dire qu'il n'attendrait pas qu'elle les ait emballés individuellement.

— Merci, Casey, dit-il. Ne me regarde pas comme ça, Jess. Tout ira bien. Si la route est inondée, je passerai par la colline.

Il se pencha pour embrasser le bout du nez de Lexi.

— A plus tard, mon petit chat.

— Sois prudent ! lança Jess, tandis que Ross se dirigeait vers la porte de derrière.

— D'accord.

Il aurait été plus au sec dans son pick-up, naturellement, songea-t-il en installant la couverture sur le dos de son cheval. Mais les pick-up ne pouvaient pas grimper sur les collines, ou prendre des raccourcis à travers les champs. En plus, en cas de brusque inondation, un véhicule pouvait être emporté en quelques secondes. Il songea à la petite Ford de Maggie, et son front s'assombrit.

— Désolé, Buck, dit-il en fixant la selle. Avec un peu de chance nous l'aurons retrouvée avant que l'orage n'ait éclaté, et nous reviendrons tous tranquillement à la maison.

Il estimait avoir quinze minutes devant lui avant que la pluie ne se mette à tomber tout à fait. Clearcut n'était qu'à dix kilomètres de Brokenstraw. Il allait couper à travers bois jusqu'à la bifurcation de Clearcut, et ensuite suivre la route que Maggie avait dû prendre.

Rabattant sur sa tête le capuchon de son large imperméable jaune, Ross pressa les flancs de son cheval et le fit partir au galop.

Vingt-cinq minutes plus tard, à travers un lourd rideau de pluie, Ross descendit la colline en direction de la Ford bleue qu'il avait repérée grâce à ses jumelles. Pourquoi était-elle arrêtée ici ? Les ravins débordaient déjà, et l'eau coulait sur le chemin de terre. Un éclair déchira le ciel.

Les vitres de la voiture étaient couvertes de buée, et il vit Maggie essuyer le pare-brise pour jeter un coup d'œil à l'extérieur. Elle parut soulagée de le voir. Ross descendit de son cheval, courut vers la voiture et ouvrit vivement la portière.

— Vite ! cria-t-il pour dominer le vacarme de la pluie s'abattant sur la carrosserie. Il faut sortir d'ici.

— Non, nous serons plus en sécurité à l'intérieur ! protesta-t-elle. Les éclairs sont de plus en plus nombreux.

— Le niveau de l'eau est en train de monter, et ta voiture ne restera pas longtemps sur la route. Viens !

Ross lui passa le deuxième imperméable. Elle était déjà trempée jusqu'aux os.

— J'ai essayé de réparer la voiture comme tu l'avais

fait la dernière fois, cria-t-elle en enfilant le large imperméable en forme de poncho. Mais le tuyau n'était plus assez long. Alors, j'ai voulu retourner à Clearcut à pied, mais la pluie s'est mise à tomber à verse.

Maggie sortit de la voiture. Elle avait de l'eau jusqu'aux chevilles.

— Et surtout ne me dis pas que j'ai été stupide de ne pas faire réparer la voiture plus tôt! cria-t-elle. Je me le suis déjà dit une centaine de fois avant que tu arrives.

Le bruit de la pluie s'abattant sur la voiture était assourdissant.

— Nous parlerons de ça plus tard, cria-t-il à son tour. Monte à cheval!

Il monta derrière elle, et fit partir le cheval dans la direction de Clearcut.

— Ce n'est pas par là! hurla Maggie.

— Il faut se mettre à l'abri. Je connais un endroit.

Le cœur battant, Ross dirigea son cheval vers la colline grise qui s'élevait dans le lointain.

Chapitre 9

La pluie tombait avec violence sur les chemins de montagne. Des morceaux de rochers se détachaient du sol et roulaient, emportés par des torrents de boue. Le cheval avançait prudemment. Ils étaient partis depuis cinq minutes, et Ross dirigeait leur monture vers le pied des collines, restant aussi loin que possible des grands arbres. La grêle s'ajouta à la pluie, et il jura à mi-voix.

Serrant Maggie contre lui, il fit de son mieux pour la protéger. Il la sentait trembler sous le poncho jaune, mais il n'aurait su dire si elle tremblait de peur ou de froid. Son visage était protégé par le large capuchon imperméable, mais elle était déjà trempée quand il l'avait trouvée, et elle devait être frigorifiée.

Il aurait aimé la rassurer, lui dire qu'il leur restait moins d'un kilomètre à parcourir maintenant. Mais avec les éclairs, les roulements de tonnerre, et les feuilles qui volaient dans tous les sens, elle aurait eu du mal à l'entendre ou à le croire.

Un éclair déchira le ciel sombre et s'abattit sur le sol dans un fracas épouvantable. Buck se mit à ruer et à se cabrer, et Ross tira sur les rênes. A trente mètres d'eux, un immense sapin se brisa comme une brindille.

Maggie se tourna vers lui, le visage blême.

Ross désigna un point, situé à quarante mètres devant eux, à flanc de montagne.

— Il y a une grotte là-bas, cria-t-il. On ne peut pas la voir d'ici, mais nous y serons à l'abri.

Elle hocha la tête, l'air terrifié.

— La pente devient trop raide pour le cheval, cria-t-il. Il faut continuer à pied.

Ross se laissa glisser à bas du cheval. Le vent soulevait son imperméable dans tous les sens, et la pluie semblait vouloir les entraîner sur la route, qui ressemblait maintenant à une rivière. Non seulement les cours d'eau avaient débordé, mais toute la pluie dévalant des sommets montagneux semblait s'accumuler sur la petite route en lacet.

Tout en tenant fermement les rênes, Ross prit la main de Maggie et l'entraîna à vive allure vers l'anfractuosité entre les rochers, où il savait qu'ils trouveraient un abri.

Il n'avait jamais vu tomber autant d'eau en si peu de temps de toute sa vie.

— Je vois l'ouverture ! cria Maggie.

— Vas-y, vite !

Il la regarda passer devant lui, et se faufiler sous la casquette formée par un large rocher. En quelques secondes, elle fut à l'abri dans la grotte. Ross la suivit, tirant sur les rênes pour entraîner le cheval récalcitrant.

L'animal glissa dans un éboulis, poussa un hennissement plaintif, puis recouvra son équilibre et obtempéra.

Le crépitement de la pluie s'abattant sur son capuchon cessa tout à coup. Il régnait dans la grotte un silence presque irréel. Et une température glaciale.

Ross croisa le regard de Maggie, et vit dans la pénombre qu'elle était soulagée.

— Ce n'était pas très… amusant…, bredouilla-t-elle d'une voix tremblotante.

— Non, ce n'était pas drôle.

De l'extérieur, l'entrée de la grotte avait dû sembler assez petite à Maggie. Mais à l'intérieur, elle formait un espace arrondi et très spacieux. Elle n'était pas aussi vaste que dans son souvenir, songea Ross, mais elle pouvait largement contenir un cheval, et deux adultes.

Il y avait une issue plus petite à l'arrière, où la grotte se rétrécissait. Cela procurait une ventilation suffisante pour éviter des odeurs d'humidité.

Ross jeta un coup d'œil sur sa droite et fut content de voir que le banc qu'il avait construit avec ses amis des années auparavant était toujours là. C'était un long tronc d'arbre posé sur deux morceaux de rochers. Il fut encore plus soulagé de découvrir le foyer, entouré d'un cercle de pierres rondes, où subsistaient des cendres. La grotte était toujours utilisée, ce qui signifiait qu'ils y découvriraient peut-être des provisions utiles.

— Comment… connais-tu cet… cet endroit? demanda Maggie en claquant des dents.

Ross repoussa son capuchon et son Stetson, puis défit la fermeture de l'imperméable et sortit la couverture qu'il avait prise dans la voiture de Maggie. Il se rendit compte tout à coup que c'était sa couverture, celle que Maggie avait voulu lui rendre le soir où elle était venue chez lui.

Il étala son imperméable sur le sol, posa son Stetson, et déplia la couverture. Celle-ci était un peu humide, car Maggie s'en était servie pour se protéger dans la voiture, mais c'était mieux que des vêtements trempés.

— Quand j'étais gosse, je traînais souvent par là avec des copains. Nous allions pêcher dans les ruisseaux, et nous remontions ici pour nous amuser.

Il désigna d'un geste la bûche en partie calcinée, au milieu du foyer.

— On dirait que quelqu'un d'autre a élu domicile ici, entre-temps.

— Je... je croyais que vous alliez à la crique, pour faire la fête?

Ross fronça les sourcils. A cette époque-là, ils avaient fait la fête un peu partout.

— Pas toujours... Tu es gelée. Il faut enlever les vêtements qui sont mouillés.

— Ils sont tous mouillés, dit-elle en esquissant un sourire. Même ma peau est mouillée.

Avec un petit sourire compatissant, il secoua la couverture.

— Je pense que tu peux garder ta peau.

Maggie lui lança un coup d'œil méfiant, en le voyant tendre la couverture devant lui comme un paravent.

— Allons, dit Ross d'une voix radoucie. Je ne regarderai pas, et je ne profiterai pas de la situation. Tu risques l'hypothermie. Si ton corps se refroidit, tu ne pourras pas te réchauffer en restant mouillée. Quand tu auras tout enlevé, attrape les coins de la couverture et enroule-toi dedans.

— Je ne peux pas retourner à la maison vêtue seulement d'une couverture.

— Je sais. Nous trouverons quelque chose.

Tremblant de froid, Maggie se débattit un moment avec la fermeture du poncho, parvint à l'ôter, puis se débarrassa de son uniforme trempé, qu'elle jeta en tas sur l'imperméable.

Elle hésita un moment, en se retrouvant vêtue uniquement d'un soutien-gorge de dentelle blanche, et d'un minuscule slip en satin. Elle décida de faire confiance à Ross, et finit par enlever ses sous-vêtements aussi.

Douillettement enveloppée dans la couverture, elle regarda Ross ôter les sacoches de cuir et la selle du dos du cheval, et essuyer Buck avec la couverture qu'il avait glissée sous la selle avant de partir.

Puis il prit une petite torche électrique dans un sac, dirigea le faisceau lumineux devant lui, et emmena le cheval vers le fond de la grotte.

Maggie avait perçu un bruit d'eau à l'intérieur, mais elle fut tout de même surprise quand elle entendit l'animal se mettre à boire.

Quelques minutes plus tard, Ross revint, éteignit sa torche et attacha le cheval à un rocher, sur le côté.

— Il y a une petite mare au fond, car la pluie s'infiltre et se dépose dans un creux du rocher. Mais l'eau s'écoule à l'arrière, et nous ne serons pas inondés.

Il alla prendre sa selle de cuir, la déposa contre la paroi, et étala l'imperméable devant elle.

— Assieds-toi, dit-il. Je vais faire du feu. J'ai aperçu un tas de bois sec au fond de la grotte.

Il repartit aussitôt, promenant le faisceau de sa torche devant lui.

Maggie alla s'asseoir, ramena l'épaisse couverture sur ses pieds, et la resserra autour de ses épaules.

Quand Ross revint, il transportait de lourdes branches qui avaient dû être entassées là en cas d'urgence. Ou bien en vue de la prochaine fête, songea Maggie, réaliste. Très vite, des flammes s'élevèrent à l'entrée de la grotte. Dix minutes plus tard, la plus grosse bûche s'était enflammée. Ross fixa son lasso à des rochers qui dépassaient de la paroi, et accrocha l'autre extrémité de l'autre côté de la grotte. Ses mouvements étaient précis, efficaces, et gracieux.

Il se pencha alors pour prendre les vêtements entassés. Le soutien-gorge et le slip se trouvaient au sommet de la pile. Maggie se leva d'un bond.

— Merci, mais je vais le faire moi-même.

Ross se redressa, amusé par son accès de pudibonderie.

— D'accord, dit-il en souriant. Etends tes vêtements toi-même, et étale-les bien pour qu'ils sèchent vite. Pendant ce temps, je tiendrai la couverture serrée autour de toi. Ça te va ?

Maggie se rassit, vaincue, et le laissa étendre ses sous-vêtements sans protester.

A l'extérieur, l'orage continuait de faire rage. Le feu

éclairait leur petit refuge et commençait à répandre une douce chaleur.

Bien que Ross ait gardé son imperméable pendant tout le trajet, les pans de celui-ci s'étaient écartés sur le cheval, et son jean était mouillé. Il s'approcha du feu, essayant de le sécher sans l'enlever.

— Dès que l'orage se sera un peu calmé, je sortirai pour aller chercher du bois, dit-il en désignant le feu. Nous aurons besoin de lumière quand la nuit sera tombée.

La nuit ?

— Nous n'allons pas rentrer avant demain ?

— Impossible, dit Ross d'un ton sobre. Même si la pluie cesse, nous ne pourrons pas nous diriger dans l'obscurité.

Maggie hocha la tête. C'était logique, et elle le savait depuis le début. C'était l'idée qu'ils allaient passer la nuit ensemble qui l'avait poussée à poser la question. Et elle avait espéré une réponse différente.

Au fur et à mesure que la grotte se réchauffait, une atmosphère sensuelle s'installait, et cela les rendait tous deux par trop conscients de sa nudité, sous la couverture, et de l'intimité induite par les circonstances.

Comme s'il avait lu dans ses pensées, Ross s'agita nerveusement devant le feu, puis consulta sa montre.

— Casey m'a donné des sandwichs et des sodas. Tu as faim ? Il est presque 7 heures.

— Oh oui, des sandwichs, c'est une bonne idée.

Elle n'avait pas vraiment faim, mais le fait de manger les aiderait à penser à autre chose qu'à leur intimité forcée. Elle s'apercevait que le désir, une fois installé, était difficile à ignorer.

Les sandwichs au jambon et au fromage étaient délicieux. La conversation, en revanche, était un peu contrainte.

Ross lui raconta son enfance et son adolescence dans la région, les pêches à la truite, et la fois où il était tombé du canoë d'un copain. Maggie fut obligée d'avouer que pour quelqu'un qui avait grandi dans le Montana, elle avait peu profité des distractions typiques de la région. Elle n'était jamais montée dans un canoë, n'avait jamais vu de rodéo, et n'avait jamais tenu de canne à pêche.

Quand ils eurent fini de boire et de manger et qu'ils eurent épuisé leurs souvenirs d'enfance, l'étrange sentiment d'intimité les enveloppa de nouveau. Ross se leva, et alla arranger pour la vingtième fois les vêtements sur la corde.

Cherchait-il à s'occuper, pour ne pas penser à autre chose ? se demanda Maggie.

— Je n'aurais jamais pu t'imaginer en train de faire ce genre de choses, dit-elle doucement.

— Quoi donc ?

— Arranger du linge pour le faire sécher.

— Oh, mais je suis un homme plein de surprises.

Son sourire forcé cachait mal sa gêne, lorsqu'il ôta les sous-vêtements secs de la corde, et accrocha à leur place la couverture du cheval.

— Autrefois, c'était toujours moi qui faisais la lessive, dit-il. Jusqu'à l'arrivée de Casey, Jess et moi nous partagions les tâches ménagères. Naturellement, j'étais un casse-pieds inutile, à l'époque. Et saint Jess se taillait la part du lion pour le ménage.

— Je croyais que tu t'entendais bien avec ton frère ?

— C'est exact.

Il fronça les sourcils, et sembla réfléchir.

— En fait, je ne sais pas pourquoi je l'ai appelé saint Jess. A l'époque, je m'adressais toujours à lui comme ça.

— Parce qu'il faisait tout le ménage ?

— Parce qu'il faisait toujours ce qu'il fallait. Du moins, neuf fois sur dix.

Maggie avait changé de place pendant le « dîner ». Elle avait abandonné la selle de cuir pour le banc que Ross avait installé là avec ses amis, des années auparavant. Il vint s'asseoir à côté d'elle et lui tendit ses sous-vêtements, en soutenant son regard.

Maggie passa une main entre les plis de la couverture pour les attraper.

— Merci.

— De rien.

Son cœur se mit à battre la chamade. Elle se rendit compte tout à coup qu'ils étaient tous deux obnubilés par les minuscules bouts de tissus qu'elle tenait dans sa main.

Quand elle s'était déshabillée, il n'y avait pas eu de trouble, pas de pouls battant à cent à l'heure. Elle était glacée jusqu'aux os, il avait peur qu'elle ne soit en hypo-thermie, et tout ce qu'elle voulait, c'était se réchauffer.

Maintenant elle était à l'aise, la grotte était une cachette douillette où ils allaient passer la nuit… et l'atmosphère était chargée de sensualité.

Quelque chose passa dans les yeux de Ross… une lueur de désir. Maggie eut le souffle coupé. Puis, brusquement, il se leva et alla à l'entrée de la grotte pour regarder comment l'orage évoluait. Il toussota, et marmonna :

— Tu seras plus à l'aise si tu les remets. Préviens-moi quand je pourrai me retourner.

Ils seraient tous les deux plus à l'aise, rectifia-t-elle en elle-même. Mais serait-elle en sécurité ? Quand la nuit tomberait, et qu'ils seraient obligés de se reposer, probablement serrés l'un contre l'autre pour avoir moins froid… vêtements ou pas, elle savait ce qui se passerait.

Elle enfila vivement le slip, le soutien-gorge, et s'enveloppa de nouveau dans la couverture.

— C'est bon, annonça-t-elle. Tu peux te retourner à présent.

Mais quand il se retourna et croisa son regard, elle vit que rien n'avait changé. Son expression trahissait toujours le même trouble.

Il alla prendre son imperméable, posa son Stetson sur la selle, et enfila le poncho.

— Je vais chercher du bois.

— Maintenant ? Il ne vaut pas mieux attendre que la pluie diminue ?

— Cela peut durer comme ça pendant des heures, répondit-il d'une voix rauque.

Il rabattit le capuchon sur sa tête et ajouta :

— Si j'attends trop longtemps le bois sera trempé.

Il sortit sous la pluie qui tombait à seaux, et jeta un coup d'œil derrière lui.

— Je n'en ai pas pour longtemps. J'ai repéré un bosquet, en arrivant.

Il sortit si vite que Maggie n'était même pas sûre qu'il l'ait entendue répondre :

— D'accord.

Un quart d'heure plus tard, la tête baissée pour se protéger de la pluie battante, Ross ramassa le tas de branchages qu'il avait rassemblés, et les ramena à la grotte.

Il aurait dû enlever son capuchon, songea-t-il. Bon sang, il aurait dû ôter tous ses vêtements et se laisser doucher par la pluie glacée. Il avait besoin au moins de ça pour supporter la nuit qui s'annonçait. Sauf que s'il était frappé par la foudre et qu'on retrouvait son corps nu et carbonisé, les gens n'en finiraient plus de jaser. Or, il leur avait déjà donné assez de grain à moudre pour leurs commérages.

Les petites villes avaient la mémoire longue.

Hâtant le pas dans l'obscurité qui s'épaississait, il reporta ses pensées sur le feu qui brûlait dans la grotte… et sur la fournaise qui brûlait son corps de l'intérieur.

Il avait dû perdre l'esprit. Il n'avait jamais fait à une femme une promesse comme celle qu'il venait de faire à Maggie. Ne pas profiter d'une belle femme nue, c'était… c'était aussi invraisemblable pour lui que de frayer avec le clergé, ou d'aller aux pique-niques de la paroisse.

Une pensée lui traversa l'esprit, et il se rembrunit.

Bon sang, il devenait aussi honnête et bien-pensant que son frère.

Ross s'approcha du feu, déposa son chargement, et ôta son imperméable.

Au moment précis où il posa les yeux sur elle, la sensation troublante contre laquelle il luttait depuis deux heures resurgit avec force.

En son absence, elle avait défait sa tresse. A présent, elle passait les doigts dans les longues mèches noires et soyeuses, pour les faire sécher devant le feu. Elle avait enroulé la couverture autour d'elle comme un paréo, et ses pieds nus étaient posés sur le tissu. Les bretelles blanches de son soutien-gorge se détachaient sur sa peau nue et légèrement bronzée.

Ross passa devant le feu, ouvrit son couteau de poche et se mit à racler l'écorce humide, sur les branches qu'il avait trouvées.

— Je me suis dit que nous devrions nous organiser, annonça tranquillement Maggie.

Ross n'interrompit pas son travail, heureux de constater que le bois était encore sec sous l'écorce.

— Nous organiser pour quoi ?

— Il faut penser à la façon dont nous allons dormir.

— Eh bien, répondit-il aussitôt. La couverture de Buck ne va pas tarder à être sèche. Elle n'est pas très épaisse, mais ce sera mieux que de te coucher directement sur le sol froid. Et tes vêtements sont sans doute assez secs pour que tu puisses les remettre, à présent. Tu n'as qu'à prendre la selle comme oreiller, et tu as déjà une couverture…

Il leva les yeux et sourit avec effort.

— C'est aussi confortable qu'à la maison.

— Et toi?

— Quoi, moi?

— Tu... tu n'as pas dit où tu allais passer la nuit.

— Je vais m'allonger à côté du feu.

— Sur le sol? Sans couverture?

— Ce ne sera pas la première fois. Quoique... maintenant que j'y pense, je n'ai pas gardé un souvenir très précis des autres nuits.

— Tu étais trop... ivre?

— Je crois bien, hélas.

Maggie contourna le feu pour s'approcher de lui, tout en maintenant la couverture contre sa poitrine. Ses cheveux tombaient souplement sur ses épaules, ses joues étaient enflammées par la chaleur du feu.

Ross avait du mal à respirer.

Il la regarda prendre la couverture sur la corde tendue, et l'étaler sur le sol, devant la selle. Puis elle se retourna, prit ses chaussettes et son uniforme, et passa derrière lui.

Elle ne lui annonça pas ce qu'elle allait faire, ne lui demanda pas de ne pas regarder.

Le cœur battant à tout rompre, Ross l'imagina dans ses jolis sous-vêtements, entendit le froissement du coton lorsqu'elle enfila sa chemise et son pantalon. Il ne bougea pas un seul muscle.

D'accord, tout allait bien, se dit-il. Elle serait habillée, et lui aussi. Ils allaient passer la nuit côte à côte, il n'y aurait pas de problème, pas de sentiment de culpabilité le lendemain.

Demain matin, il la ramènerait au ranch sans l'avoir touchée, et il aurait droit à une médaille pour sa bonne conduite.

Maggie apparut à son côté, complètement habillée. Tout en repliant la couverture, elle déclara d'un ton parfaitement raisonnable :

— Si le feu ne s'éteint pas, nous n'aurons pas besoin de ça pour nous couvrir. Nous pourrons la mettre sur l'autre couverture, cela nous protégera le dos.

— Nous ?

— Oui.

— Ce n'est pas une bonne idée.

— Elle est meilleure que la tienne.

Ross posa son couteau, et repoussa la branche qu'il était en train de nettoyer.

— Nous sommes seuls ici.

— Je le sais bien. Mais tu es quelqu'un de correct, et…

— Tu crois que je suis un homme correct ?

Il laissa échapper un petit rire sec. Quel manque de clairvoyance !

— Si tu interrogeais « l'homme de la rue », comme disent les journaux, tu t'apercevrais que peu de gens partagent ton opinion sur moi.

— Ce que pensent les autres ne m'intéresse pas.

— Non ? Même pas Farrell ? Ou ton oncle et ta tante ?

— Non. Ma tante t'aime bien. Et mon oncle t'aimerait bien aussi s'il pouvait faire abstraction de ce qui s'est passé il y a trois ans. Quant à Farrell…

Elle fit une pause, et ajouta :

— Tu avais raison. Le moment venu, Cy trouvera une excuse pour ne pas me donner ce poste d'adjoint.

Ross se leva et alla vers elle. Il prit une mèche de ses cheveux et l'enroula autour de ses doigts. Maggie retint son souffle. Il plongea son regard sombre dans le sien.

— Il ne faut pas que tu aies trop confiance en moi, Maggie. Je ne pourrai que te décevoir.

Les yeux fixés sur lui, elle se sentit parcourue de frémissements. Ses yeux étaient si sombres, son regard si intense qu'elle eut l'impression de s'y noyer. Les flammes projetaient des ombres sur ses traits virils, accentuant le renflement de ses pommettes, sa mâchoire carrée... ses lèvres au dessin parfait.

Elle recula d'un pas, et Ross lâcha ses cheveux.

— Nous devrions essayer de dormir, afin de pouvoir partir tôt demain matin, dit-elle avec un brin de nervosité. Moe et Lila doivent être malades d'inquiétude.

— Quand Lila m'a dit où tu étais allée cet après-midi, je lui ai promis de te retrouver.

— Elle s'inquiétera tout de même. J'aimerais vraiment partir dès le lever du jour.

— Bien sûr. A condition que l'orage ait cessé et que nous puissions voyager sans danger.

Maggie hocha la tête. Avec la tempête de sensualité qui faisait rage dans leurs corps, elle avait complètement oublié le déluge qui s'abattait à l'extérieur. Des éclairs continuaient de déchirer la nuit, et le tonnerre grondait toujours au loin.

Ross s'approcha de la selle pour la soulever.

— Nous allons approcher le lit du feu. Les rochers garderont la chaleur un moment quand les flammes se seront éteintes.

— Nous n'avons pas assez de bois ?

— Non, pas pour toute la nuit, répondit-il doucement. Mais je garderai la torche électrique à portée de main, au cas où nous aurions besoin de lumière. Prends la couverture pour te couvrir.

— Mais il va faire très froid pendant la nuit. Il faut la partager.

— Nous partagerons la selle, dit-il fermement. Je me servirai d'un côté comme d'un oreiller, et tu prendras l'autre.

Maggie finit par accepter. Avec la selle de cuir sous la tête, il aurait un peu de confort. Et tournés chacun d'un côté de la grotte, ils ne seraient pas tentés de se rapprocher.

Plusieurs heures plus tard, lorsque les flammes eurent laissé place aux braises rougeoyantes, Maggie fut éveillée par le froid. Ses muscles étaient ankylosés.

Ce qui l'étonnait le plus, c'est d'avoir fini par s'endormir, après être restée des heures les yeux ouverts, à écouter les craquements du feu… et les battements désordonnés de son cœur.

Elle se dressa avec précaution, puis se pencha lentement pour jeter un coup d'œil à Ross. Elle se rejeta vivement en arrière quand il demanda, à voix haute :

— Tu te sens bien ?

— Non, répondit-elle au bout d'un moment. J'ai froid. Pas toi ?

— Moi, je suis bien.

Quelques secondes s'écoulèrent en silence, puis elle demanda :

— Ross ?

— Oui ?

— Je peux venir à côté de toi ?

Il ne répondit pas tout de suite. Puis elle l'entendit soupirer, et il dit :

— Ne bouge pas. C'est moi qui vais venir.

Maggie se poussa sur le côté pour lui faire de la place. Puis, comme si leurs mouvements avaient été programmés par une chorégraphie précise, Ross s'allongea sur le dos, posa la tête sur la selle… et ouvrit les bras.

Maggie se blottit contre lui. Elle se coucha, avec un peu de raideur, sur le côté gauche, et frissonna quand il l'entoura de son bras, et remonta la couverture indienne sur eux. Son jean était encore froid et humide.

— C'est mieux comme ça ?

Sa voix était lasse, et elle aurait voulu pouvoir répondre par l'affirmative. Mais elle aurait menti.

— Non, dit-elle.

— Qu'est-ce qui ne va pas ?

— Je… je ne sais pas quoi faire de mon bras droit.

Ross lui effleura la cuisse en cherchant son bras sous la couverture. Il le trouva, le plaça sur son torse et le tint solidement contre lui. Maggie inspira doucement.

Elle était pressée contre lui, les seins plaqués contre

le côté de sa poitrine. La gorge nouée, elle essaya de ne pas se laisser troubler par son odeur, la proximité de sa peau brune.

— Je n'entends plus la pluie.

— C'est normal. Elle s'est arrêtée il y a une heure. Le ciel est clair, à présent.

— Vraiment? chuchota-t-elle, le souffle court.

— Oui. On peut même voir la lune. J'ai emmené Buck à l'extérieur.

Peu à peu, seconde après seconde, leurs sens se réveillaient, leurs désirs resurgissaient. Maggie fut soudain trop consciente du corps de Ross, de son souffle contre les mèches fines de ses tempes, des battements réguliers de son cœur sous la chemise de chambray. Sa respiration était lente, comme retenue.

— Ross? chuchota-t-elle.

— Oui?

Elle ne parvint pas à se rappeler ce qu'elle voulait lui demander. Le seul fait de se retourner pour lui parler avait suffi à rapprocher leurs lèvres de façon troublante. L'espace d'une seconde leurs souffles se mêlèrent, et tout à coup leurs bouches se joignirent malgré eux.

La bouche fiévreuse de Ross couvrit la sienne en un baiser possessif et ardent. Elle répondit aussitôt à son étreinte, avec une ferveur égale à la sienne. Ils se tournèrent sous la couverture, et elle le tint serré dans ses bras, pour que leurs corps soient aussi étroitement unis que leurs lèvres.

Maggie avait l'impression que son cœur allait éclater. Elle avait enfin ce qu'elle désirait, ce qu'elle souhaitait depuis le moment, treize ans auparavant, où elle avait tenu Ross dans ses bras pour la première fois. Le toucher, l'embrasser, se sentir femme dans les bras de Ross Dalton. A l'époque, elle était trop naïve et trop inexpérimentée pour répondre à son attente. Maintenant, son désir était aussi puissant que celui de Ross, mais il était aussi soutenu par un sentiment profond.

Car elle l'aimait... elle l'aimait réellement, que cela soit raisonnable ou non.

Ils resserrèrent leur étreinte, repoussant la couverture, explorant mutuellement leur corps. Très vite, ils se retrouvèrent emportés par un flot de sensations étourdissantes.

Maggie interrompit leur baiser, et chuchota d'une voix qu'elle ne reconnut pas elle-même :

— Ross, enlève ton jean... il est mouillé.

Il enfouit le visage au creux de son cou, et grommela :

— Je ne peux pas, Maggie. Je n'ai pas l'habitude de me conduire comme un saint.

— Dans ce cas, n'essaye pas d'en devenir un maintenant.

Il se figea.

— Tu es sûre ? demanda-t-il, haletant. Je ne suis pas le prince charmant, tu sais. Je ne peux pas te faire de promesses.

— Je ne t'en demande pas.

Ils s'embrassèrent de nouveau à perdre la tête, renonçant à se contrôler davantage. Leurs doigts s'égarèrent sur les boutons et sur les fermetures Eclair. En un instant ils se furent débarrassés des jeans, et des sous-vêtements en dentelle… et il n'y eut plus de barrière entre eux.

Ross prit son portefeuille dans la poche de son jean, et chercha de quoi se protéger.

Maggie attendit un instant, puis tendit les bras vers lui. Mais il protesta, en chuchotant :

— Non, le sol est trop dur, j'ai peur de te faire mal.

Il l'attira alors au-dessus de lui. Maggie ferma les yeux, tremblant d'impatience, et ils s'unirent dans l'obscurité. Alors, elle passa les bras autour de son cou et se pressa contre lui. Puis ils s'abandonnèrent au plaisir des caresses.

Maggie était tout en courbes et en douceur, alors qu'il n'était que muscles durs et sinueux. Elle crut perdre la tête de plaisir lorsque ses mains rudes et viriles se posèrent sur ses seins, et qu'il prit ses mamelons entre ses lèvres. Puis elle explora du bout des doigts ses épaules, et son dos solide, déposa des baisers passionnés au creux de sa gorge puissante.

Elle avait attendu trop longtemps… si longtemps.

Malgré elle, son corps se pressa contre celui de Ross, mû par un rythme primitif.

Ross essaya de contenir son désir… de se concentrer sur les dernières braises qui crépitaient, sur les ombres projetées sur les parois de la grotte. Mais le corps de Maggie était trop doux, ses soupirs trop sensuels. Ses reins s'enflammèrent.

Il lui prit le visage à deux mains, l'embrassa avec toute son ardeur, et renonça à se contenir plus longtemps…

Et ils se laissèrent tous deux emporter au septième ciel par la vague puissante de leur désir.

Lorsqu'elle fut de nouveau allongée contre lui et que leur respiration eut repris un rythme normal, Maggie laissa échapper un soupir de contentement. Elle était vidée de ses forces, mais son cœur était comblé.

— Eh bien, dit-elle doucement. J'ai chaud, à présent.

La tête de Ross reposait de nouveau sur la selle, et les longs cheveux noirs de Maggie étaient répandus sur son épaule.

— Tant mieux, dit-il d'une voix douce et veloutée. Car si tu avais encore froid, je ne pourrais rien faire de plus que de t'envelopper dans la couverture.

Ils s'embrassèrent et se caressèrent encore longuement, puis Maggie s'écarta. Son bonheur commençait à se dissiper. Une pensée qui l'avait effleurée un instant plus tôt s'imposa de nouveau à son esprit.

— Tu avais une protection sur toi, quand nous avons fait l'amour. Est-ce que… est-ce que tu avais quelque chose derrière la tête, quand tu es parti à ma recherche, hier soir ?

La main de Ross s'immobilisa sur la hanche de la jeune femme.

— Maggie, je n'avais pas prévu que cela arriverait. En fait, pour être sincère, j'ai même essayé de rester à l'écart. Si j'avais une protection dans ma poche, c'était parce que...

Il hésita à poursuivre. Maggie n'eut aucun mal à deviner ce qui allait suivre, et son cœur sombra.

— N'en parlons plus, murmura-t-elle. C'est sans importance.

Ross roula sur le côté, et se pencha pour mieux la voir dans la semi-obscurité.

— Au contraire, Maggie, c'est important. Le soir du jour où nous avons remplacé le toit de l'église... j'étais si énervé que je ne savais pas où aller. Je...

Il s'interrompit, prit une inspiration, et continua :

— Il fallait que je cesse de penser à toi, et tous les moyens étaient bons. Je suis allé chez Dusty.

Elle sentit des larmes lui piquer les paupières.

— Je n'ai pas envie d'entendre ça maintenant, tu sais.

— Il faut que tu le saches. J'ai rencontré une femme. Elle ne demandait pas mieux que de coucher avec moi, mais je n'ai pas pu le faire. J'avais trop envie de toi.

Il lui caressa les cheveux, se pencha pour l'embrasser, et ajouta dans un chuchotement :

— Maggie, je ne voulais personne d'autre que toi.

Chapitre 10

Un peu plus tard, alors qu'ils étaient assis, enlacés, sur la selle qu'ils avaient transportée devant l'entrée de la grotte, Maggie sentit son cœur se gonfler de bonheur. Ross avait eu l'occasion de coucher avec une autre femme, et il y avait renoncé parce qu'il la désirait, elle.

Cela devait bien vouloir dire quelque chose, non ?

— Fatiguée ? murmura Ross, comme elle se pelotonnait contre sa poitrine.

Il était adossé à la paroi de pierre. La couverture les recouvrait entièrement, et ils contemplaient le ciel éclairé par un pâle croissant de lune.

— Un peu, avoua-t-elle. Mais je n'ai pas encore envie de retourner à l'intérieur. C'est tellement joli, ici.

Elle glissa une main sous sa chemise déboutonnée, et caressa la toison de sa poitrine. Ils s'étaient rhabillés quelques minutes auparavant, mais elle voulait prolonger le plus longtemps possible leur délicieuse intimité.

Des myriades d'étoiles brillaient comme des diamants

dans le ciel sombre et la lune semblait posée en équilibre sur l'un des pics montagneux qui leur faisaient face.

En bas, la vallée était noyée sous l'eau et la boue dévalées des montagnes. Maggie espéra que personne n'avait été blessé, et que les pertes matérielles n'étaient pas trop importantes.

Personne ne devait souffrir, par une nuit aussi belle. L'air était pur et frais, chargé des senteurs de pin et de sauge. Et son cœur débordait d'amour.

— Sais-tu quelle heure il est ?

Ross prit la torche électrique, l'alluma pour consulter sa montre, et l'éteignit de nouveau.

— Presque 3 heures. Pourquoi ?

— Simple curiosité.

Ce n'était pas tout à fait vrai. Elle savait qu'à l'aube tout changerait, et qu'ils seraient obligés de quitter leur refuge pour rentrer chez eux.

Les lumières d'un avion apparurent dans le ciel, rappelant à Maggie que la civilisation n'était pas loin. Elle se blottit plus étroitement contre Ross, comme pour échapper à la réalité.

Il ne lui avait pas dit qu'il l'aimait, n'avait pas prononcé un mot pouvant lui faire croire que ce qu'ils venaient de vivre était spécial pour lui. Pourtant, il éprouvait des sentiments pour elle, elle en avait la certitude.

— Hé, dit-elle doucement. Tu crois aux OVNIs ?

Il eut un petit rire intrigué.

— Les OVNIs ? Pourquoi penses-tu à ça ?

Maggie se mit à rire aussi.

— A cause de cet avion. J'ai vu les lumières, et cela m'a fait penser aux OVNIs. Alors, tu y crois, ou non?

— Laisse-moi réfléchir… Est-ce que je crois que des Martiens viennent en soucoupe volante espionner les humains et avoir des conversations avec eux par télépathie?

— Non, monsieur Je-sais-tout. Crois-tu qu'il existe d'autres formes de vie, quelque part dans l'univers?

— Oh. Non, probablement pas. Mais beaucoup de gens à Rachel le croient.

— Rachel?

— Rachel, dans le Nevada. C'est une petite ville située dans le désert, près d'une base aérienne de haute sécurité. Il paraît qu'il s'est passé des choses bizarres dans la région. C'est la Mecque des adorateurs de Martiens.

— Mon Dieu… Pour quelqu'un qui ne croit pas à ces choses-là, tu es bien informé. Comment sais-tu tout cela?

Ross ne répondit pas tout de suite, et Maggie comprit qu'il n'avait pas envie de discuter de cela. Il se raidit imperceptiblement, et lorsqu'il se décida à parler, ce fut d'une voix chargée de regret.

— Il y a quelques années, quand j'étais encore le roi des crétins dans cette ville, je suis allé à Las Vegas avec Ray Pruitt. Nous avions eu vent des rumeurs sur les OVNIs, et nous avions décidé de nous y rendre en voiture. Rachel n'est qu'à une centaine de kilomètres au nord de Vegas. Donc… nous avons pris la route après avoir beaucoup bu, et laissé beaucoup d'argent sur les tables de jeu. J'ai fait pas mal de bêtises, pendant ce voyage, ajouta-t-il d'un ton désabusé.

Maggie n'en doutait pas. Mais c'était le passé. Et de toute évidence, l'homme qu'il était devenu n'éprouvait que des remords en songeant à cette époque.

— Je suppose que tout le monde a fait à un moment de sa vie quelque chose qu'il regrette.

— Pas autant que moi, répondit doucement Ross. J'ai donné en gage la moitié du ranch.

Il garda le silence un moment, comme s'il attendait qu'elle émette un jugement. Comme elle ne dit rien, il continua :

— Quand nous sommes revenus à Vegas, j'étais persuadé que je pouvais regagner tout ce que j'avais perdu. Et en espérant me refaire, j'ai perdu quarante-sept mille dollars. J'ai dû signer des reconnaissances de dettes.

— Tu devais être affolé.

— Exact. J'étais complètement malade, bouleversé. Et puis ma chance a tourné. J'ai rencontré un riche médecin dans un bar de Vegas, le même jour. J'ai vidé mon sac. C'était un cardiologue de Chicago, et je lui ai raconté toute l'histoire de ma vie. Il m'a proposé de me prêter l'argent pour rembourser mes dettes de jeu, à condition de le désigner comme associé pour la part que je détenais dans le ranch. Avant de savoir ce que je faisais, je me suis retrouvé dans le bureau d'un notaire.

Il s'interrompit, soupira, et reprit d'un air accablé.

— Et alors, comme un imbécile que j'étais, je lui ai demandé de me prêter soixante mille dollars. Je m'imaginais qu'avec les treize mille dollars supplémentaires, je pourrais tout regagner et lui rembourser la totalité de la somme avant que son congrès de médecine ne soit terminé et qu'il ait quitté la ville.

— Je suppose que ça ne s'est pas passé comme ça?

— Non. J'ai perdu aussi les treize mille dollars. Le médecin, qui était le premier mari de Casey, s'est tué sur la route en retournant chez lui. C'était un drôle de type. Quand il est mort, Casey s'est retrouvée sans rien, à part ma reconnaissance de dette et une montagne de factures.

— Et donc, Casey est venue ici pour récupérer l'argent que tu lui devais?

— Oui. C'est comme ça qu'elle a connu Jess.

— Quelle histoire, murmura Maggie au bout d'un moment. Y a-t-il une morale à cette histoire?

— Oui. J'ai passé les deux années suivantes à travailler comme un malade. Je prenais tous les jobs d'appoint que je pouvais trouver, et je ne m'arrêtais de travailler que pour dormir. J'aurai fini de rembourser Casey en août. Et je n'ai plus jamais approché une table de jeu.

— Jamais?

— Jamais. Si je recommence, je ne suis pas sûr de pouvoir m'arrêter. Maggie, je n'ose même pas acheter un billet de loterie, car je sais que la fois suivante j'en achèterai cinquante. Donc, je ne joue plus. Terminé.

— C'est bien, dit-elle, soulagée.

Elle voulait qu'il soit fort. Assez fort pour regagner le respect de ses amis et de ses voisins. Car il ne le savait peut-être pas, mais il avait besoin de se sentir respecté.

Sa tante Ruby avait même fait allusion à cela, le jour du rodéo.

— Alors maintenant, au lieu de jouer, tu construis des belles maisons et tu répares le toit des églises. Fais attention, Ross. Si tu n'y prends pas garde, le conseil municipal finira par te demander de briguer la mairie.

Ross eut un petit rire bref, et rajusta la couverture sur eux.

— Il n'y a pas de chance que ça arrive. Les gens d'ici ont de la mémoire. Je reste pour eux le gars qui a commis l'impensable. Un éleveur qui s'associe avec des voleurs de bétail.

— Ils doivent savoir que tu regrettes ce que tu as fait.

— Ils savent surtout que la nature d'un homme ne change pas.

— Tout le monde ne raisonne pas par clichés.

— Tu sais… la plupart des gens s'en tiennent à des généralités.

Maggie leva les yeux vers lui.

— Pas moi, dit-elle en soutenant son regard.

Ross réprima un soupir. Il se demanda si elle continuerait de parler ainsi, s'il lui avouait que trois ans après les événements qu'il venait de décrire, il luttait toujours contre le démon du jeu. Comme un alcoolique cherchant toujours sa bouteille, il brûlait d'envie de tenir un paquet de cartes dans les mains. Le jeu l'amusait. Du moins, cela l'avait amusé tant qu'il avait gagné.

Mais en avouant cela à Maggie, il se serait montré sous un jour faible et pathétique. Sa fierté le retint.

Les rayons pâles de la lune éclairaient son visage, et Ross contempla ses yeux noirs, ses lèvres entrouvertes en une subtile invitation. Elle avait envie de lui… et il la désirait aussi.

Malgré la beauté du lieu où ils se trouvaient, le chant des crickets qui les environnait, les étoiles qui criblaient le ciel, Ross n'était conscient que de la chaleur de son corps pressé contre le sien. Mais il ne commettrait pas l'erreur de refaire l'amour avec elle. Maggie était une femme respectable. Elle méritait mieux qu'un homme comme lui.

Elle était fille de pasteur, alors qu'il n'avait été qu'un vaurien, pendant la plus grande partie de sa vie.

Il n'aurait jamais dû se permettre de la toucher.

Ross posa le front contre le sien et ferma les yeux.

— Oh, bon sang, Maggie… Je t'avais dit de ne pas trop avoir confiance en moi.

— Tu m'avais dit aussi que tu me décevrais. Mais tu te trompais.

« Un peu de patience, fut-il sur le point de répondre. Ce n'est qu'une question de temps. »

— Plus que quelques heures avant le lever du soleil. Nous devrions essayer de dormir.

— Pas encore, chuchota-t-elle.

Puis elle posa la tête au creux de son épaule, déposa un baiser dans son cou… et toutes les nobles intentions de Ross s'envolèrent, comme des poussières balayées par une brise de printemps.

Glissant les mains dans ses longs cheveux noirs, Ross l'attira vers lui et l'embrassa. Et ils se laissèrent dériver ensemble vers les contrées enchantées qui les attiraient irrésistiblement.

Sur le chemin du retour, ils demeurèrent sur les hauteurs, ne s'approchant de la route que pour contempler les dégâts produits par l'inondation. Les eaux étaient déjà redescendues, et stagnaient seulement sur les rives, autour des cours d'eau.

Consternée, Maggie repéra sa voiture à cent mètres au moins de l'endroit où ils l'avaient laissée, toute cabossée et coincée entre deux troncs d'arbres. Dans un sens, elle pouvait remercier le ciel de n'avoir perdu que sa voiture. Sans l'intervention de Ross, les choses auraient été plus graves. Et puis, la perte de son véhicule serait couverte par l'assurance, se dit-elle en essayant de considérer les choses sous un angle positif. Du moins, elle l'espérait.

Il était presque 7 heures, quand ils atteignirent le ranch de Moe Jackson. Ils avaient traversé des vallées inondées, mais le Lazy J et Brokenstraw étaient situés sur des hauteurs par rapport à Clearcut, et semblaient avoir assez bien résisté à l'orage.

Ross descendit de cheval, puis aida Maggie à mettre pied à terre. Lila sortit en trombe de la cuisine, laissant la porte grillagée claquer derrière elle.

— Maggie! Ross! Dieu merci, vous êtes sains et saufs. La radio a annoncé beaucoup de dégâts à Clearcut, et la route a été fermée. Entrez, vous devez mourir de faim.

Moe sortit à son tour sur le perron de la cuisine, le visage sombre. Agrippé à son déambulateur, il semblait monter la garde près de la porte.

« Saint Pierre à la porte du paradis, bien décidé à repousser les scélérats », songea Maggie.

Un silence gêné s'établit. Elle se tourna vers Ross, ne sachant que lui dire. L'hostilité de son oncle était manifeste.

— Vas-y, dit doucement Ross. Il faut que je rentre à Brokenstraw. Si la radio a annoncé que Clearcut avait été durement touché, Jess et Casey doivent se demander comment nous nous en sommes sortis.

— Il y a un téléphone ici, lança une voix rocailleuse depuis le perron. Vous pouvez leur passer un coup de fil, non ?

Maggie fut tout d'abord abasourdie. Puis elle sentit l'espoir naître dans son cœur. Elle se tourna, s'attendant à être confrontée à l'expression grincheuse de son oncle, et le vit ouvrir grand la porte.

Le regard de la jeune femme revint vers Ross. Ses yeux d'un bleu sombre exprimaient la plus grande surprise. Mais il y avait autre chose dans son regard. Le geste inattendu de Moe l'avait visiblement ému.

— Tu veux utiliser le téléphone de la cuisine ? demanda-t-elle.

— Venez, venez, lança Moe. Vite, avant que les mouches n'envahissent la maison. Attachez votre cheval à la clôture et entrez, mon garçon. Il y a du café chaud.

— Merci, dit Ross, la gorge serrée.

Il détourna les yeux un instant, le temps de maîtriser ses émotions, puis attrapa les rênes du cheval.

Une fois qu'il eut attaché Buck et essuyé ses bottes boueuses dans l'herbe, Ross gravit avec Maggie les marches du petit perron. Moe se racla la gorge bruyamment et lui tendit la main.

— Merci de l'avoir ramenée. Lila n'a pas pu fermer l'œil de la nuit.

Maggie sentit sa gorge se nouer. Pour un homme de l'Ouest, une poignée de main signifiait beaucoup. Le respect, l'acceptation. Et être invité à la table de quelqu'un était encore un degré au-dessus de ça.

Elle attendit que Ross soit entré, puis elle embrassa Moe sur la joue.

— Merci, oncle Moe, chuchota-t-elle. Tu es très bon.

— Lui aussi, répondit Moe à voix basse. Maintenant, montre-lui vite où se trouve le téléphone, pour que nous puissions enfin prendre le petit déjeuner.

Le petit déjeuner que Lila leur servit dans sa pimpante cuisine bleue et blanche était un vrai festin. Ross avait l'habitude de faire un bon repas le matin, mais le menu de Lila dépassait tout ce qu'il avait connu jusque-là.

Il y avait des crêpes, des saucisses, des gâteaux, du pain de maïs, des œufs brouillés, et des toasts avec de la marmelade maison. Lila et Maggie se pressaient autour de lui pour le servir, et Moe remplissait sans cesse sa tasse de café et son verre de jus d'orange. Il eut l'impression d'être traité comme un roi, et pour la première fois depuis des années, il adressa à Dieu une petite prière de remerciements.

Ceci était peut-être la première étape vers la vie qu'il souhaitait avoir depuis longtemps. Depuis que son mode de vie déréglé avait failli lui coûter son ranch et sa liberté.

— Tu n'as plus faim ? demanda Maggie en reprenant du café.

Elle lui donna un petit coup de genou sous la table, et il lui sourit en faisant de même.

— Je suis rassasié.

Il laissa son regard s'attarder sur elle, avec satisfaction. Pendant que Lila finissait de préparer le petit déjeuner, elle était allée se laver rapidement le visage et brosser ses cheveux, puis elle avait laissé la salle de bains à Ross. Mais elle portait toujours son uniforme froissé et taché. Elle aurait eu le temps de se changer, mais elle ne l'avait pas fait.

Ross songea qu'elle avait peut-être gardé ses vêtements parce qu'il était obligé de garder les siens, et qu'elle ne voulait pas le mettre mal à l'aise. A cette pensée, il eut envie de la serrer encore dans ses bras.

— Alors, vous avez passé toute la nuit dans cette grotte ? demanda Moe, captant l'attention de Ross. Vous avez eu de la chance qu'elle ne soit pas déjà occupée, si vous voyez ce que je veux dire.

— C'est vrai, renchérit Lila en remettant le lait au

réfrigérateur. Vous auriez pu vous trouver nez à nez avec un ours, ou un couguar.

— Grâce au ciel, cela n'est pas arrivé, dit Ross. Nous avons pu garder le feu allumé, la plus grande partie de la nuit.

Il y eut quelques coups frappés à la porte. Puis celle-ci s'ouvrit en grinçant et le révérend Tom Bristol pénétra dans la cuisine. Il était vêtu d'un jean, d'un polo noir, et portait une petite valise. Un large sourire éclairait son visage rond aux tempes grisonnantes.

— Je vous souhaite avec un peu de retard un joyeux 4 Juillet!

Son regard balaya la table encombrée, et son expression changea.

— Que se passe-t-il?

Avec un petit cri de joie, Maggie bondit sur ses pieds et courut vers son père. Ross repoussa sa chaise et se leva.

— Bonjour, papa! cria-t-elle en se jetant à son cou. Mais nous n'espérions pas te voir avant la semaine prochaine! Combien de temps peux-tu rester?

— Oh, jusqu'à mardi, répondit son père en la serrant contre lui.

Il fronça le nez en percevant l'odeur de fumée qui imprégnait les vêtements froissés de la jeune femme.

— Pourquoi as-tu préparé un repas aussi abondant, Lila? Ton congélateur est tombé en panne?

Lila éclata de rire, ressortit le lait et les œufs du réfrigérateur, et vint dire bonjour à Tom.

— Nous fêtons quelque chose. Tu as faim, Tom?

— Je suis affamé.

— Tu te souviens de Ross Dalton, n'est-ce pas, papa? demanda Maggie, radieuse.

Le révérend Bristol serra la main à Ross et lui sourit avec amabilité.

— Oui, je me souviens de Ross. Comment allez-vous, mon garçon?

— Très bien, monsieur. Et vous?

— Très bien aussi. Asseyez-vous et finissez votre café. Assieds-toi aussi, ma chérie, dit-il en se tournant vers Maggie. Et mets ton vieux papa au courant. Qu'êtes-vous en train de fêter?

Maggie lui raconta sa panne de voiture, l'orage, l'intervention de Ross, et la nuit qu'ils avaient passée cachés dans la grotte. Elle gagna la reconnaissance éternelle de Ross en ne faisant aucune allusion à l'intimité qu'ils avaient partagée au cours de la nuit. Toutefois, quand elle conclut son récit en annonçant qu'elle allait être obligée d'acheter une nouvelle voiture, il fut évident pour Ross que Tom avait compris qu'elle avait omis quelques détails pertinents.

Son regard perspicace passa plusieurs fois de l'un à l'autre.

Aussi, pendant que Lila et Moe reprenaient la conversation avec Tom, Ross s'empressa-t-il d'aider Maggie à débarrasser la table. Il ne se sentait pas vraiment à l'aise, assis face à ce père empli d'adoration pour sa fille, et vaguement soupçonneux à son égard.

Mais quand il fit mine de s'attaquer à la vaisselle, Lila l'arrêta.

— Oh, non, pas question! Après ce que vous avez fait pour Maggie, vous êtes notre invité. En plus, vous devez avoir hâte de rentrer à Brokenstraw. Je vous ai entendu dire à Moe que des arbres avaient été abattus par la tempête. Je suis sûre que Jess a besoin de vous.

Elle emplit l'assiette de Tom et la posa sur la table, puis revint prendre les saucisses dans le four.

— Vous n'avez pas eu d'autres dégâts?

— Le toit de la vieille grange a perdu quelques bardeaux, mais c'était à prévoir avec un vent d'une telle violence. En revanche, nous n'aurons pas besoin de remplir les abreuvoirs aujourd'hui, ajouta-t-il avec un sourire.

— Merci encore, dit Lila en lui rendant son sourire.

Il fut surpris lui-même par l'émotion qui lui serra la gorge.

— Merci à vous aussi. Le petit déjeuner était grandiose. Content de vous avoir revu, révérend, dit-il en se tournant vers les deux hommes assis à table.

Tom se leva pour lui serrer la main.

— Merci d'avoir si gentiment veillé sur ma fille.

Ross sentit une rougeur coupable envahir ses joues, et s'empressa de prendre congé.

— Je vais chercher ton chapeau, annonça Maggie en sortant avec lui.

Elle prit le Stetson accroché à une patère, et le précéda à l'extérieur. Ils marchèrent ensemble jusqu'à la clôture. Ross venait à peine d'attraper les rênes du cheval, quand elle lui prit la main et le fit passer de l'autre côté de l'animal, apparemment pour échapper au regard de sa famille.

En un instant, ils furent dans les bras l'un de l'autre et s'embrassèrent passionnément. Ross sentit ses reins s'embraser, et Maggie se lova étroitement contre lui.

Il soupira lorsque leurs lèvres se séparèrent, en se demandant s'il ne venait pas de sombrer dans une nouvelle addiction. Deux secondes dans les bras de Maggie, et il s'embrasait comme une torche. Il plongea son regard dans les yeux sombres qui semblaient attendre qu'il dise quelque chose. Mais il ne savait pas trop ce qu'il devait dire, et il était terrifié à l'idée que ses paroles puissent être mal comprises.

Il était un solitaire, et il ne devait pas l'oublier.

— Je suppose que tu vas être occupée quelque temps, maintenant que ton père est arrivé.

Maggie hocha la tête et la brise souleva ses longs cheveux noirs.

— Nous avons beaucoup de choses à nous dire. Il y a un mois que nous ne nous sommes pas vus.

Ross éprouva un drôle de pincement dans la poitrine, et il eut vaguement l'impression que quelque chose de grande valeur était en train de lui échapper.

Mais pourquoi pensait-il cela ? Elle venait juste de l'embrasser.

— Je n'ai plus que lui, depuis que maman est morte, ajouta-t-elle.

— La famille est très importante. Je donnerais n'importe quoi pour avoir encore mes parents. Pour pouvoir leur dire tout ce que je n'arrivais pas à dire à dix-sept ans.

Il se tourna vers la maison, et murmura :

— Ton père doit se demander ce que tu fais…

— Oui, c'est probable.

Avec une familiarité qui le désarçonna, Maggie se haussa sur la pointe des pieds pour glisser une main sur sa nuque. Le col de sa chemise était ouvert, et il vit son pouls battre dans sa gorge.

— Au revoir, chuchota-t-elle.

— Au revoir.

Ross se pencha vers elle. Cette fois, le baiser qu'ils échangèrent fut plein de douceur et de tendresse.

— Passe de bons moments avec ton père, dit-il doucement.

— Je vais essayer. Merci.

Puis il remonta à cheval, fit pivoter sa monture et repartit en direction de l'ouest, vers Brokenstraw.

Maggie le suivit des yeux. Quand il eut finalement disparu, elle retourna vers la maison, la tête basse. Il lui manquait déjà.

Serait-ce toujours ainsi, désormais ? Aurait-elle envie de lui chaque fois qu'il la regarderait, qu'il l'embrasserait ?

« Mon Dieu, faites qu'il ait les mêmes sentiments que moi. Je ne veux pas être seule à être amoureuse. »

Un bruit à l'intérieur de la maison, peut-être le couvercle d'une poêle tombant sur le sol, lui fit lever les yeux. Maggie se figea en voyant son père sur le seuil. Son expression était troublée, et elle devina qu'il se tenait là depuis plusieurs minutes.

Tom Bristol sortit sur la petite terrasse, et referma doucement la porte derrière lui.

— Je crois que je n'ai pas manqué que le 4 Juillet, dit-il simplement.

La bouche encore gonflée par les baisers de Ross, Maggie gravit les quelques marches grises qui la séparaient de son père.

— Je ne comprends pas pourquoi tu te mets dans cet état.

Maggie jeta sa serviette sur une des chaises en rotin de la véranda, et passa les doigts dans ses cheveux pour les démêler. Elle avait au moins eu le temps de prendre une douche, et d'enfiler un short et un tricot, avant de parler avec son père. Elle s'assit sur la balancelle à côté de lui, et poursuivit d'une voix plus douce :

— J'ai vingt-huit ans, papa. J'en aurai bientôt vingt-neuf. Je sais ce que je fais.

— Tu couches avec un homme dans une grotte, et tu prétends savoir ce que tu fais ?

— Oui.

— Maggie, tu connais mon opinion sur les rapports physiques en dehors des liens sacrés du mariage. Ce n'est pas bien, et j'éprouve des doutes sur l'éducation que je t'ai donnée quand je constate que tu ne vois pas pourquoi c'est mal. J'ai donc été un si mauvais père ?

Maggie se sentit abattue. Non pas parce qu'elle avait fait l'amour avec Ross, mais à cause de la déception qu'elle percevait dans le ton de son père. Soudain, elle redevint une petite fille… comme toujours lorsque son père était dans les parages. Elle aurait fait n'importe quoi pour obtenir son approbation.

— Papa, je l'aime. Tu n'as jamais dit dans tes sermons qu'il ne fallait pas exprimer son amour ?

— Jamais. Mais il y a de meilleures façons de l'exprimer, en attendant que tu aies la bague au doigt. Ta mère, Dieu ait son âme, était la femme la plus belle et la plus désirable que j'aie connue. Mais notre relation est restée chaste jusqu'à ce que nous ayons prononcé les vœux de mariage.

Il fit une pause, et son visage se creusa d'inquiétude.

— Je ne peux pas approuver cela, Maggie.

Maggie prit la serviette humide, et la serra nerveusement entre ses doigts.

— Je ne te demande pas d'approuver. Mais seulement de comprendre.

Ce qui était beaucoup lui demander, puisqu'elle ne comprenait pas très bien elle-même. L'amour avait surgi si vite, sans prévenir. Pour la première fois de sa vie elle était vraiment amoureuse… et c'était stupéfiant.

A présent, elle savait qu'elle n'avait jamais vraiment aimé Tod. Les sentiments qu'elle avait éprouvés pour lui semblaient bien fades, à côté de la passion et de la profonde tendresse que lui inspirait Ross.

— Est-ce qu'il t'aime aussi ?

Maggie continua d'entortiller la serviette autour de ses doigts.

— Je… je ne sais pas.

Le révérend se renversa dans la balancelle, et posa le

bout de son pied sur le sol pour lui imprimer un mouvement de balancement.

— Je vois.

— Il éprouve quelque chose pour moi, papa. Sinon, il ne
serait pas venu me rejoindre au beau milieu de l'orage pour
s'assurer que je n'étais pas en danger. Surtout qu'il n'était
même pas sûr de me trouver. J'aurais pu être retournée
à Clearcut, ou être rentrée à Comfort en stop.

Cette dernière possibilité était infime, étant donné
le peu d'automobilistes qui passaient sur la route de
Clearcut.

— Il éprouve des sentiments pour moi, répéta-t-elle
avec obstination.

Et soudain, un semblant de mutinerie pointa le bout
de son nez.

— Et je vais le revoir, affirma-t-elle.

Pendant quelques secondes, son père ne dit rien. Puis
il hocha la tête, et regarda Maggie. Son expression était
si triste et si résignée, qu'elle en eut le cœur serré.

— Dans ce cas, je ne pense pas pouvoir rester, ma
chérie.

Maggie demeura muette. Puis des larmes surgirent
sous ses paupières, et elle murmura :

— C'est du chantage. Tu m'obliges à choisir entre
vous deux?

— Non, je ne ferais jamais cela. Je t'ai expliqué il y a
longtemps que lorsque les tentations apparaissent tu dois
soit les repousser soit décider d'y céder, et apprendre à
vivre avec la culpabilité. Tu as pris ta décision, et je n'y

peux rien. Mais tu es ma seule fille, Maggie, et je ne peux pas prétendre que je ne suis pas déçu.

— Mais… nous devions allumer les bouquets d'étincelles que tu m'as envoyés, et tante Lila a prévu un pique-nique…

Elle s'interrompit. Se ressaisit. S'humecta les lèvres.

— Tu… tu resteras, si je te promets de ne pas le voir pendant que tu es là ?

Son père s'absorba dans un long silence. Maggie n'entendit plus que les chaînes de la balancelle qui grinçaient, et le chant des cigales dans la chaleur de l'après-midi. De temps à autre, une musique échappée de la radio de son oncle venait les accompagner.

— Tu n'auras aucun contact avec lui ? finit par demander son père.

— Aucun, répondit-elle, la gorge nouée. Je te le promets.

Tom inspira longuement, puis adressa à sa fille un sourire empreint de tristesse.

— Très bien, ma chérie, je resterai. Peut-être que dans quelques jours tu auras les idées plus claires. Et alors, tu comprendras que j'ai raison.

Ce soir-là, alors qu'elle repensait à cette conversation, allongée dans son lit, Maggie comprit plusieurs choses.

La première, c'était que cet après-midi son père s'était plus comporté en père qu'en pasteur. Il l'avait manipulée, s'était servi de son amour pour sa mère et du respect qu'elle avait pour lui, pour obtenir ce qu'il voulait. Il prétendait que sa menace de repartir aussitôt ne relevait pas du chantage, mais Maggie ne voyait pas d'autre mot pour décrire son comportement.

Tout à coup, elle comprit pourquoi elle avait tout laissé tomber pour revenir à Comfort. Naturellement, elle l'avait fait pour aider son oncle et sa tante, alors qu'ils en avaient besoin. Mais surtout, elle avait voulu mettre de la distance entre elle et un père qui ne pouvait s'empêcher de contrôler sa vie.

Elle l'aimait profondément, mais elle était revenue dans le Montana parce qu'elle voulait avoir la possibilité de faire ses propres choix, sans avoir à subir les récriminations de Tom Bristol.

Maggie contempla le plafond éclairé par les rayons de lune, en regrettant de ne plus être dans la grotte de granit. Elle aurait aimé avoir pour tout matelas la couverture de Buck, et que Ross soit là, à côté d'elle, la faisant fondre de plaisir sous ses baisers et ses caresses.

Elle songea à son oncle Moe, qui avait dit que Ross était un homme bon, et son cœur se gonfla de bonheur, car c'était aussi ce qu'elle pensait. Ross avait changé… et c'était pour le mieux. Ou peut-être… peut-être n'y avait-il pas eu de changement. Peut-être avait-il toujours été le même homme. Mais il ne voyait pas de raison de se montrer sous ce jour, parce que personne ne voulait croire qu'il puisse être bon.

La vie serait sans doute beaucoup plus simple à présent si elle avait menti à son père, et prétendu que Ross n'était pas son amant. Mais elle n'aurait pas pu mentir. Tout comme elle ne pourrait jamais rompre une promesse qu'elle lui avait faite.

Par respect pour son père, elle ne tenterait pas de revoir Ross jusqu'à mardi. Elle avait donné sa parole.

Mais dès que son père serait parti, elle irait le trouver et l'aiderait à prendre conscience de certaines choses.

Par exemple, du fait qu'il avait tellement besoin d'elle dans la vie.

Chapitre 11

Ross versa un seau de céréales dans la mangeoire de Buck, posa le seau sur le côté, et prit l'étrille. Il la passa en larges mouvements circulaires sur le garrot et les épaules de l'animal.

Le cheval se mit à manger. Dans le box voisin, l'alezan de Jess, dont il perturbait le sommeil, lança à Ross un regard de reproche. Puis il balança la tête, et ferma de nouveau les yeux.

Il était 11 heures du soir, et la plupart des habitants du Montana s'étaient retirés chez eux, soulagés que l'orage, avec les vents violents et la foudre qui l'accompagnaient, se soit enfin calmé. Mais Ross se sentait débordant d'énergie, et il n'avait pas envie d'aller dormir. Il avait passé toute la journée à débiter quatre troncs d'arbres en grosses bûches épaisses, et cependant il n'était toujours pas fatigué.

— C'est sans doute parce que j'ai bu trop de café, tu ne crois pas, mon garçon? murmura-t-il au cheval.

Ou bien encore, ce qui l'empêchait de dormir, c'était l'émotion qu'il avait ressentie lorsque Moe Jackson lui avait serré la main ce matin. Une trêve venait d'être établie, après trois ans d'un antagonisme déclaré. Juste après que Maggie lui avait annoncé qu'elle se moquait de ce que les gens pensaient de leur… comment fallait-il appeler ça? Leur amitié? Cette poignée de main avait été, comme on dit, la cerise sur le gâteau.

Il ne se souvenait pas d'avoir déjà été aussi apaisé et aussi perturbé en même temps. Et s'il était perturbé, naturellement, c'était à cause de Maggie.

Il passa du côté droit de Buck et continua de l'étriller avec application. L'odeur du cheval se mêlait à l'humidité qui persistait, et aux odeurs de foin et de poussière flottant dans l'écurie. Par la fenêtre ouverte, il aperçut le croissant de lune suspendu au-dessus des chaînes de montagne qui entouraient Clearcut. Les pensées de Ross revinrent à la nuit précédente.

Il avait été étonné par le comportement de Maggie quand ils avaient fait l'amour. Il ne savait pas trop à quoi il s'était attendu, mais certainement pas à tant d'assurance et de participation.

Il fronça brusquement les sourcils. Faire l'amour? Il n'avait encore jamais employé cette expression pour parler de sexe. Certainement pas avec Brenda. Ni d'ailleurs les autres femmes avec lesquelles il avait couché.

Mais quand il pensait à Maggie, ces expressions désinvoltes ne lui venaient pas à l'esprit. Maggie était différente. Elle avait quelque chose de spécial. Et soudain, il regretta de ne pas le lui avoir dit.

Il avait toujours apprécié l'aspect sexuel de ses relations avec les femmes. Mais le sentiment de profond contentement qu'il avait éprouvé après avoir fait l'amour avec Maggie était quelque chose d'entièrement nouveau pour lui… et de très agréable.

C'était peut-être ce qu'il aurait dû lui dire aujourd'hui, quand ils s'étaient dit au revoir, près de la clôture. Quoique… s'il l'avait fait, n'aurait-elle pas accordé trop d'importance à ce genre de déclaration ?

Ross hocha la tête et échangea l'étrille contre une brosse dure. Ce n'était pas sûr. Elle ne s'attendait pas à ce qu'il lui offre une bague et la demande en mariage, n'est-ce pas ? Il lui avait bien dit qu'il ne pouvait pas lui faire de promesses, et elle avait répondu qu'elle ne lui demandait rien.

Il brossa vigoureusement la robe de Buck, pour la débarrasser de la poussière. Demain, il laisserait Maggie passer tranquillement la journée avec son père. Mais elle retournerait probablement travailler lundi. Il passerait la voir vers midi au bureau du shérif, et l'inviterait à déjeuner avec lui au café. Elle ne refuserait pas un repas chez sa tante Ruby.

— Très bien, mon gars, dit-il au cheval en attrapant une autre brosse. Maintenant que c'est décidé, voyons si nous pouvons te débarrasser des nœuds dans ta crinière.

Maggie était en train de prendre un message par la radio, quand Ross entra dans le bureau du shérif, à midi moins le quart, lundi matin. Il sentit une spirale chaude se dérouler en lui, quand elle leva ses beaux yeux bruns et lui sourit.

Ce sourire disparut une seconde plus tard, lorsque le père de Maggie et Trent Campion entrèrent derrière lui.

— Bonjour, Ross, dit le révérend Bristol avec cordialité. Belle journée, vous ne trouvez pas?

— Certainement, révérend, dit Ross en ignorant le sourire satisfait de Trent. J'espère que vous êtes content de votre séjour à Comfort.

— Très content. J'ai fait une petite ronde ce matin, et j'ai rencontré un grand nombre de mes anciens paroissiens.

Il sourit et donna une tape amicale sur l'épaule de Trent, tout en continuant de s'adresser à Ross.

— En fait, pendant que j'étais à l'église en train de parler au révérend Frémont, je suis tombé par hasard sur votre prochain député.

— Dieu vous entende, monsieur, dit Trent avec un petit rire.

Ross contint un mouvement de recul lorsque Campion traversa le hall et s'approcha de lui.

— Je suis passé au presbytère pour faire une donation. Hier, pendant l'office, le révérend Frémont a expliqué que maintenant que le nouveau toit est en place, il faut penser à remplacer les marches de béton qui sont usées, et à réparer les corniches de plâtre à l'intérieur. Tu te rappelles qu'il a dit cela, n'est-ce pas, Ross?

Ross le considéra avec froideur. Trent savait très bien

qu'il ne pouvait pas se rappeler les paroles du pasteur, puisqu'il n'était pas allé à l'église la veille. Etant donné le nombre réduit de fidèles que comptait la petite congrégation, le révérend Bristol devait le savoir aussi.

Maggie termina son travail et se leva, posant un regard troublé sur les trois hommes.

— Bonjour, papa. Ross... Trent...

Tom Bristol alla vers sa fille en ouvrant les bras, et Maggie contourna son bureau pour l'embrasser. Mais elle n'était visiblement pas à son aise.

— Bonjour, ma chérie. Ta journée se passe bien ?

— Très bien. Et toi ?

— Tout va bien, tout va bien, répondit-il d'un ton exubérant. Mais occupe-toi de Ross, ma chérie. Il est entré avant nous, et nous ne sommes pas pressés.

Bristol posa sur Ross un regard affable.

— Je suppose que vous êtes là pour une affaire concernant la police ?

Une affaire concernant la police ? Le regard de Ross passa de Maggie au révérend. Puis il vit le visage de Maggie s'empourprer, tandis que son père la regardait d'un air qui en disait long.

— Non, finit-il par répondre. J'étais juste passé inviter Maggie à déjeuner.

— Maggie ? dit Bristol, en se tournant vers sa fille sans se départir de son sourire.

Un sourire engageant, qui semblait néanmoins cacher quelque chose.

— Je... je ne peux pas, bredouilla la jeune femme. Je déjeune avec papa.

Ross éprouva un pincement de déception, mais il comprenait. Il ne leur restait plus qu'un jour à passer ensemble, avant que son père ne reparte dans le Colorado.

Il hésita un instant, espérant un peu qu'ils l'inviteraient à déjeuner avec eux… mais ils n'en firent rien. Ce qui n'était pas plus mal. Car en y réfléchissant, ce ne serait pas une très bonne idée de passer du temps avec le père de Maggie.

Certes il était souriant, amical… mais Ross avait saisi au passage le message muet qu'il avait fait passer à sa fille. Il y avait quelque chose qu'il ignorait.

— Eh bien, peut-être une autre…

— Excusez-moi, dit vivement Maggie, en se tournant pour appuyer sur le bouton de l'Interphone. Il faut que je prévienne Cy que je m'en vais et qu'il doit répondre au téléphone à ma place.

Ross la regarda, complètement dérouté. Pourquoi perdait-elle son sang-froid ? Puis il intercepta le sourire tranquille de Trent, qui demeurait à côté du révérend Bristol… et soudain, il comprit ce qui se passait.

Maggie avait la tête sur les épaules. Quand ils étaient seuls, elle lui laissait voir ce qu'il lui faisait éprouver. Son regard était doux, ses mouvements sensuels. Mais dès que son père se montrait, Ross redevenait *persona non grata*. Apparemment, le révérend Bristol ne le tenait pas en haute estime. En revanche, il avait une très bonne opinion du fils riche et sans caractère de Ben Campion. Et ils allaient tous déjeuner ensemble.

Ross rajusta son Stetson, et lança avec une feinte désinvolture :

— Très bien. Je ne veux pas vous faire perdre du temps.

Luttant contre un mélange de colère et d'indifférence, se répétant en vain qu'il n'était pas vexé, Ross se rendit chez Ruby et s'assit au comptoir. Le café était déjà bondé, et aussi débordant d'activité qu'une ruche.

— Une assiette de poulet frit, Sharon, dit-il à la jolie blonde qui venait de poser un verre d'eau fraîche devant lui.

— Quelque chose à boire ?

— Non, juste de l'eau, merci.

Ce fut le moment que choisit Ruby pour surgir derrière lui, et lancer d'une voix stridente :

— Je ne t'ai pas vu à l'église, hier.

— Je sais, répondit-il patiemment. J'avais des troncs d'arbres à débiter. Nous en avons perdu plusieurs pendant l'orage. Il n'y a pas eu de dégâts ici, n'est-ce pas ?

— L'électricité a été coupée pendant quelques minutes, et la cave inondée, mais c'est tout. L'eau n'est pas montée très haut, et elle a déjà été évacuée par la pompe.

— Bien. Tu n'as pas besoin de moi, puisque je suis là ?

Il perçut un rire rauque et sensuel derrière lui. Ruby se renfrogna, tandis que Brenda Larson quittait sa table pour venir s'installer à côté de lui, avec son assiette et son verre de soda. Elle se hissa sur le tabouret.

— Moi, j'aurai peut-être quelques services à te demander, roucoula-t-elle.

Ruby lui lança un regard noir, et déclara sans détour :

— Je n'ai pas besoin de lui, et vous non plus.

La clochette suspendue au-dessus de la porte tinta à l'entrée de nouveaux clients.

— Bonjour, révérend ! s'écria quelqu'un dans la salle.

— Content de vous voir, Tom ! dit un autre client.

L'arrivée de Maggie détourna l'attention de Ross l'espace d'un instant seulement. Presque aussitôt, il se retourna vers les deux femmes qui se dévisageaient d'un air hostile.

— Ruby Cayhill, pourquoi êtes-vous si méchante avec moi ? dit Brenda d'un air boudeur.

— Parce que vous avez besoin qu'on vous remette les idées en place, rétorqua Ruby. Vous êtes une gentille fille, Brenda. Mais tout ce que vous savez faire, c'est rouler des hanches pour affoler les hommes.

Ross poussa un soupir excédé.

— Tante Ruby ?

— Quoi ?

— Brenda est mon amie, et j'apprécierais que tu la laisses tranquille.

— Je me disais simplement qu'elle devrait savoir que tu as une nouvelle petite amie, et que tu as renoncé à toutes tes anciennes bêtises.

Vraiment ? Les choses avaient-elles changé ? A en

croire l'attitude du révérend et de sa bégueule de fille, cela n'était pas le cas.

— Ce n'est pas sûr, déclara-t-il en avalant une gorgée d'eau. Tu as vu ça ?

Il fit un signe avec son pouce, désignant un point derrière lui. Ruby jeta un regard circulaire dans la salle. Brenda fit de même, et repéra aussitôt la table à laquelle il faisait allusion.

Ruby eut un grognement de mépris.

— Tu n'as pas à t'inquiéter, pour Trent Campion. Tom Bristol ferait mieux d'être prudent avec ce jeune gredin. C'est le genre de personne à qui il vaut mieux ne pas serrer la main.

Elle fit mine de s'éloigner, mais s'arrêta brusquement et dévisagea Ross.

— Concentre-toi sur ton assiette, et ne fais pas de sottise.

Lorsqu'elle fut partie, Ross se tourna vers Brenda.

— Il y a du travail en ce moment au bureau d'assurances, Bren ?

— Oui, un peu.

Elle prit son verre et sourit, tout en sirotant son soda avec une paille. Une lueur moqueuse passa dans ses yeux de chat.

— C'est donc pour cela que tu avais l'air de si mauvaise humeur en entrant ici, dit-elle. Tu as les nerfs en pelote, à cause de la fille du pasteur ?

— Absolument pas, répliqua-t-il, agacé.

— Non ?

— Non, je te dis.

Brenda éclata de rire.

— Dans ce cas, ton problème est encore plus grave que je ne le pensais, cow-boy. Parce qu'à part elle, il n'y a que des hommes assis à cette table.

Le bruit strident d'une tronçonneuse déchirait l'air du soir. Maggie fit ralentir l'allure à la jument de Lila et la dirigea vers le chemin creusé d'ornières qui menait à la maison de rondins de Ross. Le soleil, encore haut dans le ciel dégagé, projetait ses rayons sur les feuillages luxuriants, sur les rondins enduits de vernis... et sur le dos nu et bronzé de Ross.

Maggie sentit son pouls s'accélérer. A une trentaine de mètres de la maison, dans la prairie verdoyante, Ross débitait un arbre à la tronçonneuse. Son pick-up noir était garé non loin de lui, et il semblait seul. Du moins, l'espérait-elle.

Il fallait qu'ils parlent en tête à tête.

Elle mit pied à terre, attacha la jument à la branche basse d'un petit arbre, et alla vers lui.

Pourquoi disait-on rarement d'un homme qu'il était « beau » ? se demanda-t-elle. C'était pourtant l'adjectif qui convenait pour décrire Ross, avec son Stetson, ses larges épaules, son dos puissant, ses bottes de cow-boy. Sa peau nue était luisante de sueur, de la sciure s'accrochait à son torse et à son jean délavé. Un tas de branchages sur sa gauche répandait un délicieux parfum de pin et de résine.

Elle le regarda brandir la tronçonneuse, scier une nouvelle branche…

La scie émit un son aigu, et s'arrêta alors qu'elle était à mi-chemin dans le tronc. Ross poussa un juron de contrariété. Puis il jura encore lorsqu'il voulut dégager la scie, et que la lame resta coincée dans le bois. Tout à coup, comme s'il avait brusquement perçu sa présence, il pivota sur lui-même.

Les muscles de son visage sombre étaient si rigides, qu'ils semblaient sculptés dans la pierre. Des gouttes de transpiration coulaient sur ses tempes.

— Bonsoir, murmura Maggie d'une voix incertaine.

Elle s'arrêta à quelques mètres de lui. Ross la regarda un long moment en silence, puis il lui rendit son salut, et prit un marteau et une longue cale de bois sur le sol.

Il introduisit la cale dans la fente du tronc et l'y enfonça à coups de marteau, jusqu'à ce que l'ouverture soit assez large pour qu'il puisse récupérer sa lame.

D'accord, songea Maggie. Il lui en voulait à cause de ce qui s'était passé la veille, et il avait raison. Avec son père qui surveillait le moindre de ses gestes, elle n'avait pas su comment gérer la situation. Et elle s'en était très mal sortie.

Il déposa la scie sur le sol et s'assit sur le tronc d'arbre abattu.

— Tu m'as manqué, dit-elle doucement.

— Tout entier? Ou seulement une certaine partie de moi?

Elle demeura muette, abasourdie.

— Comment oses-tu me parler comme ça? dit-elle enfin.

— Et toi, comment oses-tu me parler tout court? Tu n'as pas osé le faire quand ton père était en ville. Je suppose qu'il est parti, à présent?

Elle poussa un soupir, traversa le terrain jonché d'aiguilles de pin, et s'assit à côté de lui. Il n'allait pas lui rendre la tâche facile.

— Papa vient juste de partir à l'aéroport, annonça-t-elle, bien décidée à détendre l'atmosphère. Par chance il avait une voiture de location et nous n'avons pas eu besoin de la mienne. Le garagiste m'a dit que la solution la plus humaine était de lui offrir une sépulture décente et de continuer à vivre sans elle.

Ross ne fit pas un sourire, pas un commentaire. Il se contenta de laisser glisser son regard sur ses cheveux noirs, et sur sa chemise et son pantalon en chambray.

— Comment vas-tu? demanda-t-elle, faisant encore une tentative pour l'amadouer.

Il se leva, et alla prendre la chemise accrochée au rétroviseur extérieur du pick-up.

— Très bien.

— Ross, je t'en prie, ne fais pas cela. Si tu es en colère parce que je n'ai pas voulu déjeuner avec toi…

— Je ne suis pas en colère.

Il souleva la tronçonneuse et alla la déposer à l'arrière du pick-up. Puis il ouvrit la portière à l'avant, prit du savon, une serviette-éponge et un pantalon de jogging gris sur le siège, et se dirigea vers la crique.

— La colère est une perte d'énergie.

Maggie chercha en vain quelque chose à répondre, et finit par laisser libre cours à sa propre fureur.

— Comment peux-tu être aussi froid?

— Et toi, comment peux-tu être une telle menteuse? rétorqua-t-il sans s'arrêter.

Elle lui emboîta le pas.

— Je ne t'ai jamais menti.

— Non? Même pas quand tu m'as dit que tu te moquais de ce que les autres pensaient de moi? Tu as vite changé d'avis, quand ton père est arrivé.

— Je n'ai pas changé d'avis!

— Il a dû avoir les jetons, à l'idée d'avoir un gendre repris de justice. J'espère que tu l'as rassuré.

Furieuse, Maggie le suivit dans le sentier familier bordé de peupliers. Ils aboutirent dans la clairière, où les vestiges d'un feu de camp attendaient la prochaine fête.

— Ross, tu veux bien te retourner?

— Pourquoi?

— Retourne-toi! Cesse de marcher, cesse de parler, et écoute-moi! Mon père n'a pas dit un seul mot sur ton passé. Ce qui l'a contrarié, c'est que nous ayons couché ensemble.

Il retourna, déconcerté.

— Tu le lui as dit?

— Non, il l'a deviné. Mais j'ai reconnu que c'était vrai. Il était devant la porte de la cuisine, et il nous a vus nous embrasser, samedi. Il est… absolument opposé aux relations sexuelles en dehors du mariage.

Ross laissa passer quelques secondes. Puis, les sourcils

froncés, il accrocha son chapeau à une branche et s'assit près du feu de camp pour enlever ses bottes.

— C'est tout? demanda-t-elle, sidérée. Tu ne dis rien?

— Que veux-tu que je dise?

Puis, lui lançant un regard en coin, il ajouta :

— Il vaut peut-être mieux que tu t'en ailles?

— Je ne m'en irai pas tant que nous n'aurons pas eu une vraie explication.

— Comme tu voudras.

Il ôta ses chaussettes, les fourra dans ses bottes, puis se leva pour défaire sa ceinture.

— Ross, j'aurais voulu te voir, pendant qu'il était là. Je le voulais vraiment.

— Ça ne fait rien. De toute façon, j'étais trop occupé.

Excédée, Maggie leva les yeux au ciel. Pourquoi se souciait-elle de ce qu'il pensait, après tout?

Il défit la fermeture Eclair de son jean et le fit glisser sur ses jambes. Puis, uniquement vêtu d'un caleçon bleu foncé, il regarda Maggie dans les yeux.

— Alors, tu t'en vas?

— Non.

— Très bien, comme tu voudras. De toute façon, nous n'avons plus rien à nous cacher.

Il ramassa le savon et la serviette, lui tourna le dos, se dirigea vers la crique, et finit de se déshabiller.

Maggie le suivit sur la rive.

— Il m'a dit qu'il partirait si je te voyais pendant

qu'il était là. Ross, il faut que tu comprennes… c'est un pasteur.

— Et un sacré manipulateur !

Il pénétra dans les eaux tièdes. Au-delà de la cuvette où circulaient les eaux chaudes de la source, la petite rivière se transformait en cascade.

Maggie s'assit en tailleur dans l'herbe, à côté de l'eau. Le soleil pénétrait à travers les feuillages, et faisait luire les épaules de Ross tandis qu'il se savonnait.

— Je ne pense pas qu'il ait essayé de me manipuler, dit-elle doucement.

— Peut-être pas. Mais tu es sa petite fille chérie, et je suis un séducteur qui s'attaque aux jeunes vierges. Tu peux demander à n'importe qui, tu verras bien ce qu'on te répondra.

— Je te répète, dit-elle d'un ton sobre, qu'il n'est pas question de ta réputation, mais de la mienne.

— Qui sera détruite, si tu continues à me voir.

— Mais je te vois en ce moment, non ?

Ross éclata de rire, tout en se savonnant les épaules.

— Ah, oui ! En compagnie des écureuils, des geais et des rouges-gorges ! Tout le monde sait que ce sont d'incorrigibles bavards, et qu'ils iront raconter partout ce qu'ils ont vu.

Maggie sentit des larmes lui picoter les paupières.

— D'accord, murmura-t-elle. Cela suffit. Je n'ai pas besoin de ça.

Elle fit mine de se lever. Aussitôt, il lui attrapa le poignet, avec une expression de regret.

— Maggie, ne t'en va pas.

Elle dégagea sa main.

— Pourquoi pas?

— Parce que…

Tout à coup, son humeur vindicative s'évanouit.

— Parce que je suis le plus grand mufle que la terre ait porté, et… et parce que tu m'as manqué aussi.

Comme elle demeurait figée sur place, il ajouta à voix basse :

— Je suis vraiment désolé. Tu étais prise entre nous deux, j'aurais dû le comprendre. Que lui as-tu dit sur nous? ajouta-t-il en déposant le savon sur la rive.

Maggie se détendit, et se laissa retomber dans l'herbe. Elle avait dit à son père qu'elle aimait Ross Dalton, mais elle ne pouvait pas avouer cela à Ross, avant qu'il lui ait dit lui-même qu'il l'aimait. A supposer qu'il le lui dise un jour…

— J'ai essayé de lui faire comprendre que nous avions du respect l'un pour l'autre, et je lui ai dit que je ne me sentais pas du tout coupable. Mais il pense, lui, que c'est mal. Aussi, j'ai fait ce qu'il me demandait.

Elle chercha son regard, et enchaîna :

— Je suis désolée de t'avoir blessé. C'était plus facile pour moi d'espérer que tu comprendrais, plutôt que de discuter avec un homme qui a passé sa vie à prêcher la moralité. Il… il serait parti.

Ross pinça les lèvres. Son expression était grave.

— Tu as fait ce qu'il fallait. Je te l'ai déjà dit, la famille c'est important. Il ne fallait pas que vous vous quittiez fâchés.

Plusieurs minutes s'écoulèrent en silence. Leurs

doigts se touchèrent puis s'enlacèrent. Finalement, Ross murmura :

— Et maintenant ?

Maggie hésita longuement, incertaine. Puis elle suggéra :

— Tu pourrais me demander de te frotter le dos ?

Le sourire de Ross réapparut lentement.

— Je te l'ai déjà demandé la dernière fois que tu es venue, et tu as refusé.

Mais la dernière fois, elle n'était pas encore amoureuse de lui. Pas comme aujourd'hui. Maggie ôta ses bottes et ses chaussettes. Puis elle se leva, se débarrassa de tous ses vêtements, et entra dans l'eau.

Avec un soupir de plaisir, Ross la prit dans ses bras, et leurs lèvres se joignirent. La querelle était oubliée.

Ils interrompirent un instant leur baiser pour reprendre leur souffle, et se pressèrent l'un contre l'autre, le cœur battant de désir, après trois jours de séparation.

Maggie était assise sur les genoux de Ross, et ils se regardèrent longuement, intensément. Puis elle l'embrassa dans le cou, et sur les épaules.

— Fais-moi l'amour, chuchota-t-elle en remontant vers sa mâchoire, puis sur ses tempes.

— Pas ici, murmura-t-il en posant ses mains sur sa taille.

— Pourquoi ? Tu attends quelqu'un ?

— Non, mais j'ai laissé mon portefeuille à la maison, et je n'ai pas de protection ici.

Elle lui embrassa de nouveau les mâchoires, inspirant le parfum frais et citronné de son savon.

— Ça ne fait rien. Je ne suis pas dans une période à risque.

Il s'écarta et la contempla en souriant, avec un mélange de désir et d'amusement.

— Tu sais comment on appelle un couple qui se sert du calendrier comme méthode de contraception ?

— Je n'en ai pas la moindre idée ! répondit-elle en riant. Comment ?

— Des parents, répondit-il en soupirant. Pour l'instant, nous allons nous contenter de jouer dans l'eau.

Ses yeux pétillèrent, il reprit le savon et ordonna :

— Tourne-toi.

Maggie s'abandonna contre lui, tandis qu'il la massait avec l'eau savonneuse, faisant surgir sous ses mains une foule de sensations délicieuses. Finalement, il la fit pivoter de nouveau vers lui, et l'embrassa si passionnément qu'ils frissonnèrent. Cédant au désir de Maggie, il la laissa le caresser à son tour. Ils durent alors faire un effort surhumain pour ne pas s'unir sur-le-champ.

— Cela suffit ! déclara Ross en interrompant un nouveau baiser. Nous retournons à la maison. Si nous ne faisons pas quelque chose tout de suite, je vais exploser.

Ils sortirent de l'eau en riant et en s'éclaboussant, se rhabillèrent à la hâte, et allèrent à la maison, où ils gagnèrent tout de suite la mezzanine.

Les rayons du soleil couchant entraient à flots par la fenêtre, colorant les rondins de rose sombre. Il n'y avait pas de lit, mais le sac de couchage et l'oreiller de Ross étaient étalés sur le sol. Ils se couchèrent et s'enlacèrent, sans cesser de s'embrasser.

Leurs corps s'unirent et trouvèrent un rythme qui fit aussitôt surgir des frémissements de plaisir. Ils se laissèrent emporter tous deux vers le plaisir, agrippés l'un à l'autre, et cédèrent en même temps à la vague chaude qui les submergea.

Une longue minute s'écoula, avant que l'un d'eux ne se décide à parler. Puis Ross poussa un grognement sourd.

— Je ne peux pas bouger, gémit-il.

Maggie enfouit les doigts dans ses cheveux.

— Tant mieux. Je crois que nous devrions rester là jusqu'à demain. Peut-être même après-demain.

— Ce serait merveilleux. Sauf que…

— Sauf que quoi ?

Il roula sur le dos, lui passa un bras sous les épaules et l'attira contre lui en lui embrassant le front.

— Sauf que Lila finira par s'apercevoir que son cheval a disparu, et qu'elle partira à ta recherche.

Il marqua une pause, soupira, et reprit d'un ton de regret :

— En plus, il commence à se faire tard. Je ne veux pas te voir repartir à la nuit.

— Ne t'inquiète pas, je ne passerai pas à travers champs. Je prendrai la route.

— Quand même, je ne veux pas que tu partes à la nuit tombée.

— D'accord, marmonna-t-elle. Je vais partir tout de suite. Mais sans le cheval de tante Lila, je n'aurais pas de moyen de transport. Il faut que je trouve le temps d'aller acheter une voiture.

Elle voulut se lever, mais il la ramena vers lui.

— Hé? Tu ne viens pas de me dire que je devais ramener le cheval à la maison?

— Oui, confirma-t-il avec un sourire.

Mais il la fit rouler sous lui, et l'embrassa dans le cou.

— Mais je viens juste de me rappeler que je pouvais te suivre. Les phares éclaireront la route pour toi.

Maggie eut un rire de gorge et renversa la tête pour lui permettre de l'embrasser encore.

— Tu as beaucoup de bonnes idées, n'est-ce pas?

— J'essaye.

Un frisson lui parcourut le dos, tandis que les lèvres de Ross descendaient sur sa poitrine.

— Et tu réussis, murmura-t-elle d'une voix frémissante.

Chapitre 12

Le retour au Lazy J parut un peu étrange à Maggie. Elle éprouva une curieuse mélancolie. Ross avait insisté pour passer devant avec la jument de Lila, et Maggie suivait dans le pick-up. Les phares illuminaient son dos et ses larges épaules. Après l'intimité qu'ils venaient de partager, elle trouvait bizarre d'être si près de lui sans pouvoir le toucher.

Lorsque le cheval eut regagné son écurie, ils remontèrent lentement l'allée sombre, longeant les dépendances du ranch pour regagner le perron des Jackson. Les étoiles clignotaient dans le ciel, et la lune devenait de plus en plus ronde et brillante. Une brise tiède agitait les grands peupliers à côté de la maison, et les grillons faisaient entendre leur chant nocturne.

— Je ne sais pas encore combien de temps nous pourrons passer ensemble cette semaine, dit Ross à voix basse.

Il lui prit la main et continua :

— Pendant deux jours, nous serons occupés à tailler

les haies. Ensuite, il faudra que je trouve le temps d'aller chez Roy Lang m'entraîner un peu pour samedi.

— Chez Lang? Pour samedi? répéta-t-elle, sans comprendre.

— Roy élève des taureaux de rodéo. Il me laisse m'entraîner chez lui.

— Oh, je vois. Il y a un rodéo ce week-end pour la fête de Founder's Day. Quand nous avons déjeuné chez Ruby hier, Trent a dit que...

Maggie s'interrompit, regrettant aussitôt d'avoir prononcé ce nom.

— Trent a dit quoi?

— Rien. C'est sans importance.

— Allons, qu'a-t-il dit?

— Il m'a demandé si j'assisterais au rodéo. Et puis je crois qu'il a vu l'expression de mon père, et qu'il a compris que celui-ci désapprouvait cette activité. Aussi, il a changé de sujet.

— C'est bien un politicien.

— En fait, je crois qu'il l'a fait par pure politesse. Si tu avais été là, et que tu te sois aperçu que ce sujet ennuyait mon père, tu aurais aussi parlé d'autre chose.

— Peut-être. Mais je n'étais pas là.

— Non, dit-elle, en sentant la morsure de la jalousie. Tu étais au comptoir, en train de faire du genou à la fille du bureau d'assurances.

Ross garda le silence un moment, puis dit avec simplicité :

— Brenda est une amie.

Elle le savait très bien. C'était un des autres sujets que

Trent avait abordés… et par deux fois. Une fois hier, et une autre fois le jour où Ross avait aidé à changer le toit de l'église.

« N'en parle plus, lui souffla la petite voix intérieure. Il n'est pas avec elle ce soir, mais avec toi. Ne gâche pas la soirée avec cette histoire. »

Ils venaient d'atteindre le perron. Croisant les mains sur les reins de Maggie, Ross l'attira contre lui. Le contact intime de leurs corps aida Maggie à oublier l'existence de Brenda Larson.

En revanche, elle ne put chasser de son esprit l'image de Ross secoué en tous sens par le taureau, au cours du dernier rodéo.

— Je peux te poser une question ?

— Bien sûr.

— Pourquoi aimes-tu le rodéo ? Pourquoi fais-tu quelque chose d'aussi dangereux ? Tu pourrais être blessé gravement. Ou pire encore.

— Il y a des protections. Tout le monde porte un gilet pour protéger la cage thoracique, comme les joueurs de football. Et si un cavalier tombe à terre, les clowns sont là pour distraire le taureau et l'empêcher de le piétiner.

— Tu n'as pas répondu à ma question.

— Je sais.

Il observa un silence. La lumière pâle de la lune mettait en relief ses pommettes, et ses mâchoires carrées.

— Quand j'ai renoncé au jeu, j'ai eu besoin d'autre chose… j'allais dire de quelque chose de « moins dangereux » pour le remplacer. Mais ce n'est pas l'expression qui convient et je n'en trouve pas d'autre. Il n'y a rien de tel que de passer huit secondes sur le dos d'un taureau pour te rappeler que tu es vivant.

— Pour le moment, précisa Maggie d'un ton sobre.

— Tu vois, c'est toi la plus inquiète des deux, à présent. Pour en revenir au rodéo, quand je me suis rendu compte que je n'étais pas trop mauvais, j'ai envisagé de devenir professionnel. Tu sais, faire du rodéo pour gagner de l'argent. Kansas City, Albuquerque, Las Vegas…

Maggie fut saisie d'une peur soudaine. Allait-il quitter Comfort ? Partir sur la route ?

— Tu y penses toujours ?

— Non. Les compétitions locales me suffisent, et je ne pourrai pas atteindre un niveau de professionnel, de toute façon.

Il sourit, et la regarda avec douceur.

— En plus, je crois que j'ai trouvé autre chose pour m'éclater.

Maggie sentit la force de ses mains quand il l'attira contre lui, sentit la vague familière du désir lorsque leurs corps se lovèrent l'un contre l'autre et qu'elle l'enlaça. Ce n'était pas le « je t'aime » qu'elle attendait, mais il avouait qu'elle avait un certain effet sur lui, et cela la rassura.

— Tu iras à la compétition samedi, n'est-ce pas ? murmura-t-elle, le visage enfoui au creux de son cou.

— Bien sûr. Trent m'attend.

En effet, Trent l'attendait. Et s'attendait en fait à le battre à plate couture. Maggie se demanda brièvement quel champion Ross deviendrait s'il passait autant de temps que Trent à s'entraîner. L'homme qu'elle tenait dans ses bras avait une nature d'athlète. Il était doté d'équilibre, de grâce, et d'une bonne dose d'endurance. Il semblait pouvoir réussir dans n'importe quelle activité physique.

— Tu ferais mieux de rentrer, dit Ross en lui embrassant les cheveux. Moe doit être en train de chercher son fusil de chasse, en ce moment.

Maggie eut un rire léger.

— Je ne m'inquiète pas pour ça. Ses sentiments à ton égard ont changé depuis que tu m'as ramenée de Clearcut.

— Je l'espère. Je ne veux plus rien faire qui puisse gâcher notre amitié. J'ai déjà commis suffisamment d'erreurs.

Cette dernière remarque en disait long sur les sentiments qui agitaient Ross. Maggie comprit que son passé n'avait pas fini de le hanter.

— C'est pour cela que tu ne voulais pas me faire l'amour sans protection ?

— Aucun de nous n'a envie de connaître l'angoisse, une fois le moment de passion passé. Je laisse les bébés aux gars comme mon frère Jess.

— Pas de bébé, pour toi ?

— Non.

Elle éprouva un léger pincement au cœur, et recula la tête pour le regarder dans les yeux.

— Jamais ? Mais... tu es si adorable avec Lexi.

— Non, je n'en aurai jamais, répondit-il d'une voix mesurée. Je ne ferais ni un bon père ni un bon mari, Maggie. Si tu veux quelque chose de plus que ce que nous avons maintenant, je ne suis pas l'homme qu'il te faut.

Il se trompait. Il se trompait forcément. Quand Tod avait finalement reconnu que leur relation ne pouvait se poursuivre, elle avait été déçue, mais elle l'avait accepté, car elle était consciente que c'était la vérité. Tod n'avait jamais eu le désir d'avoir une famille.

Mais Ross… Ross était capable d'éprouver les sentiments profonds qu'exigeait ce genre d'engagement. Et elle ne connaissait pas beaucoup d'hommes qui avaient un rapport aussi remarquable avec les enfants.

— Qu'est-ce qui te fait si peur ? chuchota Maggie.

En un clin d'œil, son sourire insolent réapparut.

— A moi ? A moi qui suis capable de soumettre un taureau de trois cents kilos ? Rien.

— Je ne te crois pas.

Il eut un petit rire et déclara :

— Bon d'accord, j'ai peur des imitateurs d'Elvis, et j'ai peur d'oublier les paroles de la nouvelle chanson d'Alan Jackson. Ça te va ?

— Ross, arrête de faire l'idiot.

Son sourire insouciant s'effaça lentement, son regard se fit plus grave et s'attarda sur elle un long moment.

— Très bien, murmura-t-il. J'ai peur de toi. J'avoue qu'à certains moments tu me terrifies.

Parcourue de frissons, Maggie hocha la tête. Oui, elle comprenait très bien la nature de cette peur.

— Tu finiras par surmonter ce sentiment, dit-elle à voix basse. Comme je l'ai fait.

Mais y parviendrait-il ? se demanda-t-elle au moment même où elle prononçait ces mots. Il se pouvait que l'appréhension de Ross ne disparaisse jamais.

Comme pour lui montrer qu'il n'avait rien à craindre d'elle, elle posa les doigts sur sa joue et l'embrassa tendrement.

Mais sans qu'elle s'en rende compte, son baiser devint si insistant, si généreux, que l'anxiété de Ross sembla monter d'un cran. Elle comprit qu'elle n'avait fait qu'empirer les choses.

Il se sépara d'elle, et fit quelques pas en arrière.

— Je dois m'en aller.

— Je te verrai demain? demanda-t-elle d'une voix incertaine.

Ross la fixa, ne sachant comment répondre. Il avait l'impression que son cœur était comme un train emballé, sur le point de dérailler. Où avait-il la tête? Il suffisait de regarder cette femme dans les yeux pour comprendre que tout ce qu'elle voulait, c'était une relation à long terme. Ce qu'il ne pourrait jamais lui donner.

— Je ne sais pas. Peut-être. Comme je te l'ai dit, nous avons les foins à couper, aussi je ne serai libre qu'assez tard… en admettant que j'arrive à me libérer.

Elle feignit d'accueillir cette réponse d'un air impassible, mais Ross vit passer dans ses yeux une vague déception. Mais elle sourit et fit un signe de tête, avant de gravir les marches. Parvenue devant la porte, elle se retourna.

— Au fait…

— Oui?

— J'ai passé une soirée merveilleuse.

— Moi aussi, dit-il.

Et c'était cela le problème.

Ross la regarda entrer, puis retourna vers l'écurie où

son véhicule était garé. Cette soirée n'aurait jamais dû se dérouler comme ça. Il aurait dû la laisser repartir frustrée et furieuse de la crique. Parce que maintenant, après ce qui s'était passé, elle allait avoir... de l'espoir.

Il fallait mettre un terme à tout ça. Elle n'avait pas paru convaincue quand il avait dit qu'il n'était pas fait pour se marier et avoir des enfants. Ce n'était pas juste de lui laisser croire qu'il pouvait y avoir quelque chose de sérieux entre eux... alors que c'était impossible.

Ross grimpa dans son pick-up. Mais au lieu de le faire démarrer, il tourna simplement la clé dans le contact et lui fit descendre l'allée au point mort. Quand il fut assez loin de la maison pour que le bruit du moteur ne dérange pas les Jackson, il démarra et roula pleins gaz jusqu'à Brokenstraw.

Pendant tout le trajet, le parfum de Maggie qui s'attardait dans l'habitacle l'envoûta. Il n'eut plus qu'une pensée : retourner dans ses bras.

Ross ne put tenir parole et mettre un terme à sa relation avec Maggie. Moins de vingt-quatre heures plus tard, exténué d'avoir coupé les foins du lever du soleil jusqu'à la tombée du jour, et se maudissant de sa propre faiblesse, il prit le téléphone du ranch et composa le numéro du Lazy J. Maggie décrocha à la première sonnerie, et répondit d'une voix à la fois anxieuse et pleine d'espoir.

— Bonsoir, dit-il. C'est moi.

— Bonsoir.

Sa voix était douce et veloutée, emplie d'une chaleur qui pénétra Ross jusqu'au cœur.

— Vous avez fini les foins?

— Non, il nous reste encore un champ à faucher, puis dans un jour ou deux, quand il sera sec, il faudra former les balles. Je voulais juste… j'avais une minute de libre avant d'aller prendre ma douche, et j'en profitais pour t'appeler. Comment s'est passée ta journée?

— Eh bien, elle a été un peu bizarre. Mais nous en parlerons quand nous nous verrons.

Elle marqua une pause, et ajouta :

— N'est-ce pas?

— Vendredi? suggéra-t-il spontanément.

Il se mordit la lèvre, en songeant qu'il avait dû lui paraître un peu trop impatient. Pourquoi éprouvait-il tant de mal à rester éloigné d'elle? Pourquoi avait-elle une telle emprise sur lui?

— L'eau courante est raccordée à la maison, à présent. Et on me livre quelques meubles demain. Si tu veux, nous pourrons nous retrouver là-bas vendredi après dîner.

— Oui, ça me plairait beaucoup. Quelle heure te convient?

— N'importe quelle heure, après…

Jess entra dans le bureau, eut un sourire entendu, et ressortit aussitôt. Ross se rembrunit et tourna le dos à la porte.

— Je pense aller passer un moment chez Lang, mais je serai de retour à 8 heures. C'est d'accord?

— Parfait, dit-elle avec une nuance de soulagement dans la voix. Je te retrouverai à la maison.

— Super. A vendredi.

Ross raccrocha, en s'abreuvant d'injures. En même temps, il sentit son épuisement se dissiper. Vendredi. Il allait la revoir vendredi. Plus que deux jours.

Le vendredi soir, il venait juste de sortir de la douche quand il entendit Maggie arriver dans l'allée, avec un bon quart d'heure d'avance. Ross sauta dans son jean, prit une chemise propre et s'élança dans l'escalier verni de frais, tout en boutonnant ses vêtements.

Il sortit pieds nus sous le porche en rondins, inondé par les rayons roses et pourpres du soleil couchant, pour accueillir la superbe femme qui s'avançait vers la maison.

— Bonsoir, dit-il en lui prenant la main.

— Bonsoir.

Elle était habillée comme des milliers d'autres femmes dans le comté. Un jean, et un petit haut blanc à bretelles. Mais il y avait quelque chose d'incroyablement sexy dans la façon dont elle portait ces vêtements. Il engloba d'un regard les seins ronds et fermes, la taille fine, la courbe des hanches… Ses cheveux noirs, soyeux et parfumés, se balançaient sur ses épaules, et sa longue frange mettait en valeur ses yeux sombres. Ses bras étaient dorés, et le soleil illuminait son visage légèrement bronzé.

Le désir de Ross s'éveilla aussitôt. Il décela la même passion dans les yeux de Maggie.

— Bien, murmura-t-elle. Allons voir tes nouveaux meubles.

En cinq minutes, ils eurent fait le tour du salon, dans lequel se trouvait un canapé de cuir brun, encadré de deux petites tables basses.

En revanche, ils s'attardèrent beaucoup plus longtemps dans le loft, meublé d'un immense lit de bois et de rotin. Ils y demeurèrent jusqu'à ce que le dernier rayon de soleil eût disparu et que le chant régulier des grenouilles s'élevât au bord de la rivière.

Peu à peu, les soupirs s'apaisèrent, leur respiration se calma. Les draps retombèrent et ils se mirent à parler à voix basse. Ross alluma la lampe de chevet, et baissa l'intensité de l'ampoule au minimum.

— Alors, que s'est-il passé de bizarre au bureau, mercredi ? demanda-t-il d'une voix ensommeillée. Tu m'as dit que nous en parlerions aujourd'hui.

Elle sourit en entendant sa voix grave et rauque prendre ce ton d'intimité.

— Ben Campion est venu, et il a encore eu une discussion orageuse avec Cy, au sujet du meeting pour les élections. Encore une fois, c'est Ben qui a cédé devant Farrell.

— De quel meeting s'agit-il ? Et pourquoi Ben céderait-il devant Farrell ? Si Cy a le poste de shérif, c'est uniquement parce qu'il bénéficie du soutien de Campion.

La tête sur son épaule, Maggie fronça les sourcils, tout en lui caressant distraitement le torse.

— Je ne sais pas pourquoi. Il y a environ deux semaines, j'ai entendu Ben et Cy se disputer dans le bureau. Cy essayait de convaincre Ben d'investir de l'argent dans une collecte de fonds politique. Ben a refusé de payer, et alors Cy a déclaré que s'il n'y avait pas de meeting, Trent ne pourrait pas se présenter aux législatives. Que penses-tu de tout ça?

— C'est du chantage.

— C'est ce que je crois aussi. Quand Ben est sorti du bureau, il a dit à Cy : « Envoie-moi les chiffres, et j'y jetterai encore un coup d'œil. » Il a eu l'air réellement surpris, en se retournant, de voir que j'étais à mon bureau. C'est alors qu'il…

Les mots s'éteignirent sur les lèvres de Maggie, tandis qu'elle repassait les événements dans sa mémoire. Un détail auquel elle n'avait pas prêté attention surgit tout à coup.

— Tu sais, dit-elle, pensive. Je ne m'en suis pas rendu compte sur le moment, mais Ben tenait un rapport, ou quelque chose à la main, quand il est sorti du bureau de Cy. Cela ne pouvait pas être les comptes pour le meeting, puisqu'il a demandé à Cy de lui en envoyer une copie. Quand il s'est aperçu que je le regardais, il a plié les documents et les a glissés dans sa poche. Aussi, je me demande…

— Tu te demandes quoi?

Maggie s'assit sur le lit pour le regarder. Le drap retomba sur sa taille.

— Je me demande si ces papiers ne contenaient pas quelque chose l'obligeant à reconsidérer la demande de Cy? Si Cy voulait exercer un chantage sur lui, et que Ben ait opposé une résistance, Cy a pu lui montrer quelque chose, pour le remettre dans la droite ligne. Par exemple, la copie d'un document…

— Ou bien…, dit Ross en se dressant sur un coude pour caresser la rondeur d'un sein. Ou bien, Ben avait ces papiers sur lui en arrivant, et ils n'avaient absolument rien à voir avec la querelle qui les a opposés.

— C'est possible, admit Maggie.

Elle avait du mal à se concentrer, tandis qu'il explorait ses seins du bout des lèvres.

— Mais il y avait quelque chose de presque… Ross, arrête, j'essaye de réfléchir. Quelque chose de presque paranoïaque, dans la façon dont il a fourré ces papiers dans sa poche. Comme s'il ne voulait pas que je sache… ce que c'était.

Il prit un mamelon entre ses lèvres et le taquina doucement. Maggie poussa un petit soupir et ferma les yeux.

Elle enfouit les doigts dans les cheveux emmêlés de Ross et l'attira contre elle. Une drôle de sensation se propagea au creux de son ventre. Cet homme lui faisait éprouver des choses extraordinaires…

— Je croyais que tu voulais réfléchir ? murmura-t-il, un instant plus tard.

Maggie se laissa retomber sur le lit, et leurs jambes s'enlacèrent.

— Je réfléchirai plus tard.

Elle sourit, et lui offrit ses lèvres.

Le terrain était décoré par des bannières multicolores, et l'atmosphère de fête était rehaussée par la musique country, et les odeurs de hamburgers, de frites et de barbe à papa. Il y avait aussi quelques stands d'artisanat, mais la plupart des baraques étaient installées dans Frontier Street. Un peu plus tard, il y aurait une parade de chariots dans Prairie Street, avec des « trappeurs » et des « colons », et l'orchestre du lycée jouerait de vieux airs des pionniers.

Mais ici, le rodéo allait avoir lieu.

Les jeux de lassos s'étaient terminés vers midi, et d'après le programme que Maggie avait entre les mains, le vrai rodéo commencerait après un court entracte.

Elle grimpa les marches métalliques de l'estrade, en proie à un sentiment d'anticipation. Le prix de mille dollars ne suffirait pas à rembourser l'hypothèque de Ross, mais comme il avait encore besoin de meubles, cette somme tomberait à point.

Elle venait de s'asseoir au milieu d'une rangée, quand elle entendit quelqu'un l'appeler par son nom. Elle regarda autour d'elle, croisa le regard de Bessie Holsopple, et lui fit un signe de la main. Mais la voix qu'elle avait entendue, dominant la musique et le vacarme de la fête, appartenait à un homme. Elle aperçut Cy Farrell en grande conversation avec Ben Campion, et continua de scruter la foule.

— Maggie ! Par ici !

Elle baissa les yeux, et vit Trent se frayant un chemin dans la foule pour la rejoindre. Elle lui fit signe et lança :

— Bonjour. Belle journée, n'est-ce pas ?

— Oui, en effet.

Toujours aussi élégant, il portait encore une chemise à carreaux rouges, blancs et bleus, un jean et des bottes. Une fois de plus, il n'avait pas choisi ces couleurs par hasard, et Maggie se dit que Trent, ou plutôt le père de celui-ci, ne perdait jamais de vue ses objectifs politiques.

Ce qui lui rappela la menace de Cy Farrell de l'empêcher de se présenter. Quelque chose lui effleura l'esprit, une pensée fugitive au sujet d'une conversation qu'elle avait entendue la dernière fois qu'elle avait vu Trent au rodéo. Mais ce détail lui échappa avant qu'elle ait pu le retenir et comprendre sa signification.

— Vous êtes en avance, dit-il aimablement, en s'asseyant à côté d'elle. Je ne concours pas avant au moins une heure.

Maggie réprima un sourire incrédule. Quel ego !

— Je sais, dit-elle, mais comme j'ai payé cinq dollars pour me garer, je me suis dit que j'allais assister à tout le spectacle. Vous êtes tombé sur un bon taureau ?

— Je l'espère, dit-il en se rapprochant d'elle imperceptiblement. Il est difficile de gagner avec un mauvais.

Le parfum de son after-shave était si puissant que Maggie recula un peu.

— Savez-vous comment les juges attribuent les notes ?

— Non, avoua-t-elle, en s'efforçant de concentrer son attention sur lui, tout en cherchant Ross des yeux.

Celui-ci était censé la retrouver là juste avant le début de la compétition, mais elle ne le voyait nulle part.

— Non? reprit Trent en souriant. Alors, il faut que quelqu'un vous explique.

Une voix calme et profonde s'éleva juste derrière lui.

— Quelqu'un a déjà prévu de le faire.

Maggie et Trent se retournèrent en même temps, tandis que Ross prenait place sur les gradins, au-dessus d'eux. Maggie chercha son regard, et sentit son cœur se gonfler de bonheur.

Il portait une veste noire ouverte sur une chemise à carreaux verts, et un jean délavé. Son chapeau était repoussé en arrière, laissant échapper des cheveux châtains qui encadraient son visage viril à la perfection. Les deux journées passées dans les champs à couper les foins avaient hâlé son visage, et ses yeux paraissaient plus bleus que jamais.

La voix du présentateur résonna dans l'arène, et Maggie se rappela tout à coup qu'ils n'étaient pas seuls. Elle se retourna vers Trent.

— Les épreuves ne vont pas tarder à commencer. Voulez-vous les regarder avec nous?

Le regard vert et froid de Trent passa lentement de Maggie à Ross.

— Avec vous? Non, merci. J'ai autre chose à faire. J'ai entendu dire que tu étais tombé sur Cow-boy Lament, dit-il en fixant Ross d'un air glacial.

— Et toi sur Stampede. C'est un bon taureau.

— Non, répondit sèchement Trent. C'est le meilleur.

— Nous verrons bien.

Ross se leva, et Trent fut obligé de lui céder sa place.

Avec un brusque signe de tête à Maggie, il se faufila entre les spectateurs, et descendit les gradins d'un pas raide. Maggie se sentit un peu déstabilisée. Elle n'avait pas voulu faire de mal à Trent, ni provoquer sa colère. Mais il devait comprendre qu'elle ne pourrait jamais lui accorder autre chose que son amitié.

Car elle aimait Ross de toute son âme.

Puis Ross s'installa à côté d'elle, et elle ne pensa plus qu'à lui.

La première épreuve, avec des chevaux sauvages, fut très éprouvante pour les nerfs de Maggie, bien qu'elle ne connût aucun des participants. Elle était contente que Ross ne fasse pas partie des concurrents. Mais son soulagement fut de courte durée. Il ne tarda pas à la quitter, et elle écouta anxieusement les annonces du commentateur qui présentait la compétition de rodéo avec les taureaux. Les concurrents monteraient deux fois, et les cinq cow-boys finissant avec les meilleurs scores participeraient à la finale.

Le premier concurrent n'atteignit pas les huit secondes. Le deuxième passa ce cap, et obtint des notes honorables. Du moins, selon Jess, Casey et Ruby, qui étaient arrivés un peu en retard et s'étaient serrés sur le banc à côté de Maggie.

Puis ce fut le tour de Ross. Le cœur de Maggie battit

la chamade, jusqu'à ce que la sirène marquant le cap des huit secondes eût retenti. Il se laissa alors glisser à terre, et les clowns du rodéo ramenèrent le puissant taureau noir vers la sortie.

A la fin du premier round, Ross et Trent étaient en tête de la compétition. Ross devançait Trent de deux points.

Pour le deuxième tour, rien ne changeait, à l'exception des taureaux. Cette fois, les animaux étaient plus gros, et plus sauvages. Ross fit un parcours magnifique. Trent fut aussi très bon, mais demeura néanmoins à la deuxième place.

Lorsque les épreuves finales commencèrent, Maggie était si tendue que ses muscles en étaient douloureux. Un flot d'adrénaline se déversait dans ses veines. L'air était lourd et chargé de l'odeur forte des animaux et de la poussière.

Ross enfila son gant et se plaça sur les rails de métal au-dessus de la porte, alors qu'un énorme taureau jaune allait la franchir. Maggie se crispa, tandis que les assistants essayaient de maintenir l'animal pour permettre à Ross de l'enfourcher.

— Mon Dieu, chuchota-t-elle, le souffle court.

— Détendez-vous, dit Jess, en s'efforçant de cacher sa propre anxiété. Ross a déjà monté Brimstone et il le connaît bien. Ce taureau se met toujours à tournoyer sur la gauche, jamais à droite. Tout ira bien.

— Vous croyez ? demanda-t-elle, sans lâcher Ross des yeux une seconde.

Celui-ci se laissa tomber sur le large dos de l'animal.

Les portes s'ouvrirent largement, et Brimstone débarla dans l'arène comme une fusée. Il y eut une clameur dans la foule, et Maggie comprit instantanément à la réaction des commentateurs que quelque chose n'allait pas.

Jess se leva d'un bond, en hurlant.

— Quel est le crétin qui a ouvert la porte ? Il n'avait pas encore la corde en main !

Horrifiée, Maggie regarda le taureau ruer, puis tournoyer, en essayant de se débarrasser de son cavalier. Ross se cramponna à la corde, tout en serrant les flancs de l'animal avec ses jambes, et en balançant sa main libre aussi bien pour l'équilibre que pour le style.

La voix du présentateur hurlait dans le micro.

— Quelle belle performance, pour quelqu'un qui n'était pas prêt quand il a pris le départ ! Et regardez la taille de l'animal ! C'est un sacré gaillard. Tiens bon, Ross, tu vas arriver aux huit secondes !

Une fraction de seconde plus tard, le taureau vira soudain sur la gauche, et Maggie poussa un cri étranglé.

D'un brusque mouvement de tête, le taureau projeta Ross en l'air. Celui-ci s'écrasa contre la porte métallique.

Chapitre 13

— Ross ? Ross !

Maggie joua des coudes pour se faufiler entre les hommes qui s'agglutinaient à l'entrée du bureau situé sous la tribune. Il lui avait fallu plusieurs minutes pour parvenir devant la petite pièce dans laquelle on avait transporté Ross, et elle avait la gorge nouée d'anxiété. Jess suivait sur ses talons, en lui répétant que Ross n'était pas gravement blessé, qu'il avait juste été secoué. Mais ses paroles manquaient de conviction.

Elle savait qu'il était tout aussi inquiet qu'elle.

Son inquiétude augmenta quand elle vit Ross, assis dans un petit canapé en vinyle vert. Ses cheveux retombaient en désordre sur son front et ses bras étaient allongés le long de son corps. George Hellstrom, le vieux médecin généraliste de Comfort, examinait ses pupilles à l'aide d'une petite lampe électrique.

Trent lui barra le chemin, l'air irrité.

— Maggie, restez là et laissez le Dr Hellstrom l'examiner.

Maggie s'écarta vivement.

— Trent, si vous ne me laissez pas passer tout de suite, je…

— Tout ce que je vous demande, c'est de ne pas vous approcher pendant que…

— Tu ferais mieux de la laisser entrer, Trent, lança le médecin avec un petit rire. J'ai l'impression que rien ne l'arrêtera, et ce canapé sera un peu petit pour deux, si elle t'assomme.

Maggie se précipita vers Ross, s'accroupit à côté du canapé, et glissa la main dans la sienne. Il baissa les yeux sur elle, et elle y vit un mélange de douleur, de frustration, et de colère.

— Comment te sens-tu ? demanda-t-elle.

Elle n'obtint pas d'autre réponse qu'un froncement de sourcils. Elle lança alors un coup d'œil nerveux au médecin aux cheveux blancs qui l'avait mise au monde.

— Docteur, qu'en pensez-vous ?

— Ne t'inquiète pas, Maggie. Le vol plané a l'air de lui réussir. Quoique… il devra un peu s'entraîner pour l'atterrissage, s'il a l'intention de recommencer.

— Mais le choc a été si violent…

Le médecin hocha la tête.

— Il est un peu assommé, mais ses pupilles réagissent bien. Je pense qu'il a une légère commotion.

Le médecin s'adressa à Ross d'un ton un peu plus grave.

— Vous êtes sûr que vous n'avez pas changé d'avis,

pour la radio ? Un bref passage à l'hôpital ne peut pas vous faire de mal.

— Je me sens bien.

— Ross, s'exclama Maggie, si le docteur pense que tu devrais…

— Je me sens bien, répéta-t-il fermement.

Le Dr Hellstrom haussa les épaules d'un air fataliste.

— Vous risquez d'avoir mal à la tête pendant quelque temps, dit-il.

Il prit quelques échantillons d'antalgiques dans sa trousse, et les glissa dans la poche de chemise de Ross.

— Vous pouvez en prendre deux, si le besoin s'en fait sentir.

Le diagnostic rassurant de Hellstrom se propagea dans la foule massée devant la porte, et des murmures de soulagement s'élevèrent, mêlés aux bruits et à l'agitation provenant de l'arène. Les groupes se dispersèrent, et plusieurs cow-boys lancèrent à Ross des paroles d'encouragement avant de regagner les gradins.

Ces marques de soutien réconfortèrent Maggie. Depuis que Ross avait participé à la réparation du toit de l'église, elle avait remarqué un changement subtil dans l'attitude des gens vis-à-vis de lui. De plus en plus souvent, les sourires remplaçaient les regards de méfiance. Certains, qui autrefois lui battaient froid, venaient lui serrer la main.

Tout à coup une voix timide, au timbre inconnu, interrompit les pensées de Maggie.

— Je suis content que tu ne te sois pas fait trop de mal.

Le regard de Ross se durcit, et il observa en silence le petit homme maigre qui se tenait devant la porte. Crispant les doigts sur un vieux chapeau de cow-boy tout cabossé, l'homme entra d'un pas hésitant.

Intriguée par la froideur de Ross, Maggie observa Jess du coin de l'œil. Ce dernier dardait un regard noir sur le visiteur, un homme d'une trentaine d'années qui sentait le whisky à plein nez et ne s'était visiblement pas rasé depuis des semaines.

— C'est toi qui as ouvert au taureau, Dooley?

L'homme hocha la tête d'un air pitoyable.

— Dieu m'est témoin, Jess. Je l'ai entendu dire « go », comme il le fait toujours pour signaler qu'il est prêt.

Ross se leva d'un bond, et retomba aussitôt dans le canapé avec un gémissement.

— Dooley, tu n'es qu'un sale menteur. Je n'ai rien dit, pour la bonne raison que j'étais en train d'affermir ma prise sur la corde.

— Mais je suis sûr d'avoir entendu...

Jess agrippa l'homme par le col de sa chemise, et le souleva, l'obligeant à tenir en équilibre sur la pointe des pieds.

— Tu as entendu quelque chose. Et c'était le froissement des billets de banque!

— Non, non! C'était un accident, je le jure!

Le Dr Hellstrom intervint calmement.

— Ce n'est ni le lieu ni le moment, Jess. J'ai un patient ici, qui a une commotion. Il lui faut du calme.

Jess se figea, puis acquiesça d'un hochement de tête et relâcha le cow-boy qui ouvrait de grands yeux affolés.

— F... le camp d'ici, grommela-t-il. Et je ne veux plus jamais te voir approcher de l'arène quand tu as un verre dans le nez.

Dooley fila sans se faire prier, et Hellstrom soupira en remettant son stéthoscope et son pinceau lumineux dans sa sacoche. Comme Ross s'agitait, il dit :

— Vous feriez mieux de rester là en attendant que ça aille mieux, mon garçon. Et si vous commencez à avoir des nausées, des pertes de mémoire, ou la vue brouillée, il faut filer à l'hôpital sans tarder. C'est bien compris ?

Ross garda le silence, et Maggie répondit à sa place.

— Il ira. Je m'en occupe.

— Bien. C'est ton patient à présent, Maggie. Oblige-le à rester tranquille un moment.

Hellstrom s'arrêta sur le pas de la porte pour une dernière mise en garde.

— N'oubliez pas de fermer la porte à clé en partant. Le comité me tuera si cette pièce reste ouverte.

Une fois le médecin parti, Jess s'approcha de Ross avec un sourire narquois.

— Tu as quand même accompli une belle performance, si on tient compte des circonstances.

— Mais je n'ai pas tenu les huit secondes, n'est-ce pas ?

Jess secoua la tête en signe de négation. Il laissa passer quelques secondes, puis déclara d'un ton morne :

— Dooley prétend que c'était un accident.

— C'est ça. Et moi, je suis le pape. Tu sais comme moi que Dooley est un lâche et un ivrogne, prêt à faire n'importe quoi pour quatre sous. Je n'ai pas annoncé que j'étais prêt, et il n'a pas ouvert cette porte trop tôt sans raison.

— D'accord, concéda Jess. Je vais faire mon enquête. Quelqu'un a peut-être vu quelque chose. En attendant, je vais prévenir Casey et tante Ruby que tu n'as rien de grave.

— Merci. Et merci de ta présence.

Quand Jess fut sorti à son tour, Maggie s'assit à côté de Ross dans le canapé. La poussière de l'arène collait à ses vêtements et maculait son visage. Son Stetson, posé sur le bureau, était aussi en piteux état.

— Tu te sens vraiment bien? demanda-t-elle avec douceur.

— Oh, oui. C'est épatant. La prime de mille dollars vient de me passer sous le nez, pour atterrir dans la poche de Trent Campion. Je n'ai jamais été aussi content.

— Je peux faire quelque chose pour toi? Aller te chercher quelque chose à boire?

— Non. Je voudrais juste rester seul un moment.

— Je ne crois pas que ce soit une très bonne idée.

— Moi, si. Retourne sur les gradins assister à la victoire éclatante de l'héritier. Il est sûr de remporter le prix à présent, et il veut avoir un public pour voir ça.

D'où venait cette amertume? songea Maggie en observant l'expression froide de Ross. Que cachait-il sous cette attitude distante?

— Tu penses que Trent n'est pas étranger à ton accident?

Ross se leva, grimaça de douleur, et s'appuya d'une main sur le bureau pour reprendre son équilibre.

— Cy ne te laisse pas porter le badge, mais tu as tout de même une formation de shérif adjoint. Alors, réfléchis. Tu connais quelqu'un qui a plus à gagner que Trent, dans cette histoire ?

— Cela n'a aucun sens. Pourquoi aurait-il payé Dooley pour te faire perdre ? Les Campion sont richissimes. Trent n'a pas besoin de ces mille dollars.

— Il ne l'a pas fait pour l'argent, rétorqua Ross avec colère. C'est pour leur publicité personnelle. Je te l'ai déjà dit, Ben et Trent ont fabriqué cette… cette image, depuis que Trent est parti à l'université. Il gagne des rodéos, milite pour le respect de l'environnement, se montre à des événements comme le remplacement du toit de l'église… Tout cela pour donner aux électeurs l'image d'un gentil garçon américain.

— Mais de là à payer quelqu'un pour gagner un rodéo local, cela me paraît tiré par les cheveux. Tu es sûr que tu n'es pas…

Elle renonça à aller au bout de son idée, et murmura :

— Je n'ai rien dit, n'en parlons plus.

Les yeux de Ross s'assombrirent comme un ciel d'orage.

— Tu penses que je me fais des idées ? Que je suis vexé d'avoir perdu ? C'est ce que tu allais dire ? Tu te trompes, Maggie. Je sais perdre, quand cela m'arrive. Mais j'ai du mal à l'accepter quand je sais que les dés ont été truqués. Maintenant, va retrouver Jess et Casey. Je te rejoindrai plus tard, sur les gradins.

Maggie secoua la tête en signe de refus.

— Je ne te laisserai pas seul.

— D'accord, dit-il en prenant son chapeau. Alors, je m'en vais.

Il sortit en trombe. Elle fit mine de le suivre, mais il s'arrêta brusquement et pivota sur ses talons.

— Bon sang, Maggie, je me rends aux toilettes. Et si ça ne te fait rien, je préfère y aller seul.

— Ross, il y a un vestiaire et des toilettes dans cette pièce.

Pour toute réponse, elle obtint un regard noir. Elle poussa un soupir résigné, et le regarda s'éloigner en espérant qu'il n'irait pas chercher querelle à Trent ou à Dooley.

S'il faisait cela, Cy ne serait que trop content de le remettre en cellule, commotion ou pas. Or, il n'avait pas besoin de cela, en plus.

Surtout au moment où les gens commençaient juste-ment à revoir leur jugement sur lui.

Maggie fit tourner la clé dans la serrure, et vérifia que la porte était bien fermée. Puis elle alla retrouver Jess et Casey, en se reprochant intérieurement de ne pas mieux veiller sur son protégé.

La dernière directive que le médecin lui avait donnée, c'était de calmer Ross et de le faire tenir tranquille. Elle avait lamentablement échoué dans cette mission.

Lorsque Ross les rejoignit enfin vingt minutes plus tard, ils avaient tous les nerfs à vif. Mais personne n'osa lui demander où il était allé et ce qu'il avait fait. En fait, songea Maggie, il aurait mieux valu qu'il ne revienne pas du tout. Car il arrivait pile à l'heure pour la cérémonie de remise des prix.

La voix du présentateur résonna dans l'air lourd de fin d'après-midi. Il nomma les gagnants des diverses compétitions et demanda à la foule de les applaudir. Trent s'avança d'un air humble au centre de l'arène, avec les autres concurrents. Les spectateurs applaudirent et on entendit le cliquetis des appareils photo. Ben Campion, qui était le président du comité des fêtes, remit cérémonieusement à son fils le chèque du gagnant.

Ensuite, ce fut le tour de Trent de prendre le micro pour remercier les spectateurs de leur soutien et de leurs encouragements. Il annonça alors qu'il faisait don de cette somme, plus l'équivalent pris sur sa bourse personnelle, au club de rodéo de la ville.

Les électeurs poussèrent des cris enthousiastes.

Ross, lui, poussa un soupir d'écœurement, tandis que Harry Atkins, le journaliste de la *Prairie Voice,* prenait des photos et que la foule continuait d'applaudir.

— Désolé, mais c'est vraiment trop pour moi. Je m'en vais.

Sa famille murmura quelques mots de compréhension, et Maggie s'approcha de lui. Il était prévu qu'ils se réunissent tous chez Ruby pour dîner après la cérémonie, mais Maggie n'avait plus tellement d'appétit.

— Je peux te tenir compagnie ?

Il parut se détendre légèrement, et répondit à voix basse :

— Je veux bien... si je ne t'ai pas trop découragée, avec mes explosions de colère.

Maggie se haussa sur la pointe des pieds, l'embrassa doucement sur la bouche, et sourit en voyant son air étonné. Comment pouvait-il croire qu'elle était découragée ? Elle l'aimait. Et s'il concevait vraiment des soupçons au sujet de Trent, sa colère était légitime.

— Tu embrasses le mauvais garçon de la ville ? demanda-t-il. Devant tout le monde ?

— Devant tout le monde, et même devant Dieu, confirma-t-elle.

Elle savait qu'il faisait allusion à la fois où il l'avait accusée d'attendre pour l'embrasser que les seuls témoins soient les écureuils et les oiseaux de la forêt. C'était peut-être vrai à ce moment-là, admit-elle avec un brin de culpabilité. Mais ça ne l'était plus. Son amour pour Ross se renforçait de jour en jour.

Ils firent un petit signe d'adieu à Jess, Casey et Ruby, puis se dirigèrent vers le champ où les véhicules étaient garés. Mais au moment précis où Maggie se prenait à espérer que la journée ne serait pas complètement gâchée, ils tombèrent nez à nez avec de nouveaux ennuis. Un terrible sentiment d'appréhension fondit sur elle.

Cy Farrell et Mike Halston attendaient, postés à côté du pick-up de Ross.

Maggie sentit ce dernier se crisper, et elle espéra qu'il parviendrait à contenir sa colère.

— Un problème, Cy ? demanda-t-elle alors qu'ils parvenaient à la hauteur des deux hommes.

— Peut-être, répondit le shérif en ôtant ses lunettes de soleil. Tu veux bien ouvrir la portière du véhicule, Ross ?

— Vous voulez bien me dire pourquoi ?

— Quelqu'un a emporté la caisse qui se trouvait dans le bureau du comité.

Le regard de Ross se durcit.

— Vous fouillez tous les véhicules ou uniquement le mien ?

Maggie décocha un regard de côté à Mike et celui-ci détourna les yeux, visiblement mal à l'aise.

— Je te conseille d'ouvrir. Je te demande de le faire par courtoisie, mais je pourrais le faire moi-même.

— Vous n'avez pas de mandat ?

— Non, mais j'ai un motif raisonnable. Il n'y avait pas de trace d'effraction, et selon le Dr Hellstrom tu es la dernière personne à être restée dans cette pièce, en dehors de ma toute nouvelle adjointe. J'ai confiance en Maggie, mais pas en toi. Ouvre.

Ross le foudroya du regard et passa devant lui.

— C'est ridicule. Je n'ai pas approché de ce bureau après que nous en sommes sortis, Maggie et moi.

Il ouvrit la portière qui n'était pas verrouillée. Puis il blêmit. Le cœur de Maggie sombra. Le coin d'une boîte métallique grise était visible, sous le siège du conducteur.

Farrell sembla presque aussi abasourdi que Ross. Il se ressaisit rapidement, et s'adressa à Halston.

— Prends-la.

Halston prit un mouchoir dans sa poche et s'en servit pour sortir la boîte de l'habitacle.

— Elle n'a pas été ouverte, dit-il.

— Bien.

L'air toujours profondément étonné, Farrell se tourna vers Ross et lui énonça ses droits.

Mais depuis le temps qu'elle travaillait à ses côtés, Maggie finissait par bien connaître Cy. Elle comprit qu'il hésitait à arrêter Ross. En fait, si elle ne se trompait pas, Cy ne s'attendait pas à faire cette découverte. Il jouait simplement à un de ses jeux favoris, qui était de harceler Ross Dalton.

Le sang se mit à battre aux tempes de Maggie. Est-ce que quelqu'un avait vu Ross, pendant le laps de temps où ils s'étaient séparés, cet après-midi ? Quelqu'un pouvait-il témoigner en sa faveur ? Il y avait au moins un point positif : on ne trouverait pas ses empreintes sur la caisse métallique.

Mais cet espoir s'effondra quand elle se rappela qu'il portait un gant de cuir pour l'épreuve de rodéo. Donc, l'absence d'empreintes serait facilement expliquée.

Tandis que Farrell finissait de lui énoncer ses droits, Maggie réfléchissait à toute allure. Cy avait parlé d'elle comme de sa « toute nouvelle adjointe ». Cela signifiait qu'il avait décidé de l'engager, au détriment du fils de Harvey Becker. Le moment était bien choisi.

Très bien choisi.

Prenant une profonde inspiration, Maggie s'écarta du pick-up et de Ross. Farrell avait pris sa décision, il fallait maintenant qu'elle prenne la sienne.

Même si c'était difficile.

Elle croisa le regard de Ross, et vit l'expression d'animal traqué qu'il tentait de dissimuler sous sa colère.

— Je croyais te connaître, dit-elle froidement. Comment as-tu pu faire une chose pareille?

La douleur et la stupéfaction qui apparurent dans les yeux de Ross l'accablèrent.

Trois heures plus tard, Maggie remercia Mike Halston, puis redressa les épaules et traversa le hall de réception pour se rendre dans le couloir qui longeait les cellules. Farrell était parti dîner, et elle avait réussi à convaincre Mike qu'elle voulait voir Ross pour mettre un terme une fois pour toutes à leur relation.

Elle fut frappée par une impression de « déjà-vu », quand elle le vit allongé sur sa couchette, avec ses vêtements encore poussiéreux, comme le premier jour où il avait déboulé de nouveau dans sa vie.

Il avait rabattu le bord de son Stetson sur ses yeux. Elle était certaine qu'il l'avait entendue entrer, mais il ne broncha pas, l'obligeant à parler la première.

— Ross?

— Sors d'ici.

Maggie s'approcha des barreaux et débita rapidement, à voix basse :

— Pas avant de t'avoir expliqué pourquoi j'ai dit cela tout à l'heure. J'avais une bonne raison.

— C'est tentant, mais j'ai déjà entendu ce petit air, et il ne m'a pas beaucoup plu la première fois.

Oui, il l'avait déjà entendu. Le jour où son père avait fait pression sur elle pour qu'elle ne le revoie pas.

— Ross, écoute-moi, je t'en prie. Je vais tout t'expliquer.

— Va l'expliquer à quelqu'un d'autre. Je ne veux plus te voir.

Des larmes surgirent sous les paupières de Maggie, et soudain, elle se sentit si blessée et si furieuse… qu'elle comprit exactement ce qu'il ressentait. Si elle avait eu une autre façon de régler le problème… Mais il n'y en avait pas.

— Eh bien, moi, je n'en ai pas encore fini avec toi, répondit-elle en s'efforçant de contrôler le tremblement de sa voix. Si je n'avais pas fait semblant de te lâcher, je n'aurais pas obtenu la confiance de Cy, et je n'aurais plus mon job ici. Or, j'ai besoin de ce job si je veux t'aider.

Il eut un rire de dérision.

— J'ai quelques idées sur ce qui se passe, mais il faut que j'aie accès à ce bureau pour les vérifier. Je crois… je crois que si Trent a payé Dooley comme tu le penses, il se peut qu'il soit aussi à l'origine de ce vol. Je ne sais pas trop pourquoi il a fait cela. Il est peut-être jaloux de ma relation avec toi, ou bien il t'en veut encore pour l'incident du cheval que tu l'as vu battre. Ou bien les deux. Mais d'après moi, il lui suffisait pour se venger de te faire perdre le rodéo. Il voulait t'humilier.

Maggie attendit qu'il fasse un commentaire. Elle espérait un peu qu'il se lèverait et discuterait avec elle, approuvant sa théorie. Mais quand plusieurs minutes se furent écoulées sans qu'il ait réagi, elle poussa un soupir de frustration.

— Tu ne veux rien dire ?

Il souleva légèrement le bord de son chapeau et darda sur elle son regard bleu et dur.

— Si. Au revoir.

— Très bien, murmura-t-elle, luttant contre les larmes. Si tu ne veux pas comprendre, tant pis. Mais il faut que tu m'écoutes, Ross. Je… tu es très important pour moi. Et je ne te laisserai pas payer pour un acte que tu n'as pas commis.

Quand elle revint dans le hall, Mike était assis à son bureau. Son visage exprimait la sympathie, et quelque chose ressemblant à… de la curiosité, peut-être. Il se leva, contourna le bureau, et lui tendit quelques mouchoirs en papier. Maggie s'essuya les yeux et eut un sourire contraint.

— Désolée.

— Ça va aller ?

— Il faudra bien.

Elle aurait voulu demander à Mike de permettre à Ross de prendre une douche. Et aussi de lui donner des comprimés contre la douleur s'il avait encore mal à la tête. Mais elle aurait eu l'air de s'inquiéter pour lui.

— Quand doit-il passer devant le juge ?

— Pas avant lundi, à 3 heures.

— Qui le représentera ?

— Mark Walker. Il est arrivé dix minutes après que Ross a appelé Jess.

Brave Jess. Mais Ross allait rester en garde à vue jusqu'à lundi. Lorsqu'il aurait vu le juge, il serait certainement libéré sous caution. Mais le fait de rester en cellule ce soir et toute la journée du dimanche serait terriblement frustrant pour lui. La gorge de Maggie se noua.

— Il faut que je m'en aille, dit-elle. A bientôt.

— Bonsoir, Maggie. Et si tu as besoin d'une épaule sur laquelle t'épancher…

Maggie lui lança un regard de surprise, et les joues de Mike s'enflammèrent.

— Non, pas moi… quoique j'y aie pensé…

Une expression grave passa dans son regard, et il enchaîna :

— Je voulais parler de Trent. Ben et lui sont passés un peu plus tôt. En partant, Trent m'a demandé comment tu allais.

La seule pensée de s'appuyer sur l'épaule de Trent lui souleva le cœur.

Elle avait passé les trois dernières heures à essayer de démêler tout ce qu'elle savait sur Ben, sur Trent et sur Cy. Toutes les choses bizarres qu'elle avait vues et entendues pendant un mois et demi étaient liées. Elle en était sûre. Et elle en était arrivée à la conclusion qu'en éclaircissant le mystère sur l'association de Ben avec Cy, elle obtiendrait la liberté pour Ross.

N'importe quel officier de police pouvait voir que tout cela était un coup monté. Aucun voleur, même pas le plus novice, n'aurait l'idée de voler quelque chose, de le placer dans son véhicule dont les portes n'étaient pas verrouillées, puis de retourner tranquillement dans l'arène, en attendant que quelqu'un s'aperçoive qu'un vol avait été commis.

Donc, pourquoi Cy ne cherchait-il pas le vrai coupable?

— Maggie? Quelque chose te tracasse?

Maggie s'efforça de revenir au moment présent, et secoua la tête.

— Non, je suis juste fatiguée. J'ai eu une journée nulle. A demain, Mike.

Entre son inquiétude pour Ross, la peine que lui causait son attitude envers elle, et les plans qu'elle échafaudait pour le faire libérer, Maggie eut du mal à dormir cette nuit-là.

Elle se sentait coupable aussi de ne pas aller le voir dimanche. Mais elle n'était pas censée travailler ce jour-là, et sa présence au bureau du shérif aurait pu laisser penser qu'elle était du côté de Ross. Il ne fallait pas que Mike ou Farrell la soupçonnent de s'intéresser à lui.

Il était possible, cependant, que Mike ait deviné quelque chose. Ce qui expliquerait les regards sceptiques qu'il lui lançait.

Lorsque le lundi matin arriva, Maggie avait établi une longue liste de questions susceptibles de convaincre Ross qu'elle le soutenait. S'il le comprenait, il pourrait l'aider à combler certaines lacunes dans son raisonnement. Elle avait passé onze ans dans le Colorado, mais Ross, lui, n'avait jamais quitté Comfort. Certains de ses souvenirs pourraient leur être utiles.

Quand Mike et Cy sortirent, juste après le déjeuner,

Maggie s'empressa de passer dans la prison. Ross ne réagit pas en la voyant entrer, et Maggie ne lui adressa pas la parole. Elle se contenta de faire passer ses notes entre les barreaux, après quoi elle ressortit sans attendre.

Elle avait inscrit plusieurs questions sur ces papiers, et y avait ajouté son avis personnel et ses réponses. La première des questions étant : pourquoi Trent avait-il voulu tendre un piège à Ross ?

La première réponse qu'elle avait trouvée était la jalousie. Trent semblait avoir des vues sur elle. Une relation avec la fille d'un pasteur le servirait peut-être dans son parcours vers le mandat de député ?

Autre question : pourquoi Ben avait-il voulu à tout prix étouffer l'affaire du cheval battu par son fils ? Par fierté ? Ou bien de crainte que ses grands projets pour Trent n'en pâtissent ?

Cette question aboutissait forcément au fait que Trent pouvait avoir commis d'autres délits, que Ben avait aussi dissimulés. Quant à Cy, s'il avait couvert les méfaits de Trent pour faire plaisir à Ben, il pouvait aussi agiter cette menace au-dessus de sa tête. Des révélations de sa part anéantiraient l'avenir politique de Trent.

Sauf que ces accusations à retardement seraient aussi fatales à Cy. Le fait de dissimuler des preuves était un délit très grave.

La dernière question qu'elle avait inscrite sur la feuille la faisait trembler d'appréhension. Trent avait-il quitté le bureau du comité avec les autres ? Elle avait concentré toute son attention sur Ross, et ne s'était plus occupée de lui. Se pouvait-il qu'il soit resté caché dans le bureau, après que tout le monde fut parti ?

Maggie laissa passer plusieurs minutes, puis elle retourna vers les cellules et jeta un coup d'œil par la petite fenêtre grillagée. Il était en train de lire. Elle attendit qu'il ait fini, puis se glissa dans le couloir, en laissant la porte entrouverte. Si Cy, ou Mike, revenait à l'improviste elle pourrait toujours dire que Ross lui avait demandé d'appeler son avocat.

— Alors, est-ce que tu as des idées ? demanda-t-elle doucement.

Ross leva les yeux, mais son regard n'avait rien d'amical. Maggie le comprenait. Elle lui avait fait du mal par deux fois, et il faudrait du temps avant de regagner sa confiance.

— Tu penses que Trent s'est glissé dans le vestiaire du bureau pendant que personne ne s'occupait de lui, et qu'il a pris la caisse après que tu as eu refermé la porte à clé ?

Maggie opina du chef. Ross avait pensé au vestiaire, comme elle. Il n'y avait pas d'autre endroit où se cacher, dans ce bureau exigu et à peine meublé.

— Il n'y avait aucune trace d'effraction. Soit la personne qui a volé l'argent avait une clé soit elle était à l'intérieur quand je suis partie.

Ross réfléchit quelques secondes, avant de reprendre :

— Certaines rumeurs ont couru sur Trent, il y a quelques années, mais elles ont vite été étouffées. Si c'était vrai, et que Cy l'ait couvert, Ben est peut-être assez reconnaissant pour lui passer de l'argent, ou lui faire des faveurs.

Maggie sentit les battements de son cœur s'accélérer.

— Raconte.

Ross se leva et s'adossa au petit lavabo de porcelaine de la cellule. Il s'était douché, rasé, et on lui avait apporté des vêtements propres pour comparaître devant le juge. Son jean noir et sa chemise à carreaux gris, blancs et noirs lui donnaient une belle allure.

— Quand Trent était à l'université, il aimait faire la fête… il buvait beaucoup, sortait tous les week-ends. Il avait une petite voiture de sport rouge qui filait comme une fusée… Un jour, on l'a vu avec des hématomes, et il a raconté qu'il s'était battu avec le petit ami d'une de ses copines. Mais d'après les rumeurs, il avait percuté une autre voiture… et blessé quelqu'un très grièvement.

Conduite en état d'ivresse ? Un tiers avait été blessé ? Tout en essayant de garder son calme, Maggie se dirigea vers la cellule. Ross lui rendit les feuillets.

— C'était au printemps. Peut-être en juin. Mais je ne me rappelle pas de quelle année.

— Il y a cinq ans ? J'ai entendu Ben réprimander son fils pendant les épreuves préliminaires du rodéo. Il disait qu'il l'avait sorti du pétrin, il y a cinq ans.

— C'est peut-être ça. Tante Ruby doit se rappeler. Mais si tu comptes consulter les dossiers, tu te fais des illusions. Farrell a dû faire disparaître le rapport, ou faire passer l'accident pour un incident matériel sans gravité.

— Pourtant, le nom de la victime doit bien être

consigné dans le rapport. Je pourrais contacter cette personne.

— Et comment cela peut-il m'aider? demanda Ross avec un sourire cynique.

— Si nous pouvons prouver que Farrell a falsifié des preuves, nous pourrons faire pression sur lui pour te sortir de là.

— Tu veux faire chanter les maîtres chanteurs?

Sa remarque sarcastique irrita Maggie.

— Tu as une meilleure idée?

— Bon sang, oui! Je veux que le salaud qui m'a piégé soit...

Maggie pivota brusquement sur elle-même en entendant la porte s'ouvrir. La silhouette dégingandée de Mike Halston s'encadra sur le seuil.

— Mike, je... je ne t'ai pas entendu rentrer. Je m'assurais simplement que le prisonnier...

— Non, Maggie, je sais très bien ce que tu faisais.

Il marqua une pause, et ordonna :

— Donne-moi ces papiers.

Chapitre 14

Terrifiée, Maggie retint sa respiration.

— Les papiers?

— Oui. Montre-les-moi.

— Pourquoi?

L'adjoint du shérif soupira, d'un air las.

— Parce que si je dois vous aider, il faut que je sache où nous en sommes.

Maggie lança un regard inquiet à Ross.

— Que veux-tu dire... si tu dois nous aider?

Mike avança dans l'étroit couloir qui longeait les cellules. Ses yeux étaient fixés sur Ross.

— Je sais que vous n'avez rien à voir dans ce vol, et Cy le sait aussi. Cette histoire n'a pas de sens.

Maggie poussa un soupir de soulagement et remercia le ciel.

— Nous pensons que le coupable est Trent. Tu vas trouver que cela a encore moins de sens?

— Trent?

— Oui.

Il fallut un moment au shérif adjoint pour digérer cette information. Puis il désigna le bureau d'un signe de tête.

— Nous serons mieux là-bas pour en parler.

— Attendez! lança Ross. Il faut que j'entende ce que vous allez dire. C'est de ma vie qu'il est question.

— J'en suis conscient, et je suis désolé. Mais Cy va revenir d'une minute à l'autre, et nous ne pouvons prendre le risque d'être découverts tous les trois en grande conversation. Surtout si ce que je vous ai entendus dire est vrai.

Ross frappa les barreaux du plat de la main, et tourna le dos, en proie à un mélange de rage et de frustration.

— Il faut que tu saches, reprit Mike en s'adressant à Maggie, que si nous essayons de coincer Farrell et que cela se retourne contre nous, tu es celle qui a le plus à perdre. Moi, je dois quitter ce poste, de toute façon. Mais Cy a des amis… sans parler des relations haut placées des Campion. Si cela tourne mal, tu ne pourras plus jamais travailler dans la police.

Cet avertissement ne la dissuada pas le moins du monde.

— Dans ce cas, il faudra nous arranger pour que ça ne tourne pas mal.

Mike repassa dans le bureau, et Maggie reporta son attention sur Ross. Elle se figea en voyant son regard sombre.

— Qu'y a-t-il?

— Ne t'en mêle pas. Ne t'attaque pas à Farrell. Nous

trouverons bien quelqu'un qui m'a vu arpenter le pré pour me calmer. Ils ne pourront rien prouver contre moi.

— Il n'en reste pas moins que c'est un homme sans scrupule, qui croit pouvoir faire tout ce qu'il veut sous prétexte qu'il porte une étoile de shérif. Tu voudrais que je le laisse s'en tirer comme ça ?

— Maggie, je sais que tu veux ce poste d'adjoint.

— A ma place, tu ne ferais rien ?

— Rien du tout.

— Tu mens, dit-elle d'un ton sobre.

Puis, comme il était trop loin pour qu'elle puisse le toucher, elle posa brièvement le bout des doigts sur les barreaux, et sortit.

Lorsque Mike et Farrell revinrent de chez le juge, Maggie était si anxieuse que tous ses muscles étaient douloureux. Le visage empourpré, Cy passa devant elle sans un mot, s'engouffra dans son bureau, et fit claquer la porte derrière lui. Apparemment, quelque chose ne s'était pas passé comme il le voulait. Maggie se demanda si cela concernait Ross.

Mike s'approcha de son bureau, et elle demanda à voix basse :

— Comment va Ross ?

— Il a été libéré sous caution, murmura-t-il avec un bref regard en direction du bureau de Cy. La dernière fois que je l'ai vu, il se dirigeait vers le café de sa tante.

Probablement dans l'intention de questionner Ruby,

au sujet de l'accident de Trent. Mais il y avait peu de chances qu'il obtienne les réponses dont il avait besoin. Maggie avait déjà appelé le café, et les souvenirs de Ruby concernant cet incident étaient très vagues.

— Ross est pour quelque chose dans l'humeur de Cy ?

— C'est possible, mais je pense qu'il y a autre chose.

Profitant du fait que Farrell se soit enfermé, ils firent de rapides recherches dans les vieux dossiers entreposés au fond du bureau. Ils ne trouvèrent rien incriminant Trent Campion dans une affaire, mais Maggie ne s'attendait pas à ce qu'ils tombent sur quelque chose. Cy avait vraisemblablement classé le rapport sur l'accident dans un dossier connu de lui seul, ou bien encore, il l'avait caché sous le nom de la victime. Ils compulsèrent tour à tour les classeurs, tout en guettant la porte du bureau de Farrell.

Juste avant 4 heures, peu après qu'un correspondant anonyme eut appelé Cy pour « raisons personnelles », Maggie trouva ce qu'ils cherchaient. Le cœur battant, elle parcourut le document, mémorisa le numéro de téléphone, et remit le dossier dans le classeur métallique.

La victime de Trent Campion s'appelait Mildred Tenney, et elle vivait à deux kilomètres de là, sur la route de Clearcut !

Maggie s'apprêtait à décrocher le téléphone, quand Cy émergea brusquement de son bureau, et alla prendre son Stetson accroché à une patère.

— Je dois sortir un moment, annonça-t-il d'un ton

bourru. Contactez-moi par radio s'il se passe quoi que ce soit.

Il lança un bref coup d'œil à Mike, sans ralentir l'allure.

— Tu peux me remplacer, si je rentre tard? Si ce n'est pas possible, appelle Joe.

— Non, je peux rester.

— Bien. Je serai de retour vers 7 heures, 7 heures et demie au plus tard. Mais on ne sait jamais.

Il sortit, et referma la porte derrière lui.

Maggie attendit que Cy soit passé devant la fenêtre, qu'il soit monté dans sa Jeep, et qu'il se soit engagé dans la rue. Ensuite, elle décrocha le récepteur et composa le numéro, tout en mettant rapidement Mike au courant. La sonnerie retentit une demi-douzaine de fois.

La voix d'une femme âgée retentit dans l'appareil.

— Madame Tenney? dit Maggie, la gorge nouée.

— Oui?

— Mon nom est Maggie Bristol, et je vous appelle du bureau du shérif de Comfort. Pourrais-je venir vous voir cet après-midi? Je voudrais parler avec vous.

— Le bureau du shérif? répéta la femme d'un ton craintif. Est-ce que… j'ai fait quelque chose de répréhensible?

— Pas du tout. J'ai simplement quelques questions à vous poser au sujet d'un accident que vous avez eu il y a quelques années. Je vous expliquerai cela de vive voix.

La femme accepta un peu à contrecœur, et Maggie raccrocha.

— Mike?

L'adjoint comprit, sans qu'elle ait besoin de prononcer un mot.

— Vas-y. Tâche d'apprendre le maximum de détails. Et n'oublie pas que d'après le dossier l'accident était bénin : dégâts matériels, pas de blessé, pas de conduite en état d'ivresse. Si Mme Tenney s'en tient à cette version, il faudra laisser tomber cette piste.

Maggie prit son sac.

— Je te communiquerai tout ce que j'aurai découvert.

Mildred Tenney habitait une petite maison blanche et décrépie, à l'écart de la route. Une douzaine de chats se prélassaient sur le perron et sur les marches.

Stupéfaite, Maggie freina et s'arrêta dans l'allée. Un pick-up rouge pétard avançait vers elle en vrombissant. Un cow-boy à l'expression déterminée tenait le volant.

Ross s'arrêta également, puis avança très lentement pour venir à la hauteur de Maggie et lui parler par la vitre ouverte. Il était tendu, et aussi nerveux que la jeune femme.

— Nous avons eu tous les deux la même idée.

— Comment as-tu découvert que c'était Mme Tenney?

— Tante Ruby. Elle a fini par se rappeler que Mme Tenney avait été blessée il y a quelques années et que juste après cela, elle avait touché une grosse somme d'argent.

Maggie regarda la maison délabrée.

— Une grosse somme?

Ross hocha la tête.

— Cela ne se voit pas de l'extérieur. Mais dès que tu franchis la porte, tout est flambant neuf. Et luxueux. Apparemment, elle ne voulait pas montrer que sa situation financière s'était améliorée, mais la rumeur l'a rattrapée.

— Il faut que je lui parle, déclara Maggie, le cœur battant.

— Tu peux y aller si tu veux, mais elle m'a déjà tout dit. Trent, Ben et Farrell sont tous les trois impliqués dans l'affaire.

— Oh, Ross, c'est merveilleux. Mais il faut qu'elle vienne faire une déposition.

Ross lui tendit une feuille de papier par la fenêtre du pick-up.

— Cela ira pour l'instant? Elle n'est pas en état de se déplacer.

— A cause de l'accident?

— J'en ai bien peur.

Maggie parcourut rapidement le texte. Celui-ci était clair, et l'écriture était ferme, les lettres bien tracées. Si la femme était nerveuse, cela ne transparaissait pas dans ce qu'elle avait écrit.

« *Je n'ai pas à me plaindre,* écrivait-elle en introduction. *J'ai été largement dédommagée.* »

Maggie poursuivit sa lecture. Il était question d'une nuit terrible, avec du brouillard et une forte pluie. L'accident avait laissé Mildred Tenney dans un fauteuil roulant.

Elle faisait plusieurs fois allusion au fait que les Campion avait fait preuve d'une immense gentillesse, et une brève allusion au fait que Trent roulait en état d'ivresse.

Maggie leva les yeux.

— Et Farrell?

— Tout est dit dans cette déposition. Pour te résumer l'histoire, Trent a appelé chez lui avec son téléphone cellulaire, Ben a passé le message à Farrell, et notre illustre shérif s'est chargé de tout le reste. Il a persuadé Mme Tenney qu'elle serait mieux soignée dans une grande ville, et avant de comprendre ce qui lui arrivait, elle s'est retrouvée dans une luxueuse clinique privée du nord de l'Etat.

— Ils ne se souciaient pas de son bien-être, en réalité, dit Maggie. Ben voulait se débarrasser d'elle pour ne pas mettre en danger les ambitions politiques de son fils.

— Exactement, répondit Ross en enclenchant la première. Et maintenant, je vais avoir une petite conversation avec Farrell.

Maggie hésita un instant, ne sachant si elle devait aller interroger Mme Tenney elle-même, ou suivre Ross. L'expression de ce dernier l'aida à prendre sa décision. S'il laissait libre cours à sa colère, les choses risquaient de mal tourner.

— Je te suis, dit-elle.

La déclaration de Mildred Tenney n'était qu'une étape dans leur enquête, mais elle leur faisait franchir un pas important. Maggie espéra qu'une fois qu'ils auraient eu une confrontation avec Cy, tout serait éclairci. Et alors, Ross pourrait enfin être innocenté.

*
* *

Quand Cy franchit la porte du bureau ce soir-là, à
21 h 30, Maggie n'eut qu'à jeter un coup d'œil à Ross pour
savoir que celui-ci avait du mal à contrôler sa rage.

Farrell regarda tour à tour toutes les personnes assises
autour du bureau de Maggie. C'est-à-dire celle-ci, Ross,
Mike Halston, et enfin l'avocat Mark Walker.

— Vous préparez une petite fête ? lança-t-il,
narquois.

Ross posa sur le bureau le rapport d'accident falsifié
qu'il venait de lire.

— Oui, et c'est en votre honneur.

Farrell approcha et ramassa le rapport dactylographié.
Il blêmit, puis se ressaisit et lâcha le papier qui retomba
sur le bureau.

— Une petite anicroche vieille de cinq ans? C'est
pour cela que vous faites tant d'histoires ?

— Non, dit posément Walker. C'est pour un rapport
de police falsifié… et probablement aussi le fait d'avoir
déguisé la vérité au sujet du vol qui a eu lieu samedi
dernier, dans le bureau du comité des fêtes.

Cy voulut répondre, mais Walker ne lui en laissa pas
le temps.

— Ross vient de passer chez Mildred Tenney, dit-il en
montrant la déposition de Mme Tenney. Celle-ci dit que
Trent Campion avait bu, le soir où sa voiture a percuté
la sienne sur la route de Clearcut. Elle dit aussi que cet
accident lui a valu un séjour à l'hôpital et des mois de

rééducation fonctionnelle. Cela n'est mentionné nulle part dans votre rapport, Cy. Pour quelle raison?

Ross se leva, et se mit à arpenter le bureau de long en large.

— Il semble que quelqu'un ait voulu étouffer cette affaire, Cy. Qu'en pensez-vous?

Farrell demeura immobile, tendu, comme s'il essayait d'évaluer rapidement la situation. Puis, réalisant sans doute qu'il était inutile de nier, il se laissa lourdement tomber sur la chaise que les autres avaient préparée pour lui.

— Les accusations dont tu fais l'objet vont être retirées, dit-il en passant une main sur ses grosses joues. J'ai déjà téléphoné à Brokenstraw pour prévenir Jess.

— Et pourrais-je savoir pourquoi?

— Parce que tu n'as pas pris cet argent.

— Cela ne vous a pas empêché de m'arrêter.

Farrell se hérissa tout à coup.

— J'étais obligé de t'arrêter. La preuve se trouvait dans ton pick-up! Si tu avais verrouillé tes portières, rien ne serait arrivé…

Mark Walker l'interrompit.

— Ecoutez, Cy, je ne veux pas passer toute la nuit ici à vous soutirer un par un tous les détails de l'affaire. Pourquoi retirez-vous l'accusation contre Ross?

Farrell se redressa, dans un effort manifeste pour regagner son assurance habituelle.

— Ben m'a demandé de passer chez lui aujourd'hui. Il avait besoin de moi. Apparemment, Dooley était en train de picoler près du pick-up de Ross, quand il a vu Trent cacher la caisse sous le siège avant. Cet après-midi, il s'est senti de taille à affronter Ben, pour essayer de lui soutirer de l'argent contre son silence.

Ross s'approcha du bureau, toisant Cy de toute sa hauteur.

— Alors, pourquoi Trent n'est-il pas derrière les barreaux ?

Farrell s'humecta les lèvres et changea de position sur sa chaise, puis détourna les yeux, visiblement mal à l'aise.

— Il... euh... nous a filé entre les doigts. J'ignore où il se trouve. Je suppose que son père le sait, mais il ne me le dira pas.

Maggie jeta un regard en coin à Ross. Celui-ci avait compris comme elle que Farrell leur cachait quelque chose. Trent s'était-il vraiment enfui ? Farrell n'était-il pas encore en train de le protéger ?

— Ecoutez..., reprit le shérif. Je pense que nous pouvons tout arranger sans trop de problèmes, si nous considérons les faits.

— Quels faits ? demanda aussitôt Mark Walker.

La voix du shérif regagna un peu d'assurance.

— Puisque le comité des fêtes n'a pas perdu un centime, et que Trent a fait don de son prix, Ben et moi avons pensé qu'il vaudrait mieux pour tout le monde...

— *Etouffer aussi cette affaire-là ?*

Ross fit un bond en avant, et tapa des deux poings sur le bureau.

— Pas question. Vous allez démissionner, espèce de salopard. Et Trent fera la une des journaux. Même si je dois pour cela acheter mon propre journal et n'en éditer qu'un seul numéro ! J'ai commis quelques erreurs dans ma vie, mais je n'ai jamais volé. Je ne veux pas que les gens croient que j'ai conclu un accord avec vous pour ne pas être inquiété, ou que vous avez dû renoncer à m'inculper parce que les preuves contre moi étaient insuffisantes.

Maggie se leva à son tour, et obligea Ross à reculer.

— Cela n'arrivera pas, Ross.

— Non, confirma Mike Halston.

Puis, se tournant vers Farrell, il ajouta d'un ton ferme :

— Désolé, Cy. Il faut me donner votre arme et votre insigne.

Le choc s'inscrivit sur le visage du shérif.

— Qui vous a donné le pouvoir de…

— C'est vous. Vous êtes en état d'arrestation. Association de malfaiteurs, dissimulation de preuves et obstacle à une enquête criminelle. Quand j'aurai vu Ben, je pense que nous pourrons aussi ajouter l'extorsion de fonds à cette liste.

Mike récita ses droits à Cy et l'emmena en cellule, tandis que le shérif protestait bruyamment et exigeait de passer un coup de fil. Walker profita de ce moment pour prendre Ross en aparté.

— Si Maggie et vous voulez partir, je peux prendre l'affaire en main avec Mike, à présent. Je suis vraiment désolé que vous ayez eu à subir tout cela. Je vous contacterai pour mettre au point quelques détails, mais pour moi l'affaire est réglée. Et ne vous inquiétez pas pour Trent. Nous allons le retrouver.

*
* *

— Pour sûr, nous allons retrouver Trent, marmonna Ross en sortant du bureau à longues enjambées. Je vais pouvoir récupérer mon véhicule ?

Maggie allongea le pas pour se maintenir à sa hauteur.

— Non, pas tant que tout n'est pas réglé.

— Alors, il faut que j'emprunte le pick-up de Lila.

— Pourquoi ? Que veux-tu faire ?

— Je vais me rendre au ranch des Campion. Tu as vu la réaction de Farrell, quand je lui ai demandé où était Trent. Je pense qu'il a menti, Trent n'est pas parti. C'est la raison pour laquelle il voulait absolument téléphoner. Ben a peut-être attendu de voir si Cy pouvait arranger cette affaire, avant d'expédier Trent quelque part.

— Mais comment Cy aurait-il pu arranger l'affaire ? Un témoin a vu Trent cacher la caisse dans ton pick-up.

— Dooley Spence ?

Ross laissa échapper un petit rire.

— Tu crois que ce serait difficile de prétendre que l'ivrogne de la ville a eu des hallucinations ? Si nous avions tous été d'accord pour accepter le joli petit scénario que Ben et Cy ont mis au point, Trent s'en serait sorti blanc comme neige. Encore une fois.

Maggie lui lança les clés. Ross les attrapa souplement et ils grimpèrent tous les deux dans la camionnette de Lila.

— Admettons que tu aies raison, et que Trent soit encore caché au ranch, en attendant de voir comment le vent tourne. En voyant que Cy ne les appelle pas, Ben va finir par s'inquiéter. Les Campion ont un petit avion privé et une piste d'atterrissage dans leur propriété. Trent a son brevet de pilote. Il s'est peut-être déjà envolé.

Ross tourna la clé dans le contact et la vieille Chevy 68 de Lila se mit à ronfler.

— Nous verrons bien.

Le parc impressionnant qui entourait la demeure de style espagnol des Campion était discrètement éclairé, ainsi que la longue allée pavée qui menait à la maison. Avant d'aborder celle-ci, ils étaient passés devant des dépendances luxueuses, autour desquelles paissaient tranquillement des chevaux.

Ross éteignit les phares et coupa le contact, en arrivant juste devant le lourd portail de fer forgé qui était resté ouvert. Une rangée de pins longeait l'allée.

— Bien, dit-il doucement. Nous n'obtiendrons rien en allant frapper à la porte du château. Si Trent est encore là, personne ne voudra nous le dire.

Il descendit de la camionnette et Maggie le suivit.

— Nous allons rester à couvert, au cas où quelqu'un aurait l'idée de regarder par la fenêtre.

Tout à coup, malgré la chaleur qui persistait à la tombée du jour, Maggie se sentit glacée jusqu'aux os.

— Ross, chuchota-t-elle, c'est une propriété privée, nous n'avons pas le droit d'entrer. Et s'ils ont une piste d'atterrissage, ils ont aussi des caméras de surveillance dans le parc.

— Tant pis. S'ils nous repèrent, ils nous repèrent. Tu es shérif adjoint, et tu recherches un criminel.

— Je ne suis pas encore officiellement adjoint.

— Tu le seras bientôt. En plus, le portail est ouvert. C'est presque une invitation à entrer.

Ils se faufilèrent entre les pins, en prenant garde de rester cachés derrière les buissons. Ils arrivèrent à la hauteur de la maison, et purent jeter un coup d'œil par les fenêtres.

Ils ne virent personne, excepté dans la cuisine où la gouvernante essuyait les comptoirs carrelés. Puis, en arrivant près de la véranda, à l'arrière de la maison, ils aperçurent Ben assis devant son bureau. Immobile, l'air abattu, il écoutait de la musique classique. Sa tristesse était presque palpable.

Mais Trent demeurait invisible. Ils avaient pourtant fait le tour de toutes les fenêtres. Quelque part, près des écuries, un chien s'était mis à aboyer, et les chevaux s'agitaient. Maggie était sur des charbons ardents. Elle avait beau vouloir faire payer Trent pour le mal qu'il avait fait, elle n'en était pas moins impatiente de partir.

Ce n'était pas le cas de Ross.

— Et maintenant? chuchota-t-elle, lorsqu'ils eurent fini d'inspecter le garage sombre et silencieux.

Ross jura tout bas.

— Je ne sais pas. Cy a peut-être dit la vérité, Trent est déjà parti. Il fait trop sombre dans ce maudit garage, je ne vois pas si sa Lincoln de luxe est là ou non.

Il jura de nouveau. Maggie posa le front contre son épaule pour se réconforter. Depuis l'horrible scène près de l'arène, quand Cy avait procédé à l'arrestation de Ross, ils n'avaient eu aucun moment d'intimité.

— Je suis désolée, murmura-t-elle. Je sais à quel point c'est important pour toi.

Ross la serra un instant contre lui, puis la relâcha.

— Ce n'est pas grave. Nous avions peu de chances de réussir, de toute façon. Viens, repartons, dit-il en lui prenant la main.

Ils venaient juste d'émerger du bosquet de pins, près de la camionnette de Lila, lorsqu'un véhicule déboula dans l'allée et se dirigea sur eux.

Maggie se retourna vivement, et fut éblouie par les phares. La voiture fit une embardée dans leur direction. Ross poussa un cri rauque, et repoussa la jeune femme sous les arbres. La Lincoln Navigator noire poursuivit sa route en vrombissant.

— C'était Trent! cria Ross. Attends-moi là!

— Non! Je viens avec toi.

Mais il était déjà loin devant elle, et grimpait au volant de la Chevy.

— Ross! Attends! Ne fais pas de bêtise!

— Je reviendrai te chercher! Je ne veux pas que tu sois dans la voiture quand j'essayerai de l'arrêter.

Ross démarra et s'engagea sur la route dans un crissement de pneus. Un flot d'adrénaline se déversa dans ses veines.

Les mains crispées sur le volant, il poussa la vieille camionnette à sa vitesse maximum. La Lincoln était puissante, mais Ross espéra que la route étroite et sinueuse obligerait Trent à ralentir l'allure. Il le fallait.

Ce salaud devait payer pour ce qu'il avait fait. Au cours des dernières semaines, Ross avait regagné l'estime de ses concitoyens, et il s'était senti réconforté. Avec cet acte de vengeance stupide, Trent avait failli une fois de plus faire de lui un paria.

Au loin, dans un épais nuage de poussière, il vit les feux arrière de la Lincoln s'allumer, et le véhicule freiner. Une ombre passa dans la lumière des phares, et il crut reconnaître la forme d'un cerf traversant devant Trent et l'obligeant presque à s'arrêter. Un coup de chance.

Que lui avait dit Lila, à propos de la vieille Chevy? Qu'elle valait mieux que n'importe quelle voiture de course?

— Allez, va, murmura-t-il, s'adressant au pick-up. Lila sera fière de toi.

Ross prit le virage suivant sur deux roues. Il retomba d'aplomb après quelques soubresauts, mais il gagnait du terrain sur la Lincoln. Trent était peut-être champion de rodéo, mais il était moins habile avec un volant entre les mains. Ross appuya à fond sur l'accélérateur, et la vieille Chevy le surprit par la puissance de sa reprise. La distance entre les deux véhicules se réduisit.

Et soudain, dans un nuage gris, la Lincoln apparut juste devant lui.

Ross fit un brusque écart sur la gauche et parvint à sa hauteur. Ils roulaient toujours à toute allure. Dans le virage suivant, Trent reprit la tête. Mais Ross le talonnait de près.

La route se déroulait droite devant eux. Sur cette portion, les ravins étaient plus profonds, les arbres plus épais. Ross reprit son souffle, et appuya à fond sur la pédale d'accélérateur. Trent jeta un coup d'œil par la portière et cria en voyant que Ross avait réussi à le rattraper et roulait en parallèle avec lui. Puis, Ross donna un violent coup de volant à droite et parvint à heurter le pare-chocs avant de la Lincoln. La voiture dérapa, bascula dans le fossé et s'immobilisa contre les arbres.

En une seconde, Ross fut sorti de la Chevy. Il courut à toutes jambes, pour arrêter l'homme qui sortait de la Lincoln. Trent voulut s'enfuir, mais il ne faisait pas le poids face à Ross, dont les forces étaient décuplées par la colère.

L'affaire fut réglée d'un seul coup de poing.

Haletant, mais stimulé par la victoire toute proche, Ross secoua sa main endolorie et repartit chercher une corde dans la voiture. Il éprouva un immense plaisir à ligoter Trent pour le ramener sans ménagement à l'arrière de la camionnette.

— Enfin, marmonna-t-il, le souffle court. Enfin, un peu de justice.

Il remonta dans le pick-up, fit demi-tour et retourna chercher Maggie. Elle devait être furieuse qu'il soit parti sans elle. Mais si elle avait été blessée dans cette course-poursuite, il ne se le serait jamais pardonné. Ross sentit un nœud se former dans sa gorge. Elle était tout, pour lui.

Mais il ne pourrait jamais l'avoir.

*
* *

Quand Ross et Maggie quittèrent le bureau du shérif pour la seconde fois de la soirée, le soulagement de Ross était contrebalancé par d'autres sentiments. Trent était enfermé, et hurlait des insultes à l'adresse de l'ex-shérif qui se trouvait dans la cellule voisine de la sienne.

Mais il restait encore une question à régler ce soir, et cette perspective ne le réjouissait pas.

Maggie glissa sa main dans la sienne, et il sentit l'émotion lui serrer la gorge. Après lui avoir passé un savon parce qu'il l'avait laissée en plan, avoir râlé un bon coup à cause du pare-chocs abîmé, et lui avoir répété dix fois qu'il aurait pu se tuer, elle avait fini par se jeter dans ses bras. Et lui, comme un imbécile, il n'avait pas pu s'empêcher de la serrer contre lui.

A présent, elle le ramenait chez lui.

— On y va ? demanda-t-elle avec un sourire radieux.

Ross hocha la tête, penaud à la pensée qu'il allait faire disparaître ce merveilleux sourire.

Le trajet jusqu'à la maison parut interminable. Devant son silence obstiné, Maggie ne tarda pas à comprendre que quelque chose n'allait pas, et sa bonne humeur finit par s'évanouir. A plusieurs reprises, il fut sur le point de tout lui dire. Mais une partie de lui répugnait à lui faire du mal, et par lâcheté, il se tut.

Toutefois, quand ils descendirent de voiture et qu'elle

gravit les marches de la maison de rondins, il ne put repousser la discussion plus longtemps.

— Maggie… je ne pense pas que ce soit une bonne idée.

— Quoi donc ?

— Il vaut mieux que tu n'entres pas. Nous ferions mieux de ne plus nous revoir.

Son visage exprima tour à tour la confusion, l'incrédulité, et finalement le chagrin. Elle s'assit lentement sur la plus haute marche. Jess avait laissé la lampe extérieure allumée, et des papillons de nuit voletaient autour de la porte, s'agglutinant aux rondins luisants de vernis. Les grillons chantaient à tue-tête dans l'obscurité.

— Tu n'as pas dit un mot pendant tout le trajet, murmura-t-elle. Tu m'en veux toujours à cause de ce que j'ai dit à Cy quand il t'a arrêté ?

Ross secoua la tête et s'approcha d'elle lentement.

— Non. J'étais en colère d'être enfermé pendant que tu te battais pour moi. Je déteste me sentir impuissant. Cela me rappelle toutes les fois… toutes les fois où j'ai fait des bêtises. Ensuite, Jess était obligé de les réparer.

— C'est de l'histoire ancienne. Pourquoi ne devrions-nous plus nous revoir ?

Ross plongea le regard dans le sien, en proie à un regret intense. Elle était si belle, si douce, si forte. Il serait si facile de lui tendre les bras, de la serrer contre son cœur, et de la garder là pour toujours. Mais ce serait trop égoïste.

— J'ai eu beaucoup de temps pour réfléchir dernièrement, dit-il. Et la plupart du temps, je pensais à toi.

Maggie, tu es la personne la plus extraordinaire que je connaisse. Tu mérites mieux qu'un type comme moi.

En une seconde elle fut debout, les mains crispées sur la rambarde, ses yeux noirs lançant des éclairs.

— Tu n'as pas le droit de dire cela! Si tu veux vraiment que je sorte de ta vie, ne cherche pas d'excuses. Dis-moi la vérité.

— C'est la vérité. Je le dis pour ton bien.

— Vraiment? Eh bien, j'en ai assez des gens qui veulent agir pour mon bien! D'abord mon père, et maintenant toi. Je prends mes décisions moi-même, et j'ai décidé que c'était toi que je voulais!

Il lui agrippa les épaules.

— Maggie, pour l'amour du ciel, regarde-moi. Je ne suis pas le genre d'homme qui peut s'engager pour toute la vie et te promettre le bonheur. Je suis le plus grand vaurien que cette ville ait connu, un type qui ne pense qu'à faire la fête et à jouer. C'est cela, que tu veux?

— Non! Je veux l'homme que tu es devenu. Travailleur, attentionné, honnête. Je n'ai pas besoin d'une bague de fiançailles et d'un mariage avec les grandes orgues. J'ai juste besoin de savoir que tu nous donnes une chance d'être heureux ensemble.

Elle lui prit tendrement le visage à deux mains.

— Ross, répéta-t-elle dans un souffle. Pourquoi ne veux-tu pas nous donner une chance?

Le téléphone se mit à sonner.

Encore.

Et encore.

Au lieu de lui répondre, Ross entra dans la maison pour décrocher.

Quand il revint, il parvint à esquisser un faible sourire.

— C'était Lila. Le conseil municipal s'est réuni en urgence, il y a quelques minutes. Félicitations. Tu as été nommée adjoint du nouveau shérif par intérim. Mike voudrait que tu l'appelles.

Cette bonne nouvelle la toucha à peine. Elle se demanda vaguement pour qui elle allait travailler. Mike allait partir dans un mois, et le conseil devrait chercher quelqu'un pour le remplacer. Et ce ne serait pas elle. Une simple employée de police ne devenait pas shérif en l'espace de deux mois.

— Où est Mike?

— Toujours au bureau. Tu peux utiliser le téléphone qui se trouve ici.

Après tout ce qu'ils avaient vécu, il lui donnait la permission d'utiliser son téléphone? Alors que quelques jours auparavant...

— C'est bon, dit-elle à voix basse. Je vais retourner en ville. Il vaut mieux que je lui parle de vive voix.

Ross la suivit jusqu'au pick-up. Maggie mit le contact, et le regarda par la vitre ouverte.

— Je viendrai demain matin, et je t'emmènerai récupérer ton pick-up.

— Ce n'est pas la peine, Jess m'emmènera.

— Ross, dis-moi que ce n'est pas fini entre nous, dit-elle, d'une voix étouffée.

— Je suis désolé, Maggie. Mais oui, c'est fini.

Elle était certaine qu'il viendrait la voir dans la matinée, pour lui dire qu'il avait changé d'avis. Cette pensée l'aida à passer la nuit.

Mais il ne vint pas, et pendant les trois jours suivants, elle se jeta à cœur perdu dans le travail. Une des premières choses qu'elle fit avec Mike, ce fut d'interroger Ben.

Lorsque Campion comprit que Cy ne protégerait plus son fils, il devint très coopératif. Maggie apprit ainsi à quoi servait le mystérieux double fond dans le tiroir du shérif. Le jour où Cy avait demandé à Ben de financer son meeting électoral, Cy avait ouvert le tiroir et en avait sorti l'original du rapport sur l'accident de Trent. Juste pour lui rappeler que dans le petit chantage qu'ils exerçaient l'un sur l'autre, Ben avait plus à perdre que lui.

Le travail était un dérivatif. Mais il ne comblait pas le vide que Ross avait laissé dans son cœur.

Le vendredi après-midi, Maggie se sentit si déprimée qu'elle décrocha le téléphone et appela Brokenstraw.

— Casey, comment puis-je le convaincre? demanda-t-elle, bouleversée.

— J'aimerais pouvoir vous aider. Jess a été aussi récalcitrant que lui, au début. En fait, si je n'avais pas complètement perdu la tête le premier soir, nous ne serions pas...

Elle marqua une pause, et ajouta lentement :

— Ensemble aujourd'hui. Eh bien… il y a peut-être quelque chose que vous pouvez faire.

— Quoi donc ?

— C'est une solution réellement radicale.

— Dites-moi.

Lorsque Casey eut terminé son histoire, elles riaient toutes les deux. Mais le rire de Maggie était teinté d'appréhension. Le plan de Casey pouvait se retourner contre elle, Ross ne réagirait peut-être pas comme son frère. Que ferait-elle, alors ?

— Maggie ? ajouta Casey. Vous savez pourquoi il a si peur de s'engager, n'est-ce pas ?

— Je crois. C'est à cause de sa passion du jeu ? Il craint de retomber dans ses vieux travers, il n'a pas confiance en lui.

— C'est ce que nous pensons, Jess et moi. Il a entendu beaucoup d'histoires horribles, pendant ses réunions aux Joueurs anonymes.

— Mais il a dû entendre des choses positives aussi. Il est fort à présent, Casey. Je le sais. Et je l'aime.

— J'espère que vous saurez l'en convaincre.

Epuisé, Ross mit pied à terre, emmena Buck dans le corral, et défit la lanière de la selle. Il avait travaillé comme un fou pendant trois jours. Et malgré tout, il n'était pas parvenu à chasser Maggie de ses pensées. Pourquoi n'était-il pas en paix, alors qu'il savait que cette rupture était préférable pour elle ? Il ne pouvait pas lui donner la vie qu'elle méritait. Il lui fallait un homme au passé impeccable, qui n'aurait pas peur de tout gâcher.

Il ôta la selle du dos du cheval, la posa sur la clôture, avec la couverture et les rênes. Le cheval partit gaiement rejoindre la jument brune, à l'autre extrémité du corral, et Ross soupira.

Il referma le portail et rapporta la selle dans l'écurie. L'odeur familière de paille, de poussière et de cuir avait quelque chose de réconfortant. Il allait pousser jusqu'à la maison, pour voir si Casey avait des restes du dîner. Et si Jess voulait un coup de main pour repeindre le porche de la cuisine.

Il avait besoin de s'occuper, maintenant. S'il s'absorbait dans le travail, ses préoccupations finiraient par disparaître. Il se remplirait tellement l'esprit, qu'il n'y aurait plus de place pour Maggie.

Mais alors qu'il était sur le point de ressortir, son regard s'arrêta sur la couverture qui venait de glisser à terre. Cela fit surgir le souvenir d'une autre couverture, d'un dimanche après-midi dans l'herbe chauffée par le soleil.

Une flèche douloureuse le transperça. Soudain, il se revit dans le jardin de l'église avec Maggie. Comme elle était belle ce jour-là, avec sa robe blanche et ses longs cheveux noirs tombant sur ses épaules... Elle ressemblait à...

A une mariée.

Une seconde passa. Puis une autre. Et encore une autre.

Finalement, il secoua la tête en souriant. Qui essayait-il

de tromper? Il ne pourrait jamais oublier Maggie Bristol. Jamais.

Il pouvait la rendre heureuse. Parce qu'il avait changé. Il avait changé avant son arrivée, et plus encore après, car il voulait gagner son estime.

Il avait été complètement idiot de la repousser.

Ross se précipita vers son pick-up, et retourna chez lui à vive allure pour se doucher et se changer. Il n'était peut-être pas trop tard. Il fallait qu'elle lui donne une deuxième chance.

La lune venait juste de commencer son ascension dans le ciel lorsque Maggie arriva devant la maison de Ross. Profitant de l'absence de celui-ci, elle transporta rapidement ses valises au premier étage, dans la mezzanine à peine éclairée. Elle entendit de l'eau couler dans la salle de bains, dont la porte était restée entrouverte.

Le cœur battant à tout rompre, elle jeta ses sacs sur le lit, où il avait soigneusement étalé ses vêtements propres. Juste comme l'avait fait Casey, le soir où elle était venue réclamer à Jess sa part du ranch.

Puis, Maggie ôta ses vêtements, et entra dans la salle de bains.

La silhouette de Ross se détachait derrière les vitres dépolies et envahies de buée. L'odeur fraîche de son savon flottait dans la petite pièce.

Il pivota rapidement sur lui-même lorsque la porte

vitrée s'ouvrit. Abasourdi, il contempla Maggie. Celle-ci vint se placer à côté de lui sous le jet d'eau chaude.

— Maggie ? Que fais-tu ?

Elle leva crânement le menton, et lui prit le savon des mains.

— Mes affaires sont dans la chambre. J'emménage ici.

Puis, d'une toute petite voix, elle ajouta :

— Tu ne vas pas me chasser, n'est-ce pas ?

Ross sourit. Puis avec un soupir de soulagement, il l'attira contre lui.

— Pourquoi veux-tu que je te chasse ? Je m'apprêtais à aller te chercher.

Le savon glissa et rebondit sur le fond carrelé de la douche, tandis que Maggie refermait les bras sur Ross. Puis, sans se soucier de l'eau qui coulait sur eux, ils se serrèrent étroitement l'un contre l'autre dans la cabine. Leurs lèvres se joignirent, ils s'embrassèrent avec passion, soupirèrent, murmurèrent des mots d'amour, s'embrassèrent encore.

Il n'existait pas d'homme plus parfait que lui en ce monde, songea Maggie. Ce qui l'attirait, ce n'était pas seulement sa beauté, mais aussi son intégrité, sa douceur. Oui, ce qu'il y avait entre eux, c'était de l'amour. Il le savait aussi. Même s'il ne parvenait pas encore à prononcer les mots qu'elle avait envie d'entendre.

Mais cela n'avait pas d'importance. Cela viendrait plus tard... Ses mains viriles glissèrent sur elle, puis Ross arrêta le jet d'eau chaude, et l'entraîna vers le lit sans cesser de l'embrasser.

La fenêtre était ouverte… un large rectangle ouvert sur le ciel étoilé, éclairé par la lune argentée.

— Nous allons mouiller le lit, chuchota-t-elle, tandis qu'il poussait les valises sur le sol.

— Cela ne fait rien, ça séchera.

Il prit ses lèvres de nouveau. Puis Ross descendit plus bas, déposant une foule de petits baisers sur sa gorge, et sur ses seins. Maggie soupira, et enfouit les doigts dans ses cheveux mouillés.

Leurs jambes s'enlacèrent, leurs mains explorèrent de nouveau les courbes, les creux.

Puis Maggie l'accueillit en elle en fermant les yeux. Elle les rouvrit pour le regarder dans la pénombre. Son visage viril était éclairé d'un sourire.

— Tu me rends si heureux, chuchota-t-il en repoussant une mèche qui barrait sa joue. Comment cela se fait-il ?

— C'est parce que tu sais que je t'aimerai toujours. Quoi qu'il arrive.

— Je suis un joueur, Maggie.

— Non. Tu étais un joueur, autrefois. Maintenant, tu es à moi.

Ross soupira en tremblant et enfouit le visage au creux de son cou. Et finalement, il chuchota les mots qu'il retenait depuis si longtemps.

Le cœur de Maggie se gonfla de bonheur. Il l'aimait.

Tandis que le plaisir montait en elle comme une spirale de feu, les mots flottaient dans sa tête. Un moment plus tard, quand la jouissance déferla, Maggie éprouva un bonheur parfait.

Pour la première fois de sa vie, elle se sentit comblée.

Ils demeurèrent allongés face à face, dans la douce lueur projetée par les rayons de lune.

— Tu m'aimes, chuchota-t-elle.

— Bien sûr. Comment pourrais-je ne pas t'aimer ? Tu as pris le risque de perdre ton job pour moi, tu t'es opposée à ton père pour prendre ma défense.

Il garda le silence un moment, puis dit d'une voix basse et tremblante :

— Je veux t'épouser, Maggie.

Un peu troublée par le ton de sa voix, elle toucha son visage dans la semi-obscurité.

— Moi aussi. Mais cela n'a pas l'air de te rendre heureux ?

— Je suis heureux. Mais nous ne nous marierons pas tant que nous n'aurons pas l'approbation de ton père.

— Oh, Ross. Ce n'est pas toi qu'il désapprouvait. C'était le fait que nous fassions l'amour sans être mariés. Quand je lui annoncerai que nous vivons ensemble, il remuera ciel et terre pour que tu fasses de moi une honnête femme.

— Non, ça ne se passera pas comme ça. Car tu ne vas pas t'installer ici.

Maggie se redressa et s'assit sur le lit, abasourdie.

— Mais tu viens de dire que tu voulais m'épouser ?

— Je ne veux pas que ton père se sente déshonoré.

Tu ne viendras pas habiter ici tant que nous ne serons pas passés à l'église.

C'était donc tout ? Soulagée, Maggie se pelotonna de nouveau contre lui et posa la tête sur son épaule.

— Il va t'adorer. Quand il verra à quel point tu me rends heureuse, il sera aux anges.

Puis, pressant les lèvres contre son cou, elle murmura :

— Un mariage en août, ça te plairait ?

Épilogue

Ross se tenait près de la maison, à l'ombre des grands peupliers. Les invités riaient et bavardaient ensemble, pendant que des femmes transportaient des plats qu'elles disposaient sur les tables. Un peu plus loin, des rangées de chaises étaient décorées de rubans blancs. Des paniers de fleurs roses et blanches décoraient les longues tables couvertes de nappes de lin.

Jess traversa la pelouse pour le rejoindre, et Ross rit doucement.

— Ce que tu es élégant !

— Presque autant que toi.

Ils demeurèrent côte à côte, vêtus de leur smoking, à regarder l'activité qui régnait dans le jardin. Casey et Ruby mettaient une dernière main à la décoration. Des voitures et des camionnettes continuaient d'arriver, et allaient se garer dans le corral. Des invités commencèrent à prendre place sur les chaises.

— Tu te sens nerveux ? demanda Jess.

— Non. Je suis prêt.

Il ne s'était même jamais senti aussi prêt de sa vie.

Il se demanda brièvement comment devait se sentir le père de Maggie, puis il chassa cette inquiétude. Il avait fait de son mieux pour convaincre Tom qu'il aimait sa fille et voulait la rendre heureuse. Si Tom avait encore des réticences, le temps en viendrait à bout.

Jess fronça les sourcils et demanda :

— Qui est le gars qui accompagne Mike Halston et sa petite amie ?

— Où ça ?

— Dans le corral. Celui qui sort de la Blazer blanche.

Ross posa les yeux sur un cow-boy à la haute stature, portant un chapeau noir, qui venait de claquer la portière de sa voiture.

— C'est notre nouveau shérif. Maggie l'a invité.

— Pourquoi as-tu l'air renfrogné ? demanda Jess, avec un sourire amusé.

— Je ne sais pas. Il ne me plaît pas.

— Tu préférais Farrell ?

— Bon, d'accord. Il n'est peut-être pas si mal que ça, le nouveau, admit Ross.

Bessie Holsopple se détacha d'un groupe de femmes, et se dirigea vers l'orgue. Jess donna une claque amicale sur l'épaule de son frère.

— C'est l'heure, petit frère. Tu as une dernière demande à faire, avant de dire adieu à ta liberté ?

— Oui. Que personne n'approche de la crique ce soir.

Bessie se mit à jouer, tandis que Ross et Jess approchaient de l'arche couverte de roses et de lierre. Le révérend Frémont, vêtu d'un surplis blanc, vint à la rencontre de Ross et lui serra la main. Puis, avec un clin d'œil d'encouragement, il se mit à sa place et ouvrit son livre de messe.

La musique s'éleva dans la chaleur de cet après-midi du mois d'août. Le cœur de Ross se mit à battre plus fort. Il y eut des murmures dans la foule, et il vit Maggie avancer vers lui, au bras de son père.

Ses cheveux noirs étaient relevés en chignon, des boucles retombaient autour de son visage, et elle portait un diadème de fleurs roses et blanches. Sa robe de satin blanc scintillait au soleil.

La gorge de Ross se noua lorsque Tom Bristol embrassa la joue de sa fille, puis vint lui serrer la main.

Ensuite, Tom monta sur l'estrade, serra aussi la main de Frémont avec un petit rire amical, et prit sa place, face à la congrégation.

Le visage de Maggie s'illumina.

— Chers amis, chers voisins, annonça Tom, j'ai l'immense plaisir d'unir aujourd'hui par les liens du mariage ma fille, Maggie, et Ross Dalton… un homme que j'ai appris à connaître et à respecter.

Ross n'entendit pas un autre mot de la cérémonie, il ne se rappela même pas avoir prononcé les vœux. Il était trop occupé à remercier le ciel, et à serrer la main de Maggie dans la sienne.

Les yeux brouillés par les larmes, il contemplait Maggie en souriant.

Et Maggie lui souriait aussi.

PRÉLUD'
Le 1ᵉʳ Septembre

www.harlequin.fr

A paraître dès juillet

Best-Sellers n°382 • thriller

Collection macabre - Erica Spindler

A La Nouvelle-Orléans, la découverte d'un squelette de femme à la main coupée relance une affaire restée sans suite deux ans plus tôt : après avoir retrouvé plusieurs mains de femmes coupées, la police n'avait pas réussi à arrêter celui que la presse avait surnommé « le collectionneur». Chargée de l'enquête, l'inspecteur Patty O' Shay est sous le choc quand elle apprend que le badge de police de son mari, assassiné deux ans plus tôt, est retrouvé avec le squelette. Dès lors, elle n'a plus qu'une idée en tête : retrouver « le collectionneur ». Quel qu'en soit le prix…

Best-Sellers n°383 • roman

L'enfant du scandale - Barbara Delinsky

Hugh et Dana forment un couple harmonieux malgré leurs différences. Si Dana vient d'un milieu modeste et n'a jamais connu son père, Hugh, issu de la bourgeoisie bostonienne, a dû lutter pour faire accepter son épouse dans sa famille. Alors que l'arrivée d'un enfant semble apaiser les passions, c'est un véritable scandale que déclenche la naissance de la petite fille. Car, contre toute attente, le bébé a la peau sombre. Abasourdis, déchirés entre la joie et la soif de réponses, les jeunes parents décident d'explorer leurs racines, au risque de déterrer les secrets du passé…

Best-Sellers n°384 • suspense

Un danger dans la nuit - Lisa Jackson

Je sais ce que tu as fait, confesse tes péchés…
En écoutant ce message sur son répondeur, la psychologue Samantha Leeds plonge en plein cauchemar. Car l'appel lui rappelle le drame qui a marqué sa vie : le suicide d'Annie, une jeune auditrice perturbée qu'elle n'a pas pu sauver. Terrifiée, Samantha l'est d'autant plus que le harceleur est devenu un tueur qui viole et étrangle ses victimes en écoutant son émission. Tandis que les inspecteurs Bentz et Montoya pistent le meurtrier, Samantha se réfugie auprès de Ty Wheeler, son nouveau voisin, le seul homme auquel, croit-elle, elle peut encore faire confiance…

Best-Sellers n°385 • thriller

Tu tueras pour moi - Andrea Ellison

Dix jeunes femmes au teint d'albâtre et aux cheveux de jais, aux lèvres maquillées de rouge sang…Une série de crimes qu'à Nashville, personne n'a oubliés. Vingt ans plus tard, la ville est de nouveau plongée dans la peur tandis que quatre nouvelles victimes sont découvertes, tuées selon le même rituel. Mais pour les enquêteurs, pas de doute : ces crimes portent la signature sanglante du tueur. Pour Taylor Jackson, le lieutenant chargé de l'enquête, l'affaire prend une tournure personnelle : car un détail dans le profil de l'assassin a réveillé des souvenirs enfouis au plus profond d'elle-même…

Best-Sellers n°386 • thriller

La forêt de la peur - Michelle Gagnon

Dans les Appalaches, un terrifiant ossuaire est découvert. Pour l'agent Kelly Jones, du FBI, cette enquête tombe vraiment mal : elle espérait trouver dans les bras de Jake, ex flic reconverti dans la protection rapprochée, la force de surmonter le choc que lui a causé la mort tragique de son coéquipier. Mais d'autres corps sont retrouvés, portant la trace d'horribles sévices. Dès lors, Kelly ne peut s'empêcher de s'impliquer. Elle découvre qu'il n'y a pas un, mais deux tueurs. Deux assassins rivaux, lancés dans une atroce surenchère…

Best-Sellers n°387 • historique

La tentation de lady Blanche - Brenda Joyce

Londres et la Cornouailles, 1822

Sous des airs frivoles de riche héritière, Blanche Harrington cache une nature tourmentée, hantée par un drame de son enfance. Depuis, elle s'est juré de ne jamais se montrer vulnérable. Et de ne jamais accorder sa confiance à un homme. Mais sa rencontre fortuite avec sir Rex de Warenne, qu'elle surprend dans les bras d'une servante, va ébranler ses certitudes. A la fois choquée et fascinée par tant d'impudeur, Blanche ne peut s'empêcher de ressentir pour cet homme une attirance inavouable…

Best-Sellers n°388 • roman

Les amants de l'été - Susan Wiggs

Rosa Capoletti a de quoi être fière : orpheline de mère, elle s'est construite seule et fait carrière dans la restauration de luxe. Mais elle est toujours célibataire car elle ne peut oublier son premier amour : Alex Montgomery, le fils des riches voisins qui séjournaient chaque été sur la côte. Rosa n'a pas oublié leurs premiers baisers, et l'abandon, lâche et inexplicable, d'Alex, sorti de sa vie en entrant à l'université. Obsédée par ce douloureux souvenir, Rosa est pourtant décidée à rompre avec son passé. Mais voilà que, dix ans après son départ, Alex est de retour…

Best-Sellers n°389 • thriller

Le tueur d'anges - Erica Spindler

Il y a cinq ans, trois meurtres de petites filles ont semé la panique à Rockford, Illinois. Kitt Lundgren, chargée de l'enquête, a fait de la traque du tueur une obsession — mais elle a laissé le coupable lui échapper. Sa vie en a été marquée à jamais. Et voilà qu'après cinq ans de silence, le tueur d'anges recommence à frapper. Cette fois, Kitt est décidée à le retrouver, mais l'enquête est confiée à l'inspecteur Riggio, une jeune femme ambitieuse qui ne pardonne pas à Kitt ses erreurs du passé…

Best-Sellers n°390 • roman

Un été au Maryland - Nora Roberts

A Antietam, dans le Maryland, un été va bouleverser à jamais l'existence de plusieurs êtres meurtris par la vie. Cassie Connor se sent en effet revivre. Elle qui a subi des années durant les violences de son mari n'a-t-elle pas trouvé enfin le courage de porter plainte contre lui ? A présent que Joe est en prison, elle savoure sa liberté toute neuve. Et accepte d'être courtisée par Devin MacKade, l'un des célibataires les plus en vue de la région. Mais on ne se libère pas si facilement du passé…

Best-Sellers n°391 • roman

Le passé meurtri - Karen Young

Ecrivain reconnu, Elizabeth Walker s'efforce d'oublier les drames qui ont jalonné sa vie : la mort tragique de ses parents, la perte de ses deux petites sœurs, qu'elle n'a jamais revues depuis leur adoption, et son enfance à elle, ballottée au gré des familles d'accueil. Elle vit en solitaire jusqu'au jour où sa meilleure amie Gina se voit menacée de perdre la garde de sa fille. Cette fois, Elizabeth se battra. Pour Gina. Pour la petite Jesse, sa filleule adorée. Et pour se donner enfin une chance de prendre son destin en main.